em

Brückenkurs

**Deutsch als Fremdsprache
für die Mittelstufe**

**Michaela Perlmann-Balme
Gabi Baier
Barbara Thoma**

LEHRERHANDBUCH

Hueber

Dieses Werk folgt der seit dem 1. August 1998 gültigen Rechtschreibreform.
Ausnahmen bilden Texte, bei denen künstlerische, philologische oder lizenz-
rechtliche Gründe einer Änderung entgegenstehen.

3. 2. 1.   Die letzten Ziffern
2003 02 01 00 1999 | bezeichnen Zahl und Jahr des Druckes.
Alle Drucke dieser Auflage können, da unverändert,
nebeneinander benutzt werden.
1. Auflage
© 1999 Max Hueber Verlag, D-85737 Ismaning
Umschlaggestaltung: Marlene Kern, München
Layout und Herstellung: Kerstin Graf, München
Gesamtherstellung: Ludwig Auer GmbH, Donauwörth
Printed in Germany
ISBN 3-19-021627-4

Inhalt

Teil 1

Konzeption des Lehrwerks

1. Das Baukastensystem

Brückenkurs

em Brückenkurs ist der erste Band eines umfassenden dreibändigen Unterrichtsprogramms für die Mittelstufe und stellt Material für circa 160 Unterrichtseinheiten bzw. 16 Unterrichtseinheiten zu 45 Minuten pro Lektion bereit. Das Lehrwerk eignet sich für Kurse in einem deutschsprachigen Land oder im jeweiligen Heimatland.

Sprachliche Voraussetzungen

em Brückenkurs eignet sich für Lernende, die
- gute Grundkenntnisse mitbringen und diese ausbauen möchten,
- sich auf die Prüfung zum *Zertifikat Deutsch* vorbereiten wollen,
- das *Zertifikat Deutsch* mit der Note *befriedigend* oder *ausreichend* abgelegt haben,
- sich außerhalb eines Kurses vergleichbare Sprachkenntnisse erworben haben.

Das sprachliche Niveau, das mit *em Brückenkurs* erreicht wird, entspricht dem vom Europarat beschriebenen *Threshold 1990* bzw. der *Kontaktschwelle*.

Übergang von der Grundstufe zur Mittelstufe

em Brückenkurs eignet sich für Lernende auf dem Übergang von der Grundstufe in die Mittelstufe. Die wichtigsten Themen der Grammatik (z. B. Grundverben, Tempora, Passiv, Deklination, Pronomen, Wechselpräpositionen u. ä. m.) sind ihnen bereits bekannt. Ihr Wortschatz, der circa 1500 bis 2000 Wörter umfasst, reicht zur Bewältigung von Alltagssituationen. Allerdings weisen diese Lernenden im Rahmen der alltagsbezogenen Sprech- oder Schreibanlässe besonders bei weiterführenden Fragen noch Unsicherheiten auf. Die Rezeption und effektive Verarbeitung von längeren Lese- und Hörtexten bereitet ihnen noch Schwierigkeiten.

Einsatz in Kursstufen

Der Aufbau bzw. die Unterteilung der Mittelstufe ist weltweit an verschiedenen Institutionen unterschiedlich. Dennoch lassen sich für den Einsatz des dreibändigen Lehrwerks folgende Empfehlungen geben:
- In einer **dreistufigen** Mittelstufe werden alle drei Bände eingesetzt.

Brückenkurs	Hauptkurs	Abschlusskurs

- In einer **vierstufigen** Mittelstufe setzt man den *Brückenkurs* in der ersten Stufe, den *Hauptkurs* in der zweiten und dritten Stufe und den *Abschlusskurs* in der vierten Stufe ein.

Brückenkurs	Hauptkurs	Hauptkurs	Abschlusskurs

Progression

Das Lehrwerk *em* weist in zweifacher Hinsicht eine Progression auf: Zum einen steigt der Schwierigkeitsgrad von Band zu Band. Diese Progression betrifft vor allem die Portionierung der Grammatik und die Auswahl der Texte bezüglich Länge, Textsorten und Abstraktionsgrad. Ausgangspunkt von *em Brückenkurs* sind die Alltagssituationen, wie sie in der *Kontaktschwelle* bzw. *Threshold 1990* beschrieben sind. Ausgangspunkt der einzelnen Lektionen sind Personen, ihre konkrete Lebenssituation bzw. ihre Sichtweise. Im produktiven Bereich konzentrieren sich die Aufgaben auf den persönlichen Erfahrungshintergrund (Beispiele: Einladungen schreiben, auf Reisen um etwas bitten).

In *em Hauptkurs* dagegen bilden sehr breit angelegte Themen (Beispiele: Sprache, Medien etc.) den Ausgangspunkt einer jeden Lektion. Im produktiven Bereich nehmen in *em Hauptkurs* Textsorten wie Leserbrief oder Diskussion breiteren Raum ein.

em Abschlusskurs schließlich stellt Ressorts in den Mittelpunkt, wie sie z. B. in Zeitschriften häufig wiederkehren, z. B. Aktuelles, Ratgeber etc.

Innerhalb eines jeden Bandes gibt es eine Progression von leichteren zu schwierigeren Texten. So kann und soll zwar aus dem angebotenen Material ausgewählt werden, ein völliges Umstellen der Lektionen in ihrer Reihenfolge ist jedoch weniger ratsam.

Lernziel

Für die oben beschriebene Zielgruppe ist das zentrale Lernziel von *em Brückenkurs* die Erweiterung und Vertiefung des vorhandenen Grundwissens. Dazu tritt das Erlernen von neuem Wortschatz und einzelnen spezifischen Grammatikphänomenen.

Das Unterrichtsprogramm von *em Brückenkurs* bringt den Teilnehmerinnen und Teilnehmern (TN) modernes Deutsch in Wort und Schrift näher. Im Vordergrund steht die Sprache, wie sie im privaten, öffentlichen und beruflichen Leben verwendet wird.

Die TN lernen,
- sich in für sie relevanten Alltagssituationen richtig und situationsangemessen auszudrücken,
- sich an Gesprächen des täglichen Lebens und einfachen Diskussionen zu beteiligen,
- gehörten und gelesenen Texten relevante Informationen zu entnehmen,
- einfache persönliche und offizielle Briefe im Rahmen alltäglicher Kommunikation zu verfassen.

Das Lehrwerk trainiert die vier Fertigkeiten (Lesen, Hören, Schreiben und Sprechen) anhand einer Vielfalt von Textsorten und kommunikativen Anlässen. Zur Bewältigung der Aufgaben vermittelt es ein an die Bedürfnisse von Fortgeschrittenen angepasstes sprachliches Wissen im Bereich Wortschatz und Grammatik. Darüber hinaus leitet das Lehrwerk die TN dazu an, ihren Lernprozess bewusst zu gestalten und ihre Lerntechniken zu optimieren.

Lernerprofile

em Brückenkurs eignet sich für folgende drei Lernergruppen:
- Personen, die mit Blick auf die jetzige oder spätere Berufstätigkeit lernen,
- Personen, die im Zusammenhang mit einer Ausbildung oder einem Studium in einem deutschsprachigen Land bzw. im Heimatland lernen und
- Personen, die zur allgemeinen Weiterbildung, als Freizeitbeschäftigung oder aus persönlichem Interesse lernen.

Bedürfnisanalyse

Der Aufbau von *em Brückenkurs* als flexibles Baukastensystem ermöglicht es Kursleiterinnen und Kursleitern (KL), gemeinsam mit den TN ein individuell auf ihre Bedürfnisse abgestimmtes Lernprogramm zusammenzustellen. Voraussetzung für ein maßgeschneidertes Kursprogramm ist eine Bedürfnisanalyse am Kursanfang.

Im Arbeitsbuch findet sich ein Fragebogen zur Analyse der Lerninteressen sowie Aufgaben zur Ermittlung des Lernerprofils (S. 8 f.).

Zur Bewusstmachung des jeweils zweckmäßigen Lernprogramms und der möglichen Auswahl dient die Inhaltsübersicht *Kursprogramm* am Anfang des Buches (Kursbuch S. 4 f.).

Die Auswahl der Lerninhalte durch KL und TN geschieht im Normalfall im Hinblick auf die angebotenen Themen und Fertigkeiten. Sie kann sich aber auch an den Textsorten orientieren, die für die Zielgruppe besonders relevant sind. Ziel der Bedürfnisanalyse in der Klasse am Anfang eines Kurses ist es, die gemeinsame Schnittmenge zu ermitteln, durch die möglichst viele individuelle Interessen der TN abgedeckt werden.

Kursplanung

Am Kursanfang macht der KL auf der Basis der Bedürfnisanalyse in der Klasse eine Grobplanung für das gesamte Kursprogramm.

Wochen- und Semesterpläne

Im Verlauf des Kurses erfolgt dann eine Feinplanung in Form von Wochen- bzw. Semesterplänen. Wochenpläne eignen sich bei Intensiv- bzw. Semi-Intensivkursen. In Extensivkursen empfiehlt sich dagegen die Arbeit mit Semesterplänen. Wenn der KL diese Pläne im Klassenraum aufhängt oder den TN austeilt, führt dies zu mehr Transparenz der Unterrichtsinhalte und hilft bei der Reflexion des Lernfortschritts.

Kurstypen

Aufgrund seines flexiblen Aufbaus eignet sich *em Brückenkurs* als kurstragendes Lehrwerk in verschieden strukturierten Kursen:
- Intensivkurse (20–30 Unterrichtseinheiten pro Woche)
- Semi-Intensivkurse (6–12 Unterrichtseinheiten pro Woche)
- Extensivkurse (3–6 Unterrichtseinheiten pro Woche)

Lehrertypen

em Brückenkurs eignet sich als Lehrwerk nicht nur für erfahrene Lehrkräfte, die in der Lage sind, das dargebotene Material souverän in ihren Klassen einzusetzen. Es richtet sich auch an Lehrer, die erste Erfahrungen im Mittelstufenunterricht sammeln. Hilfreich ist für diese Lehrer der vorgegebene Stundenaufbau bei jeder Unterrichtseinheit. Mit geringfügigen Variationen besteht dieser Aufbau aus folgender Struktur:
a) Vorentlastung,
b) Präsentation des Textes bzw. der Situation bzw. des Schreibanlasses,
c) Aufgaben, insbesondere halboffene und geschlossene Aufgaben zu den Lese- und Hörtexten,
d) Nachbehandlung bzw. Transferaufgabe.

KL können sich bei der Arbeit mit *em Brückenkurs* verstärkt den Lernenden zuwenden. Der Schwerpunkt ihrer Arbeit liegt in der Unterstützung des Lernprozesses durch Steuerung des Unterrichtsgeschehens und Korrektur von TN-Leistungen.

2. Didaktischer Ansatz

Das Lehrwerk *em* orientiert sich an den *Rahmenrichtlinien*[1] sowie den *Lehrplänen*[2] für den Mittelstufenunter-

---

1 Rahmenrichtlinien für den Mittelstufenunterricht am Goethe-Institut, München 1995.
2 Lehrpläne für die Goethe-Institute in Deutschland, München 1996.

richt an Goethe-Instituten. Abgesehen von der bereits beschriebenen Bedürfnisorientierung, umgesetzt in der Form des Baukastensystems mit der Fähigkeit zur Anpassung an verschiedene Lernergruppen, greift *em* drei weitere Grundgedanken auf:
- Lernerzentriertheit/Eigenständigkeit der Lernenden
- Handlungsorientierung der Aufgaben
- Textsorte als curriculares Planungsmittel

Lernerzentriertheit/Eigenständigkeit der Lernenden

Das Lehrwerk *em* ist lernerzentriert. Das bedeutet, die Aktivität im Unterrichtsgeschehen wird soweit wie möglich auf die Lernenden selber verlagert. Dieser Ansatz zeigt sich in verschiedenen Aspekten:

– Verantwortung

Die TN werden in *em Brückenkurs* schrittweise dahin geführt, die Verantwortung für ihr eigenes Lernen zu übernehmen. Sie werden angeleitet, eigene Lernziele zu formulieren und aus dem Angebot an Unterrichtsmaterialien mit auszuwählen, was sie lernen möchten.

– Art der Aufgaben

Die Aufgaben des Lehrwerks sind auf eigenständiges Arbeiten der TN angelegt. Sie erlauben es dem einzelnen Lerner, sich den Lernstoff induktiv zu erarbeiten und aktiv am Unterrichtsgeschehen mitzuwirken. Dem KL kommt vor allem die Rolle des Moderators oder Korrektors zu. Besonders deutlich wird das bei der Erarbeitung der Grammatik. Hier geht die Aktivität von den Lernenden aus, die das jeweilige Phänomen sammeln, ordnen und die dazugehörige Regel selbst formulieren.

– verschiedene Lernertypen

Das Abwechseln verschiedener Aufgabentypen soll dazu beitragen, den verschiedenen Begabungen und Interessen der TN einer Klasse Rechnung zu tragen. So findet der kognitive Lernertyp grammatische Regeln ausformuliert (z.B. S. 91/GR7), der visuelle Lerntyp findet alle wichtigen sprachlichen Strukturen in Übersichten visualisiert (z.B. S. 37), für kreative Lerner gibt es Spiele (z.B. S. 109), haptische Lernertypen dürfen Plakate und Poster basteln (z.B. S. 25), der kommunikative Lernertyp kann mit Lernpartnern zusammenarbeiten.

– Sozialformen und partnerschaftliches Lernen

Das Lernen voneinander hat in der Konzeption von *em Brückenkurs* einen hohen Stellenwert. Daher spielen Partner- und Gruppenarbeit als Sozialformen des Unterrichts eine zentrale Rolle.
Die Aufgaben im Kursbuch sind in der Regel so angelegt, dass die TN ihr Vorwissen aus unterschiedlichen biographischen als auch kulturellen Hintergründen einbringen können.

– Projektarbeit

Besonders in multikulturell zusammengesetzten Klassen ermöglichen Aufgaben zum Vorwissen der Lernenden einen Erfahrungsaustausch, der über das Lernen von sprachlichen Strukturen hinausgeht. Das reichhaltige Angebot an Unterrichtsprojekten soll einen authentischen Erfahrungsaustausch zwischen den TN anregen und vertiefen.

– Lernerfolgskontrolle

Aktiv sind die Lernenden auch im Hinblick auf die Bewertung ihres Lernerfolges. Mit Hilfe von dafür eigens erstellten Aufgaben (*Lernkontrolle* am Ende jedes Kapitels im Arbeitsbuch) beobachten die Lernenden, um welchen Lernschritt es im Unterricht geht. Sie werden in den Aufgaben dazu angeleitet, den eigenen Lernfortschritt zu beobachten und zu bewerten (vgl. z.B. Arbeitsbuch S. 20).

Handlungsorientierung der Aufgaben

em Brückenkurs geht von sprachlichen Intentionen und Funktionen aus. Das Interesse verlagert sich weg von der reinen Wissensvermittlung, z.B. in Form von Grammatikparadigma, hin zur sprachlichen Aktivität. Die Vermittlung der sprachlichen Strukturen sind diesem sprachlichen Handeln untergeordnet. Wenn die Lernenden gesprochene oder geschriebene Sprache produzieren sollen, entwickeln die Aufgaben dafür in der Regel einen Kontext. Sprechen oder Schreiben ist damit eingebettet in realistische Situationen und Anlässe.

Textsorte als curriculares Planungsmittel

– Textauswahl

Das Lehrwerk *em Brückenkurs* bietet eine große Zahl von verschiedenen Textsorten an. Auswahlprinzip war einerseits die Relevanz für eine breit definierte Zielgruppe, d.h. es werden solche Textsorten angeboten, die für sehr viele Lernenden eine Rolle in ihrem realen Leben spielen oder spielen werden. Ein weiteres Auswahlkriterium war ihr Schwierigkeitsgrad im Verhältnis zu dem sprachlichen Können der Lernenden am Anfang der Mittelstufe.

– Authentizität

Die präsentierten Textsorten spiegeln die Vielfalt der sprachlichen Realität außerhalb des Klassenzimmers wider. Anzutreffen sind die typischen Textsorten der Presse wie Reportage, Glosse oder Nachricht. Daneben treten literarische Textsorten wie Lied, Autobiographie oder Kurzprosa. Diese Textsortenorientierung gilt für alle vier Fertigkeiten.
Die angebotenen Beispiele zu den Textsorten präsentieren authentische Gegenwartssprache. Sie beziehen Varietäten des Deutschen, d.h. die österreichische oder schweizerische, ein.

Textsortenübersicht[3]

Rezeption		Produktion	
Lesen	Hören	Schreiben	Sprechen

nicht-fiktional
– Anzeige
– Biographie
– Brief
– Chronik
– Einladungen
– Fragebogen
– Glosse
– Informationsbroschüre
– Interview
– Kommentar
– Lexikonartikel
– Ratgeber
– Reiseführer
– Reportage
– Restaurantkritik
– Sachbuch (Auszug)
– Schlagzeile
– Speisekarte
– Statement/Meinung
– Statistik
– Zeitungsbericht
– Zeitungsmeldung
– Zeugnis
	nicht-fiktional
	– Alltagsdialog
	– Gespräch
	– Gesprächsrunde
	– Interview
	– Ratgeber
	– Radiosendung
	– Radioreportage
	– Rezept
		informelles Register
		– Einladung
		– E-Mail
		– Mitteilung, Notiz
		– persönlicher Brief
		
		formelles Register
		– Anfrage
		– Leserbrief/
		  Stellungnahme
		– Reklamation
			informelles Register
			– Gespräch
			– Inhaltswiedergabe
			– Interview
			– Debatte/Diskussion
			– Konversation
			– Problemlösung
			
			formelles Register
			– höfliche Bitten
			– Diskussion
			– Informationsgespräch
			  (Telefonat)
			– Einladung (Telefonat)

fiktional – Autobiographie/ Erzählung – Literarischer Kurztext	*fiktional* – Lied – Märchen	*kreativ* – (Kurs-)Zeitungsartikel – Rezept	*kreativ* – Rollenspiel – Projekt-Präsentation – Referat – Vortrag

3 Vgl. Rahmenrichtlinien, S. 106 ff. 1995, S. 106; Lehrpläne, S. 108 ff.

– Rezeptionsstile

Textsorten legen oft bestimmte Rezeptionsstile nahe. So lesen wir in der Realität manche Texte Wort für Wort, andere dagegen überfliegen wir. Ein Gedicht wird intensiver gelesen als eine unter vielen Kurznachrichten in einer Zeitung. Dieses Prinzip hält nun auch Einzug ins Klassenzimmer. Rezeptionsstile und -strategien werden ausführlich geübt.

– Nomenklatur

Bei der Benennung einzelner Textsorten besteht in Fachkreisen Uneinigkeit. Ob ein Text eher als „Reportage" oder als „Sachtext", eine Face-to-face-Kommunikation eher als „Gespräch" oder „Interview" zu bezeichnen ist, darüber lässt sich im Einzelfall streiten. Entscheidend ist für die TN, welche Merkmale für diesen Text typisch sind.

3. Aufbau des Lehrwerks

Vier Komponenten

Das Lehrwerk hat folgende Teile:
- Kursbuch,
- Arbeitsbuch mit vertiefenden und weiterführenden Übungen,
- Kassetten/CDs mit Hörtexten und Aussprachetraining,
- Lehrerhandbuch.

Zehn Lektionen – Zehn Personen

Das Kursbuch *em Brückenkurs* ist in zehn Lektionen unterteilt. Ausgangspunkt der Lektionen sind Personen aus den verschiedensten Bereichen des alltäglichen sowie des öffentlichen Lebens. Als Einstieg in die Lektion werden diese Personen durch Foto-Porträts vorgestellt. In Hörtexten kommen sie als Gesprächspartner zu Wort. Bei den Personen des alltäglichen Lebens handelt es sich um Einzelpersonen, z.B. um eine Schülerin (Lektion 4), um einen jungen Musiker (Lektion 8), um Familien (Lektion 2) oder um zwei Freunde (Lektion 7). Dieser Ausgangspunkt sorgt dafür, dass die Texte authentische, moderne Alltagssprache präsentieren. In die Reihe der Personen, um die herum sich das Lektionsthema entwickelt, treten im zweiten Teil des Kursbuches drei weit über die Grenzen Deutschlands bekannte Persönlichkeiten aus dem deutschsprachigen Raum: die Schauspielerin Marlene Dietrich (Lektion 6), der Bergsteiger Reinhold Messner (Lektion 9) und der Modeschöpfer Karl Lagerfeld (Lektion 10).

Zehn Lektionen – Zehn Themen

Die zehn Lektionen des Kursbuches sind thematisch organisiert. Die erste Hälfte des Kursbuches greift mit den Themen *Arbeit und Freizeit, Familie, Feste, Schule, Essen und Trinken* wichtige Bereiche des alltäglichen Lebens auf. Diese Lektionen vertiefen vorhandene Kenntnisse und Fertigkeiten in der Alltagskommunikation. Die TN lernen die adäquate Sprache, um einander kennen zu lernen und sich in verschiedenen Situationen über Menschen, deren Berufstätigkeit, Freizeitverhalten sowie Grundbedürfnisse des täglichen Lebens auszutauschen. Behutsam wird vom Sprechen in der Alltagssituation zum Sprechen über einen Sachverhalt (z.B. das Thema „Schuluniformen" in Lektion 4) übergeleitet.

Der zweite Teil des Kursbuches rückt mit den Themen *Film, Musik* und *Mode* die ästhetische Dimension stärker in den Mittelpunkt. Die Themen *Reisen* und *Sport* sorgen dazwischen für inhaltliche Abwechslung und sprechen andere Lernerpersönlichkeiten an.

Sechs Bausteine des Baukastens

Eine Lektion setzt sich aus sechs überschaubaren Bausteinen – den Rubriken – zusammen.
Die sechs Rubriken in jeder Lektion sind:
- vier Fertigkeiten:
  Lesen, Hören, Schreiben, Sprechen
- zwei Bereiche sprachlichen Wissens:
  Wortschatz, Grammatik

Jede Rubrik steht für sich und ist eine Einheit. Das bedeutet, wer in Lektion 1 gerne Sprechen trainieren möchte, kann dies, auch ohne vorher die Rubriken Lesen oder Hören durchgearbeitet zu haben. Man kann das Buch **Seite für Seite** durcharbeiten, doch lässt sich auch mit einem **selektiven Vorgehen** noch ein abgerundetes Kursprogramm gestalten. Die übersichtliche Gestaltung durch Signalfarben macht es leicht, bedürfnisorientiert vorzugehen.

Lektionsaufbau

Beim Aufbau der Lektionen wurde bewusst die Reihenfolge der Rubriken abwechslungsreich gestaltet. Mal beginnt eine Lektion mit *Hören* (vgl. Lektion 2, 3, 4, 5, 8), mal mit *Lesen* (vgl. Lektion 6, 7, 9 und 10) und einmal mit *Sprechen* (vgl. Lektion 1). Sind mehrere Texte zum *Lesen* oder *Hören* bzw. mehrere Schreib- und Sprechanlässe vorhanden, sind sie durchnummeriert (z.B. Lesen 1). Das Programm einer Lektion ist in sich wiederum so gegliedert, dass ein logischer Ablauf entsteht.

Inhaltsverzeichnis

Auf Seite 3 findet sich ein chronologisch aufgebautes Inhaltsverzeichnis. Es dient vor allem dazu, dass der Leser eine bestimmte Seite bzw. einen Text rasch wiederfindet. Auf den Seiten 4 bis 7 ist der Inhalt des Kursbuches noch einmal unter dem Titel *Kursprogramm* nach Rubriken geordnet. Diese Darstellungsform verschafft KL und TN einen raschen Überblick über die Systematik dieses Buches und dient zur Auswahl des Kursprogramms.

a) Das Kursbuch

Einstiegsseiten

Jede Lektion beginnt mit einem Foto als Sprech- oder Schreibanlass, was einen spielerischen Einstieg ins Lektionsthema möglich macht. Dabei ergeben sich meist viele verschiedene Deutungen des Bildes. Diese Vieldeutig-

keit ist gewollt, denn auf diese Weise entstehen interessante und immer wieder aktuelle Sprechanlässe. Zugleich ermöglichen die Einstiegsseiten eine Aktivierung des bei den Lernenden vorhandenen Vorwissens. Lernziele und Aufgaben der Einstiegsseiten wechseln je nach Thema:
- seinen Lernpartner / seine Lernpartnerin vorstellen, z. B. S. 9, 45,
- Vermutungen zu den abgebildeten Personen oder dem Thema formulieren, z. B. S. 21, 33, 93,
- das Foto bzw. die Person darauf beschreiben, z. B. S. 57, 69, 81, 105, 117,
- persönliche Reaktionen formulieren, z. B. S. 81,
- über eigene Erfahrungen sprechen, z. B. S. 33,
- sich über die Biographie der abgebildeten Person informieren, z. B. S. 69, 105,
- Vorlieben einer Person kennen lernen, z. B. S. 45.

Rezeption und Produktion

Der Hauptteil jeder Lektion ist dem Training der vier Fertigkeiten Lesen, Hören, Schreiben und Sprechen gewidmet. Jeweils die Kopfzeile zeigt an, welche Fertigkeit gerade geübt wird. Spezifische Merkmale der Rezeption und der Produktion sind Gegenstand von Aufgaben und Übungen, in denen zum Beispiel die jeweils vorliegende Textsorte (z. B. Zeitungsartikel) reflektiert wird. Zugleich ist das Fertigkeitstraining häufig integrativ, d. h. es bieten sich Transfermöglichkeiten von einer Fertigkeit zur anderen.

Der Fertigkeit Lesen ist besonders breiter Raum gegeben und zwar aus zwei Gründen: Zum einen ist das Lesen für alle TN, insbesondere aber für die außerhalb der deutschsprachigen Länder Lernenden, als Basis der Informationsbeschaffung und -auswertung von besonderer Bedeutung. Zum anderen wird die Grammatik aus den Lesetexten entwickelt. Nachdem die spezifischen Leseaufgaben bearbeitet wurden, untersuchen die Lerner die Lesetexte auf ihre sprachlichen Strukturen.

em Brückenkurs trainiert gezielt die produktiven Fertigkeiten. Das zeigt sich an der Reservierung von mindestens zwei ganzen Kursbuchseiten pro Lektion für das Schreiben und Sprechen. Die schriftliche und mündliche Ausdrucksfähigkeit wird auf diesen Seiten durch vielfältige Hilfestellungen systematisch aufgebaut.

Wortschatzseiten

In der Mittelstufe liegen die rezeptiven Fähigkeiten erheblich über den produktiven. Wegen des Niveauunterschieds von aktivem und passivem Wortschatz ist der Aufbau der aktiven Ausdrucksfähigkeit auf dieser Stufe ein wichtiges Lernziel. Deshalb nehmen die Wortschatzseiten einen eigenen Platz neben den vier Fertigkeiten ein. In jeder Lektion findet sich eine Seite, die speziell der Erweiterung des aktiven Wortschatzes gewidmet ist. An

dieser Stelle können hochfrequente und vielfach verwendbare Wörter noch einmal unabhängig von den spezifischen Rezeptionstexten erarbeitet und vertieft werden. Grundlage für die Auswahl des Wortschatzes war die Wortliste zum *Zertifikat Deutsch*.

Grammatikdarstellung

Die Grammatik nimmt im Grundstufenunterricht meist breiten Raum ein. Alle wichtigen Grammatikthemen werden dort bereits einmal angeschnitten. Gerade wegen der hohen Konzentration des Grammatikstoffes in der Grundstufe „sitzt" aber vieles bei den TN noch nicht. *em Brückenkurs* greift diejenigen Themen auf, die erfahrungsgemäß noch der Festigung bedürfen. Dabei wird auf eine Einführung von größeren Mengen völlig neuen Stoffs bewusst verzichtet.

Innerhalb der Lektionen werden die einzelnen Phänomene und Regeln der Grammatik aus den Lesetexten entwickelt und durch Übersichten und farbige Kästen graphisch hervorgehoben.

Bei der Progression werden pragmatisch-funktionale Aspekte in der Vordergrund gestellt. Wichtigstes Ziel ist der Ausbau der kommunikativen Kompetenz in allen vier Fertigkeiten. Der Grammatik kommt dabei keine Führungsrolle, wohl aber eine wichtige Mittlerfunktion zu.

Referenz- und Nachschlageseiten

Auf der letzten Seite jeder Lektion ist der gesamte Grammatikstoff, der aus den Lesetexten induktiv entwickelt wurde, übersichtlich zusammengefasst. Dieser Anhang gibt den TN die Möglichkeit, sich zu jeder Zeit noch einmal einen Überblick über das Gelernte zu verschaffen. Er hilft, strukturelle Zusammenhänge zu begreifen und zu behalten.

Unterrichtsprojekte

Für die Lebendigkeit des Unterrichts und eine Anbindung an die Realität außerhalb des Klassenzimmers sorgen Unterrichtsprojekte. Die Vorschläge für Projekte und erkundungsorientierten Unterricht finden sich unter den Rubriken *Sprechen* (Meine [Traum]familie, S. 25, Ein Fest in meinem Heimatland, S. 38, Kino, S. 79, Eine außergewöhnliche Reise, S. 89) oder *Wortschatz* (Modenschau, S. 120). Die Projekte sind sowohl an einem Kursort in einem deutschsprachigen Land als auch im Heimatland durchführbar.

Lösungsschlüssel

Ein Lösungsschlüssel zu allen Übungen und Aufgaben in Kurs- und Arbeitsbuch findet sich am Ende dieses Lehrerhandbuches auf den Seiten 88–103. Er ist als Kopiervorlage angelegt und für die Hand der TN gedacht.

b) Das Arbeitsbuch

Einsatz des Arbeitsbuchs im Kurs

Das Arbeitsbuch lässt sich einerseits im Kurs zur Vertiefung und Erweiterung einzelner Aspekte verwenden. Andererseits eignet es sich gut für eine Nachbereitung des Kurses als Hausaufgabe. Alle Übungen im Arbeitsbuch sind durchnummeriert und mit einem Verweis versehen, zu welcher Stelle im Kursbuch sie passen. Im Kursbuch findet sich ein Hinweis, dass es im Arbeitsbuch eine Übung zu dem behandelten Gebiet gibt.

Vier Rubriken

Jede Lektion im Arbeitsbuch unterteilt sich in vier Rubriken:
- Lernwortschatz der Lektion,
- Aufgaben und Übungen zum Kursbuch,
- Aussprachetraining,
- Lernkontrolle.

Lernwortschatz

Jeder Lektion im Arbeitsbuch vorangestellt ist der Wortschatz der Lektion. Dabei handelt es sich um eine Auswahl derjenigen Wörter aus der Lektion, die für die Spracherwerbsstufe relevant sind und die die TN in jedem Falle passiv, möglichst sogar aktiv beherrschen sollten. Diese Vorgabe des relevanten Wortschatzes jeder Lektion macht das Lernpensum für die TN transparent. Bei der Auswahl wurde darauf geachtet, dass die Anzahl der Einträge im Bereich des Lern- bzw. Behaltbaren bleibt. Die Listen sind nach Verben, Nomen, Adjektiven/Adverbien und idiomatischen Ausdrücken geordnet. Innerhalb jeder Gruppe herrscht die alphabetische Reihenfolge. Dieses Ordnungsschema hebt diese – lediglich als Kontrolle gedachten – Listen ab von den nach Wortfeldern angelegten Wortschatzseiten im Kursbuch.

Aufgaben und Übungen zum Kursbuch

Der Hauptteil der Arbeitsbuchlektionen ist Übungen gewidmet, mit denen der Stoff des Kursbuches nachbereitet, gefestigt und vertieft wird. Die Rubriken des Kursbuchs sind als Spezifizierung der Übungen wieder aufgenommen. Titel und Rubrikzuordnung (*Grammatik, Wortschatz, Lesen* etc.) erleichtern die Auswahl der passenden Übungen. Die Anordnung der Übungen richtet sich nach ihrem Bezug zu den Kursbuchteilen.

Schwerpunkt: Grammatik und Wortschatz

Schwerpunkt des Übungsprogramms ist die Einübung von Wortschatz und Grammatik einer Lektion. Wo immer möglich, wurden Wortschatz und Grammatik in Kontexte eingebettet. So werden zum Beispiel authentische bzw. semi-authentische Texte als Basis für Lückentexte und Einsetzübungen verwendet. Darüber hinaus gibt es auch Aufgaben zu den Lesestrategien oder zum Schreiben. Unter der Rubrik *Lesen* gibt es als Übungstypen Lückentexte, Textpuzzles, Rasteraufgaben und dergleichen, anhand derer die TN die Lesetexte aktiv bearbeiten.

Lerntipps

Zur Verbesserung des selbstgesteuerten Lernens dienen die sogenannten Lerntipps. Ausgehend von Texten und Aufgaben im Kursbuch zeigen diese Aufgaben, wie die TN sich z.B. ein Wortfeld systematisch erarbeiten oder wie man an einen Hörtext richtig herangeht. Die Lerntipps sind an jeweils passenden Stellen im Arbeitsbuch eingestreut. Zusammengenommen bilden sie ein Trainingsprogramm, das es den TN ermöglicht, ihren individuellen Lernprozess effektiver zu gestalten. Damit ist ein Schritt weg vom belehrenden KL hin zu selbstbestimmten TN getan. Neben praktischen Tipps, z.B. wie man eine Vokabelkartei (vgl. Arbeitsbuch S. 10) anlegt, finden sich unter den Lerntipps auch Hintergrundinformationen, etwa über Textsorten und Lesestile (z.B. Arbeitsbuch S. 62 f.).

Folgende Themen werden behandelt:

Lektion 1 Wortschatz: Wortfeld erarbeiten, Vokabelkartei, Sätze bilden;

Lektion 2 Hören: Globales Verstehen, Grammatik: Terminologie, Wortschatz: Einsprachiges Wörterbuch;

Lektion 3 Lesen: Hauptinformationen im Text;

Lektion 4 Lesen: Schlüsselwörter erkennen, Grammatik: Tabellen, Regeln selbst erstellen;

Lektion 5 Lesen: Selektives Lesen, Internationalismen, Grammatik: Textgrammatik;

Lektion 6 Schreiben: Selbstkorrektur;

Lektion 7 Sprechen: Freies Sprechen;

Lektion 8 Wortschatz: Mnemotechnik, Sprechen: Laut lesen, auswendig lernen, Selbstkontrolle;

Lektion 9 Schreiben: Satzanfänge variieren.

Videotipp

Das Lehrwerk bietet eine Reihe von Hinweisen auf Hör- und Sehangebote. Da an zahlreichen Kursorten die Möglichkeit besteht, Videofilme im Unterricht, in einer Mediothek oder im Rahmenprogramm des Kurses zu zeigen, verweist das Arbeitsbuch in den Lektionen 2, 5, 6 und 7 auf zum Lektionsthema passende Videofilme. Aber auch für TN, die keinen Zugang zu den beschriebenen Filmen haben, sind die Aufgaben relevant. Die kurzen Inhaltsangaben der Filme sind nämlich jeweils mit Leseaufgaben versehen, so dass sie als Lesetexte von allen Lernenden behandelt werden können.

Aussprachetraining

Eine eigene Rubrik des Arbeitsbuches ist der Verbesserung der Aussprache gewidmet. Die Aufgaben setzen auf dem Niveau des fortgeschrittenen TN an und behandeln einzelne verbreitete Ausspracheprobleme, die TN verschiedener Muttersprachen gemeinsam haben.

Lernkontrolle

Das Arbeitsbuch bietet zwei Elemente der Lernkontrolle an:
– Lernwortschatz

Am Anfang einer Lektion ist der Lernwortschatz alphabetisch aufgelistet. Diese Liste ist ein Indikator für das Wortschatzpensum einer Lektion. Die Mehrzahl der aufgelisteten Wörter sollten in den aktiven Wortschatz der Lernenden eingelagert werden.
– Lernkontrollseiten

Auf der letzten Arbeitsbuchseite einer Lektion findet sich eine in Metasprache verfasste Übersicht über das Arbeitspensum der gerade bearbeiteten Lektion. Dieses Element hilft den Lernenden, ihren Lernprozess aktiv zu beobachten und ihren individuellen Lernfortschritt zu kalkulieren. Mit Hilfe des Rasters kann der TN Revue passieren lassen, was Gegenstand der Lektion war. (Sofern er nur ausgewählte Teile daraus bearbeitet hat, gelten nur diese für ihn.) Das so festgehaltene Ergebnis kann als Basis für ein individuelles Gespräch zwischen TN und KL dienen.

4. Fertigkeitstraining

a) Leseverstehen

Textsortenspezifisches Lesetraining

Ausgehend von authentischen Textsorten sensibilisiert *em* die TN zunächst für deren Merkmale. Sie lernen Signale wie z. B. Überschrift, Lay-out und begleitendes Bildmaterial als Lesehilfe einzusetzen.

Lesestile und Textverstehen

Anhand verschiedener Textsorten trainieren die TN die verschiedenen Lesestile. Geübt wird neben dem traditionellen „totalen" Lesen auch das Überfliegen eines Textes (vgl. Kursbuch S. 39) und das selektive Lesen nach bestimmten Einzelheiten (vgl. Kursbuch S. 59). Die TN lernen, eine Unterscheidung zwischen Wesentlichem und Unwesentlichem vorzunehmen. Außerdem lernen sie, unbekannten Wortschatz aus dem Kontext oder aus bekannten Wörtern zu erschließen.
Wir unterscheiden folgende Formen des Textverstehens:
– *Globales Textverstehen*

das Wesentliche über den Inhalt erfassen; sich auf Hauptaussagen und den roten Faden konzentrieren
– *Selektives Textverstehen*

(auch *selegierendes Lesen* genannt) gezielt nach Einzelheiten suchen und diese lokalisieren
– *Detailliertes Textverstehen*

Einzelheiten in Passagen des Textes oder im gesamten Text verstehen
– *Totales Textverstehen*

den gesamten Text genau lesen und verstehen
– *Interpretierendes Textverstehen*

verstehen, was „zwischen den Zeilen" ausgedrückt ist.
– *überfliegendes Textverstehen*

(auch *kursorisches Lesen* genannt) mit den Augen schnell über den Text gehen und dabei bestrebt sein, das Hauptthema zu erfassen.

Lesestrategien

Lesestrategien, die *em Brückenkurs* übt, sind:

Lektion 1 globales und detailliertes Textverstehen, Hauptaussagen rekonstruieren;

Lektion 2 Wiederherstellung der Textstruktur, Erkennen und Lokalisieren der Hauptaussagen;

Lektion 3 Hauptinformationen notieren, globales Textverstehen,
Erkennen von Urteilen bzw. Standpunkten, interpretierendes Lesen;

Lektion 4 Hauptaussagen rekonstruieren; interpretierendes Lesen, Entnahme von Hauptaussagen;

Lektion 5 selektives Lesen, Erkennen von Urteilen bzw. Standpunkten,
Wiederherstellung der Textstruktur;

Lektion 6 globales Textverstehen,

Lektion 7 Erkennen und Lokalisieren der Hauptaussagen, Hauptaussagen entnehmen,
Texte und deren Informationen vergleichen;

Lektion 8 interpretierendes Lesen, Textvergleich, Hauptaussagen rekonstruieren, Einzelheiten entnehmen;

Lektion 9 Erkennen und Lokalisieren der Hauptaussagen, Textintentionen erkennen, Hauptaussagen und Einzelheiten verstehen;

Lektion 10 Erkennen und Lokalisieren der Hauptaussagen, Texte und deren Informationen vergleichen.

Aufgaben vor dem Lesen

Eine systematische Vorentlastung in Form von Aufgaben vor dem Lesen baut die Angst und Hemmschwelle vor einem umfangreichen Text ab. Eine wichtige Rolle spielt hier das Weltwissen, das die TN über verschiedene Textsorten, deren Intentionen sowie über das Thema des Textes bereits mitbringen.

- über eigene Erfahrungen und die Situation im Heimatland berichten, z. B. S. 12,
- visuelles Begleitmaterial des Textes aktiv auswerten,
  z. B. S. 16, 49, 102, 124,
- über ein Bild sprechen oder schreiben, z. B. S. 43, 70,
- Vorwissen über die Textsorte aktivieren, z. B. S. 30, 90,
  121,
- Vorwissen über das Thema aktivieren, z. B. S. 36, 39, 62,
  87, 96, 118,
- Erwartungen aufgrund von Überschrift, Lay-out und
  dergleichen aktivieren, z. B. S. 82, 110,
- thematisch verwandte Kurztexte/Aussagen als Einstieg
  bearbeiten, z. B. S. 26,
- Assoziationen sammeln, z. B. S. 50,
- Wortschatz vorentlasten, z. B. S. 54.

Aufgabentypen zum Leseverstehen

em Brückenkurs bietet ein umfangreiches Übungspro-
gramm an. Dieser Abwechslungsreichtum basiert darauf,
dass die Aufgaben sich an den Erfordernissen der Text-
sorten und den jeweiligen Lernzielen ausrichten. Fol-
gende Aufgabentypen werden eingesetzt:
- Notizen in einem Raster, z. B. S. 13, 17,
- richtig/falsch, z. B. S. 54,
- Zuordnung von Textteilen bzw. Stichworten, z. B. S. 26,
  119,
- Zuordnung von Zusammenfassungen, z. B. S. 30,
- Meinungen identifizieren, z. B. S. 42,
- Textstellen lokalisieren, z. B. S. 63,
- Textrekonstruktion, z. B. S. 87,
- Textvergleich, z. B. S. 90,
- Textpuzzle, d. h. Rekonstruktion der Textstruktur, z. B.
  S. 65,
- Schlüsselwörter erkennen, z. B. S. 70,
- Erkennen des Verfassers, z. B. S. 108,
- Überschriften zu Textabschnitten zuordnen, z. B. S. 70,
- Fragen zum Text beantworten, z. B. S. 111,
- Fragen zu einem Text stellen, z. B. S. 39.

Aufgaben nach dem Lesen

Nachdem sich die TN mit Hilfe der Aufgaben den Inhalt
des Lesetextes selber erarbeitet haben, erfolgt eine
Auswertung der Lösungen bzw. der Lösungsvarianten in
der Klasse. In der Regel schließt sich an die Klärung des
Inhaltes das aus den Lesetexten entwickelte Grammatik-
programm an.
Die nicht-grammatischen Aufgaben **nach** dem Lesen
dienen auch dazu, den TN Transfermöglichkeiten anzubieten. So werden sie zum Beispiel gebeten, die angesprochene Thematik auf den eigenen Kontext zu übertragen
oder Stellung zu dem Gelesenen zu beziehen.
- mündliche Textzusammenfassung, z. B. S. 99,
- Weitererzählen einer Geschichte, z. B. S. 43,

- Bewertung des Gelesenen oder persönliche Reaktionen
  dazu, z. B. S. 125,
- Bezug auf den eigenen Erfahrungshintergrund, z. B.
  S. 17,
- Interpretation, z. B. S. 43,
- Gespräch zum Bezug des Gelesenen auf die aktuelle/
  eigene Situation, z. B. S. 121.

b) Hörverstehen

Textsortenspezifisches Hörtraining

Auch beim Hören ist der Ausgangspunkt die Vielfalt
der in der Realität vorkommenden und für die TN relevanten Textsorten. Besondere Bedeutung kommt den
Gesprächen mit Personen zu, die auf der Einstiegsseite
abgebildet sind, z. B. S. 22, 46, 58. Es handelt sich
um Beispiele lebendiger Alltagssprache. Die angebotenen Gespräche und Texte sind mit wenigen Ausnahmen
(S. 34, 66, 85 und 127) authentisch.

Varianten des Deutschen

Da Deutsch außer in Deutschland in Österreich, Liech-
tenstein und der Schweiz Landessprache ist, kommt zu
der Textsortenvarianz eine Varianz der Akzente. In
Lektion 1 hören die TN ein Lied des Österreichers Georg
Kreisler, in Lektion 9 spricht ein Mann mit süddeutschem
Akzent. Dialekte bleiben allerdings ausgeschlossen.

Hörstile und Textverstehen

Wie beim Lesetraining bilden auch beim Hörverstehen die
verschiedenen Textsorten Grundlage für das Training der
Hörstile. Daher bearbeiten die TN Texte mit unterschied-
licher Intensität. Neben dem genauen Hören üben die TN
das globale Hören und das selektive Hören nach Einzelheiten. Die TN lernen auch beim Hören, zwischen Hauptinformationen und unwesentlichen Einzelheiten zu unterscheiden. Zu den verschiedenen Formen des Textverstehens vgl. S. 13 zu Lesen.

Hörstrategien

Hörstrategien, die *em Brückenkurs* trainiert, sind:

Lektion 1   Erkennen der Hauptaussagen,
            mündliche Wiedergabe der Hauptinformatio-
            nen, interpretierendes Textverstehen;
Lektion 2   selektives bzw. globales Textverstehen,
            Entnahme von Hauptaussagen;
            Informationen notieren;
Lektion 3   globales Textverstehen,
            Erkennen von Standpunkten;
Lektion 4   Entnahme der Hauptaussagen und Einzelhei-
            ten, Informationen notieren;
Lektion 5   Entnahme der Hauptaussagen,
            Informationen notieren;
Lektion 6   interpretierendes Textverstehen;

Lektion 7 Entnahme von Kerninformationen und Einzelheiten;

Lektion 8 Entnahme der Hauptaussagen und Einzelheiten, mündliche Wiedergabe der Hauptinformationen;

Lektion 9 Informationen erkennen bzw. notieren;

Lektion 10 Text rekonstruieren bzw. nacherzählen, detailliertes Verstehen.

Präsentation der Hörtexte

Die Präsentation der Hörtexte im Unterricht erfolgt in der Regel in Abschnitten. Das bedeutet, der Text wird langsam „enthüllt". Zum leichteren Auffinden der Textteile sind die einzelnen Abschnitte durch Signalton voneinander getrennt. Durch diese Parzellierung reduziert sich die Stoffmenge auf eine für die TN verarbeitbare Menge. Ein Nebeneffekt dieses Vorgehens ist, dass die Aufmerksamkeit bis zum Textende erhalten bleibt. Die Hörtexte werden in der Klasse mindestens zweimal gehört. Bei nur einmaligem Hören würden wichtige Aspekte an den TN vorbeirauschen. Wird ein Hörtext beim ersten Hören im Ganzen präsentiert, dann geht es dabei zunächst um eine erste Orientierung. Anschließend erfolgt das detaillierte Hören in Abschnitten.

Aufgaben vor dem Hören

Eine behutsame Vorentlastung ist bei Hörtexten auf diesem Niveau besonders wichtig. Die Aufgaben vor dem Hören dienen dazu, die Aufmerksamkeit auf den kommenden Text zu richten und bereits vorhandenes Vorwissen zu aktivieren:

- Assoziationen sammeln, z. B. S. 14,
- Erfahrungen aktivieren, z. B. S. 58, 85,
- vorhandene Informationen sammeln, z. B. S. 66,
- mit Begleitmaterial wie Fotos, Lesetexten, Ankündigungstexten zum Hörtext arbeiten, z. B. S. 11, 52, 113

Aufgabentypen zum Hörverstehen

Die Aufgaben richten sich nach der jeweiligen Textsorte und dem Hörstil. Eine Seite zum Hören bietet in der Regel mehrere Aufgaben mit aufsteigendem Schwierigkeitsgrad an, vom globalen hin zu immer detaillierterem Verstehen. Bei den Liedern und dem Märchen ist der Hörtext vor allem Sprechanlass. Dabei geht es darum, Gehörtes zu interpretieren, sich dazu zu äußern oder Gehörtes nachzuerzählen. Die folgenden Aufgaben zum Hörverstehen lassen sich während bzw. nach der Präsentation von der Kassette bzw. CD bearbeiten:

- Stichworte notieren, z. B. S. 22, 66,
- Zuordnung vom Typ „Wer sagt was", z. B. S. 34,
- Ankreuzen von Hauptinformationen, z. B. S. 85, 94,
- richtig / falsch bzw. Multiple-Choice, z. B. S. 11, 113,

- Zuordnung von Text und Bild, z. B. S. 122, 127,
- einen gehörten Dialog einem Bild zuordnen, z. B. S. 127.

Aufgaben nach dem Hören

Die Aufgaben nach dem Hören dienen dazu, den TN Transfermöglichkeiten anzubieten. So werden sie zum Beispiel gebeten, die angesprochene Thematik auf den eigenen Kontext zu übertragen oder Stellung zu dem Gehörten zu beziehen.

- persönliche Reaktionen bzw. Bewertung des Gehörten, z. B. S. 11, 14, 22, 52,
- Bezug auf den eigenen Erfahrungshintergrund bzw. auf die aktuelle/eigene Situation, z. B. S. 34, 46,
- Interpretation, z. B. S. 78,
- mündliche Zusammenfassung oder Textrekonstruktion, z. B. S. 11, 94, 122,
- Gespräch mit Bezug auf das Gehörte, z. B. S. 34.

c) Schreiben

Textsortenspezifisches Schreibtraining

Beim Training der Schreibfertigkeit bietet *em Brückenkurs* Situationen bzw. Schreibanlässe an, die für die TN relevant sind. Deshalb steht die Textsorte Brief in ihren verschiedenen Ausformungen als E-Mail, Mitteilung, Einladung, Anfrage, Reklamation und Leserbrief im Vordergrund. In der Progression werden zunächst Texte im informellen Register verfasst, danach der formelle Brief sowie der Leserbrief trainiert.

Soziokulturelle Kompetenz

Beim Training der Schreibfertigkeit kommt der soziokulturellen Kompetenz besondere Bedeutung zu. Dabei geht es um Fragen des Registers und um Formen der Höflichkeit: Welche Anrede ist bei welchem Adressaten adäquat, welche Stilmerkmale kennzeichnen einen formellen/informellen Brief? Der Unsicherheit der TN beim Schreiben von formellen bzw. semi-formellen Briefen schafft eine Reihe von analytischen Aufgaben im Arbeitsbuch (z. B. S. 17, 23) Abhilfe.

Teilnehmerzentriertes Schreibtraining

Um eine Lernerorientierung sicherzustellen, arbeitet *em Brückenkurs* beim Schreibtraining besonders eng an den Produkten der TN. In der Erprobungsphase wurden Schülerarbeiten zu den präsentierten Schreibanlässen gesammelt und anhand dieser Produkte eine Analyse spezifischer Lernschwierigkeiten vorgenommen (z. B. Arbeitsbuch S. 56). Aufgaben zur Fehlersuche und -korrektur (z. B. Arbeitsbuch S. 23, 56, 102) und zur Selbstkorrektur im Besonderen (z. B. Arbeitsbuch S. 81) tragen dazu bei, dass die TN den Umgang mit Fehlern als etwas

Selbstverständliches begreifen. Fehler sind ein Teil des Lernprozesses und lassen sich diagnostisch auswerten. Sie sind für den TN Ausgangspunkt für aktive Überwindung von Lernschwierigkeiten. Lerntipps zum richtigen Schreiben (z.B. Arbeitsbuch S. 109) sollen helfen, den Stil zu verbessern.

Kreatives Schreiben

An einigen Stellen geht es beim Schreiben auch um einen kreativen Umgang mit Sprache. Wenn zum Beispiel ein Artikel für eine Kurszeitung über die Lieblingsschauspielerin (S. 77) oder eine Geschichte zu einer Karikatur zu erfinden ist (z.B. S. 43, Arbeitsbuch S. 44) ist Schreiben Mittel zum Zweck, um sich auch einmal weniger ernst und zielgerichtet auszudrücken.

Schreibtechniken

Schreibstrategien, die *em Brückenkurs* übt, sind:

Lektion 1 Satzanfänge zu einem persönlichen Kontaktschreiben ausbauen;

Lektion 2 anhand von Stichpunkten Anweisungen schreiben;

Lektion 3 mit Hilfe von vorgegebenen Beispielen eine Einladung verfassen;

Lektion 4 Inhaltspunkte mit Hilfe vorgegebener Redemittel zu einem kohärenten persönlichen Brief ausbauen;

Lektion 5 auf der Basis von vorgegebenem Wortschatz ein Rezept schreiben;

Lektion 6 einen Artikel für eine Kurszeitung vorbereiten und planen,
eigene Stichworte ausformulieren;

Lektion 7 eine Anfrage nach vorgegebenen Leitpunkten verfassen,
einen Brief aus Textbausteinen zusammensetzen;

Lektion 8 einen Leserbrief beantworten,
den eigenen Text überarbeiten;

Lektion 9 zu einem Artikel einen inhaltlich und formal vorentlasteten Leserbrief formulieren;

Lektion 10 eine Reklamation aus Textbausteinen zusammensetzen.

Aufgaben vor dem Schreiben

Wie bei den rezeptiven Fertigkeiten Lesen und Hören ist die Vorgehensweise auch beim Schreibtraining dreischrittig. Vor dem eigentlichen Schreiben entlasten Aufgaben diesen Prozess.
- einen Brief, eine E-Mail oder Karte lesen, z.B. S. 19, 41, 53,
- Sprachstil erkennen, z.B. S. 41, 53,
- Textsortenmerkmale analysieren, z.B. S. 100, 115,

- Bewusstmachung der Arbeitsschritte Sammlung und Planung, z.B. S. 77,
- Textaufbau analysieren, z.B. S. 126,
- typische Redemittel auswählen, z.B. S. 53.

Aufgaben zum Schreiben

Die Aufgabentypen zum Schreiben unterscheiden sich vor allem durch verschiedene Grade der Steuerung. Dabei gilt die Regel: Je freier die Aufgabe, umso größer die von den TN verlangte Leistung im Hinblick auf Planung und Textaufbau. Wegen der hohen Anforderungen, die das Schreiben an die TN stellt, geben die Aufgaben in *em Brückenkurs* viele Vorgaben und Hilfen. Besonders bei komplexeren Schreibanlässen wie zum Beispiel einem Leserbrief wird darauf geachtet, dass die TN nicht durch gleichzeitige Anforderungen an Inhalt, Form und Sprache überfordert werden. Folgende Arten von Vorgaben treten auf:
- Vorgabe eines Beispiels, z.B. S. 41,
- Vorgabe von Leitpunkten, z.B. S. 88,
- Vorgabe von Textbausteinen oder Formulierungshilfen, z.B. S. 53, 88, 126.

Aufgaben nach dem Schreiben

Nach dem Schreiben werden die TN angeleitet, ihre eigenen Texte kritisch zu prüfen und selber mit Hilfe von Check-Listen auf Fehlersuche zu gehen (z.B. S. 100).

d) Sprechen

Handlungsorientiertes Sprechtraining

Im Kursbuch ist neben dem Schreiben auch dem Sprechen breiter Raum eingeräumt. Dem Sprechen gewidmete Seiten sind thematisch in die Lektion eingebunden, lassen sich jedoch unabhängig von den vorausgehenden Texten zum Lesen oder Hören bearbeiten. Mündliche Kommunikation ist immer eingebettet in Kontexte. Das bedeutet, man spricht im Rahmen bestimmter Situationen und Anlässe, durch die Rollen und Sprechintentionen vorgegeben sind.

Sprechhandlungen

Lektion 1 Kontakt mit den anderen TN aufnehmen,
eine Rolle übernehmen und darin über Berufe und Einstellungen zur Arbeit sprechen,
in alltäglichen Situationen höfliche Bitten formulieren;

Lektion 2 über ein Thema quantifizierende Aussagen machen,
Gruppenergebnisse anhand einer Collage präsentieren,
in einer Debatte Gefallen, Missfallen, Zustim-

mung, Ablehnung und Gegenargumente äußern;

Lektion 3 ein Referat vorstrukturieren und halten, dabei besonders Einleitung und Schluss textsorten-adäquat formulieren;

ein Telefongespräch zu einer Einladung führen;

Lektion 4 in einer Diskussion Pro- bzw. Contra-Positionen formulieren;

Lektion 5 im Restaurant die Bestellung aushandeln, sich zum Thema „Ausgehen" äußern;

Lektion 6 Vorschläge für einen Kinobesuch machen und diesen aushandeln,

anhand von Fotos eine Filmgeschichte erzählen,

auf der Grundlage eines Fragebogens ein Interview zum Thema Film führen;

Lektion 7 sich auf Reisen in kniffligen Situationen ausdrücken;

einen Vortrag über persönliche Reiseerfahrungen strukturieren und halten;

Lektion 8 ein Informationsgespräch zu Veranstaltungen am Telefon führen;

Lektion 9 mit Hilfe eines Fragebogens ein Interview in der Klasse führen,

Menschen zu ihrem Beruf befragen und die Ergebnisse des Interviews vortragen,

Meinungen über Gefahren beim Sport formulieren;

Lektion 10 in einem Rollenspiel ein Kaufgespräch im Kaufhaus führen.

Aufgaben vor dem Sprechen

Mit der Vorgabe von typischen Redemitteln wird die Verbesserung der Sprechfertigkeit gesteuert. Auf diese Weise lernen die TN in wohl dosierten Portionen neue, sprechübliche Ausdrucksweisen kennen. Redemittel werden in der Regel als Auswahl angeboten. Die immer noch beachtliche Leistung der TN besteht darin, diese für ihre jeweilige Intention auszuwählen.

Aufgaben zum Sprechen

– Interview, z.B. S. 10,
– Flussdiagramm ausformulieren, z.B. S. 40,
– Bilder versprachlichen, z.B. S. 76,
– Rollenspiel, z.B. S. 15, 86, 123,
– Projektergebnisse präsentieren, z.B. S. 25, 79,
– eigene Meinung zu Statements äußern, z.B. S. 64, 114,
– Debatte, Diskussion, z.B. S. 29, 48.

Integriertes Sprechtraining

Eine Reihe von Aufgaben in den Rubriken Wortschatz, Lesen oder Hören münden in Aufgaben zum Sprechen:
– vom Wortschatz zum Sprechen, z.B. S. 107, 120,
– vom Hören zum Sprechen, z.B. S. 11, 14, 46,
– vom Lesen zum Sprechen, z.B. S. 13, 17, 37, 63.
In diesen Aufgaben sprechen die TN über die Texte, die vorher in der Klasse bearbeitet wurden, sie fassen zusammen oder präsentieren, sagen ihre Meinung oder geben einen Ausblick.

5. Vermittlung von Wortschatz und grammatischen Strukturen

a) Wortschatztraining

Ausdrucksfähigkeit

Ziel der Wortschatzaufgaben ist die gezielte Verbesserung der Ausdrucksfähigkeit. Fester Bestandteil in der Mittelstufe ist daher die Erweiterung des strukturellen Wissens, z.B. durch Einführung frequenter Verben mit festen Präpositionen oder die Erarbeitung von Wortfamilien und -feldern.

Wortschatzthemen

Jede Lektion greift auf den Wortschatzseiten mindestens ein übergreifendes Thema von allgemeinem Interesse auf:

Lektion 1 Freizeit und Vergnügen;
Lektion 2 Menschliche Beziehungen;
Lektion 3 Feste und Bräuche;
Lektion 4 Schule;
Lektion 5 Essen und Trinken;
Lektion 6 Film;
Lektion 7 Reisen;
Lektion 8 Musik;
Lektion 9 Sport,
Landschaften und Klima;
Lektion 10 Projekt: Modenschau.

Diese Wortschatzthemen korrespondieren mit folgenden im Lernzielkatalog für das *Zertifikat Deutsch* aufgeführten Themen: Freizeitbeschäftigungen, Schule, Beruf, Aussehen, Familie, persönliche Beziehungen, Arbeitsbedingungen, Arbeitszeit, Tagesablauf, Essen und Trinken, Landschaft, Klima.

Mischung aus Bekanntem und Neuem

Systematische Wortschatzerweiterung in der Mittelstufe bedeutet Mischung von Bekanntem mit Neuem. Nur so ist es möglich, das vorhandene unterschiedliche Wissen der

TN auf eine gemeinsame Ebene zu heben. Ein Beispiel für diese Mischung findet sich in Lektion 9 zum Thema „Landschaften und Klima" (S. 109): Eine Reihe von Lexemen, z. B. *Meer* und *Berg* sind selbstverständlich bereits aus der Grundstufe bekannt. Beim Erarbeiten eines Wortfeldes lassen sich neue Wörter wie z. B. *Wüste, Urwald, Gipfel, Spitze* zu den bereits bekannten problemlos dazugruppieren.

Wortfelder, -familien und -igel

Formen des systematischen Wörterlernens sind:
- Assoziogramm oder thematische Wortigel, z. B. S. 47, 73, 107,
- Klassifizierung, d. h. zu einem Oberbegriff Unterbegriffe suchen, z. B. S. 18, 84,
- Definitionen, z. B. S. 73, 84,
- Wortfeldarbeit, z. B. S. 95.

Wortschatzarbeit als Grammatikarbeit

Im Rahmen einer grammatisch orientierten Wortschatzarbeit finden sich Aufgaben zu folgenden Themen:
- Wortbildung mit Prä- und Suffixen, z. B. S. 84,
- Zusammensetzungen, z. B. S. 60,
- feste Verbindungen, z. B. S. 107.

Qualitative Wortschatzarbeit

Neben einer quantitativen Arbeit zur systematischen Wortschatzerweiterung tritt eine eher qualitativ ausgerichtete Wortschatzarbeit, z. B. in dem Projekt „Modenschau" (vgl. S. 120). Aktivitäten wie diese ermöglichen auch im Rahmen der Wortschatzarbeit einen spielerischen Umgang mit neu erworbenem Wortschatz. Bereits auf dieser Stufe wird mit dem Aufbau eines Schatzes an idiomatischen Wendungen begonnen (vgl. S. 18, 84).

b) Grammatiktraining

Korrektheit und Sicherheit

Da alle wesentlichen Themen der Grammatik aus der Grundstufe bereits ansatzweise bekannt sind, geht es in *em Brückenkurs* darum, diese Strukturen zu festigen. Die TN sollen die sprechüblichen und frequenten Strukturen der deutschen Sprache so vertiefen, dass sie sie sicher und korrekt einsetzen können. Ausnahmen und Sonderfälle wurden absichtlich zugunsten der Hauptregeln beiseite gelassen. Ein Beispiel für die Auswahl des Stoffs nach den Kriterien Sprechüblichkeit und Frequenz ist die Wiederholung des Konjunktiv II in Lektion 1, der zwar den TN bereits bekannt, in der praktischen Anwendung aber weiterhin schwierig ist. Die Formen sowie die verschiedenen Funktionen werden noch einmal wiederholt und eingehend geübt.

Grammatische Progression

Im Gegensatz zur Grundstufe kann man in der Mittelstufe in viel geringerem Maße von einer strengen Progression ausgehen. Daher ist es möglich, in *em Brückenkurs* einzelne Kapitel auszulassen oder zu überspringen. Die Grammatikthemen stehen in einem funktionalen Zusammenhang zu den Lektionsthemen und den verschiedenen sprachlichen Zielaktivitäten einer Lektion. Das Programm von *em Brückenkurs* eignet sich daher auch für Seiteneinsteiger, die kein systematisches Grammatiktraining hinter sich haben.

Sammeln – Ordnen – Systematisieren

em entwickelt die Grammatik induktiv. Das Vorgehen lässt sich in drei Schritte unterteilen: Sammeln, Ordnen, Systematisieren (SOS). Das bedeutet, die TN untersuchen die Lesetexte auf die zu behandelnden Phänomene hin und ordnen die gefundenen Beispiele in einem zweiten Schritt in vorstrukturierte Übersichten und graphisch abgesetzte Kästen ein. Anschließend analysieren die TN in einem dritten Schritt ihre Beispielsammlungen und formulieren selbst die Regeln. Das selbständige Finden und Formulieren von Regeln vertieft das Verständnis. Aufgabe des Lehrers ist es, die Regelfindung zu begleiten und gegebenenfalls zu korrigieren.

Grammatikthemen

Jede Lektion stellt Grammatikthemen in den Mittelpunkt, die einerseits im Alltag hoch frequent sind und andererseits zu den zentralen Lernschwierigkeiten der deutschen Sprache zählen.

Lektion 1 Konjunktiv II,
Finalsätze;
Lektion 2 Modalverben,
reflexive Verben;
Lektion 3 temporale Konnektoren,
temporale Präpositionen;
Lektion 4 Vergangenheit,
Verben mit Vorsilben;
Lektion 5 Textgrammatik,
Passiv;
Lektion 6 kausale und konzessive Konnektoren,
Relativsätze,
indirekte Fragen;
Lektion 7 lokale Präpositionen und Adverbien,
Imperativ;
Lektion 8 Negation,
Verben mit Präposition,
Infinitiv mit *zu*;

Lektion 9 Komparativ,
           Superlativ,
           Ordnungszahlen;
Lektion 10 Partizip I und II,
           werden + Infinitiv.

Diese Grammatikthemen korrespondieren mit folgenden im Lernzielkatalog für das *Zertifikat Deutsch* aufgeführten Themen: Konjunktiv II, Imperativ, Partizip I und II, Reflexivpronomen bzw. Reziprokpronomen, Relativpronomen, Komparation, Adjektiv oder Zahlwort als Nomen, Präposition, Pronominaladverbien, Konjunktoren und Subjunktoren, Angaben (Temporal-, Lokal-).

Teil 2

Methodisch-didaktische Hinweise zu den Lektionen

Methodisch-didaktische Hinweise zu Lektion 1

a) Detaillierter Kommentar

Rubrik Seite	Lernziel	Nummer Hinweise
Einstiegsseite 9	sich kennen lernen	Den Einstieg in die Lektion bietet das Thema „sich kennen lernen" unter dem besonderen Aspekt „Sprechen über Beruf, Berufswunsch, Freizeitverhalten, Hobbys und persönliche Eigenschaften". Die Teilnehmer (TN) erhalten je sechs Kärtchen (am besten in verschiedenen Farben) und schreiben zu den Stichpunkten (Name, Alter, ...) ihre Angaben. In multinationalen Klassen sollte noch das Kärtchen „Land" hinzugefügt werden. Der Kursleiter/Die Kursleiterin (KL) sollte bereits erwähnen, dass diese Kärtchen später weiter verwendet werden und deshalb um lesbare Schrift bitten. KL und die TN ordnen die einzelnen Kärtchen den sechs Stichpunkten auf einem Plakat/an einer Pinnwand zu (b) und fassen die Ergebnisse zusammen. Danach interviewen sich jeweils zwei TN (z. B. Banknachbarn) und stellen ihre Partnerin/ihren Partner dem Kurs vor (*Mein Nachbar/Meine Nachbarin heißt ... Er/Sie ist ...*). *Alternativ* kann – besonders in einem größeren Kurs – jede/r TN seinen eigenen „Steckbrief" anfertigen. Dafür bereitet KL Vorlagen (entweder fotokopiert oder geschrieben) mit den Stichpunkten vor, die von den TN mit ihren persönlichen Angaben ergänzt werden. Der Steckbrief wird dann mit der Nachbarin/dem Nachbarn getauscht und jede/r stellt seine Partnerin/seinen Partner vor. Die TN können ihren „Steckbrief" auch durch Fotos und/oder Logos ergänzen. Sowohl die „Steckbriefe" als auch das Gruppenplakat (b) werden als „Wandzeitung" aufgehängt. Auf diese Weise lernen sich die TN schnell kennen. KL stellt sich ebenfalls mit Hilfe seines eigenen „Steckbriefes" seiner Lernergruppe vor.
	Prioritäten erkunden	Die Bearbeitung der Aufgabe im Arbeitsbuch (AB) S. 8 f./1 schließt sich an das Kennenlernen an. Sie hat eine doppelte Funktion: Die TN werden sich ihrer eigenen Lernprioritäten bewusst und KL kann mit Hilfe der Informationen eine bedürfnisorientierte Kursplanung vornehmen. Die TN lesen die Aufgaben laut vor und führen sie dann in Einzelarbeit durch. KL sammelt die „Prioritäten im Kurs", wertet diese aus und präsentiert die Ergebnisse der Klasse. Im Verlauf des Kurses überprüft KL gemeinsam mit den TN, inwieweit die Wunschvorstellungen erfüllt und die gesteckten Lernziele erreicht wurden. Das gegenseitige Vorstellen und Feststellen der Lernprioritäten gibt dem KL wichtige Informationen zum Profil der einzelnen TN sowie zum Profil der Lernergruppe und deren Bedürfnissen. Am Ende der Lektion 1 (Diagnosephase) sollte der KL Informationen zu folgenden Punkten gesammelt haben: Klassenprofil: - Ist die Gruppe homogen/weniger homogen in ihrer Sprachkompetenz? - Ist die Gruppe homogen/weniger homogen in ihren kognitiven Fähigkeiten? - Gibt es große Unterschiede in der Lern- und Arbeitsgeschwindigkeit und den Arbeitsstilen? - Gibt es große Unterschiede in der Motivation?

Rubrik/S.	Lernziel	Nr./Hinweise
		Profil der einzelnen TN: – Bedürfnisse, Interessen und Wünsche an den Kurs – Diskrepanz hinsichtlich der Relevanz einzelner Fertigkeiten – sprachliche Defizite – verschüttete Sprachkenntnisse – individuelle Lernprobleme Die gesammelten Informationen sind Grundlage für eine bedürfnisorientierte Kursplanung sowie für eine individuelle und/oder generelle Lernberatung durch KL während des Kurses.
Sprechen 1 **10**		Die drei Fotos zeigen Menschen ohne konkreten Hinweis auf ihre beruflichen Tätigkeiten. Dieser Verfremdungseffekt soll die Phantasie der TN anregen. KL kann auch weitere Bilder (aus Zeitungen, Zeitschriften usw.) mitbringen, auf denen Personen bei bestimmten Tätigkeiten zu sehen sind. Somit würde eine Vielzahl an „Porträts" entstehen.
		1 Die TN sammeln in einer kurzen Stillarbeitsphase in Einzelarbeit Assoziationen und deutsche Wörter, die zu der ausgewählten Person passen.
	in der *ich*-Form über einen fiktiven Beruf sprechen	**2** Die vorgegebenen Redemittel sollen den TN helfen, sich in der *ich*-Form zu ihrer fiktiven Tätigkeit zu äußern. Die Redemittel werden zuerst laut vorgelesen. KL kann – wenn nötig – schwierigen Wortschatz selbst erklären oder von einzelnen TN erklären lassen. Dann ordnen die TN in Einzel- oder Partnerarbeit die restlichen drei Aspekte den entsprechenden Redemitteln zu. KL kann die Ergebnisse an die Tafel schreiben/auf Folie kopieren. Alle/Einige TN stellen sich dann mit Hilfe der Redemittel der Klasse in ihrer fiktiven Rolle vor (z.B.: *Ich bin ein buddhistischer Mönch und lebe und arbeite in einem Kloster ...*). In Aspekt zwei (*ich würde gerne mehr/weniger arbeiten*) wird die Wiederholung des Konjunktivs II eingeleitet, da hier ein irrealer Wunsch geäußert wird.
	ein Interview mit Hilfe von Redemitteln durchführen	**3a** Die erarbeiteten Redemittel aus 2 helfen den TN, Interviewfragen zu formulieren (evtl. schriftlich). Dafür bekommen die TN eine Zeitvorgabe. Anschließend führen sie in Partnerarbeit die Interviews durch. Die Interviewpartner/innen geben nun über ihre eigene berufliche Situation Auskunft.
		3b Hier findet der Transfer von der *ich*-Form in die dritte Person statt, indem einzelne/alle TN mit Hilfe der Redemittel ihre Partnerin/ihren Partner der Klasse vorstellen.

> **Spiel:** Berufe raten
> Zur Festigung und Vertiefung des Wortschatzes können die TN diesen Themenbereich durch das Spiel „Berufe raten" erweitern. Ein TN denkt sich einen Beruf aus, den die anderen TN dann fragend erraten müssen. Die TN dürfen nur Fragen formulieren, die mit *ja* oder *nein* beantwortet werden können.

Rubrik/S.	Lernziel	Nr./Hinweise
Hören 1 **11**		Der Hörtext ist eine von der Radiojournalistin Claudia Decker produzierte Originalaufnahme. Der Text ist in normalem Sprechtempo gesprochen. In dem Interview mit einem jungen Steuerberater fragt die Reporterin nach den Lebensgewohnheiten während seiner Studienzeit und während seiner Berufstätigkeit.

Rubrik/S.	Lernziel	Nr./Hinweise

Die Themen des Hörtextes – Freiheit während des Studiums, Angebundensein durch Beruf und Familie und Vorbildfunktion des Vaters – bieten Transfermöglichkeiten zur persönlichen Erfahrungswelt der TN an.

Vermutungen äußern

1 KL kann das Foto von Thomas W. vergrößert auf Folie kopieren. Die TN äußern ihre Vermutungen zu seinem Alter und seinem Beruf mit Hilfe der vorgegebenen Redemittel. Die geäußerten Vermutungen hält KL an der Tafel/auf Folie fest. Durch diese Vorbereitung auf den Hörtext entsteht bei den TN eine erhöhte Erwartungshaltung, die ein zielgerichtetes Hören zur Folge hat.

detailliertes Verstehen

2 Die TN hören den ersten Teil des Interviews und übertragen die Ergebnisse in den Raster.

> **Methode:** Grundsätzliches zum Schreiben ins Buch
> Das Buch ist so angelegt, dass die Aufgabenstruktur erkennbar ist. Meistens ist jedoch nicht genug Platz, um alle Aufgaben darin zu lösen. In diesen Fällen übertragen die TN die entsprechende Übersicht in ihre Unterlagen/Papiere.

globales Verstehen

3 Vor dem Hören des zweiten Teils klärt KL im Plenum den Wortschatz der Aufgaben **3a–q**, damit die TN sich voll auf das Hören konzentrieren und dem Text die gewünschten Informationen entnehmen können. Der Typ der Aufgabe (*richtig – falsch*) entspricht der Aufgabenstellung des *Zertifikats Deutsch* (*ZD*).

Ergebnisse in eigenen Worten zusammenfassen

4 Die TN fassen in Einzelarbeit die Ergebnisse schriftlich zu einem kurzen Text zusammen. Dabei sollen jedoch nicht nur die korrekten Aussagen aus Aufgabe 3 abgeschrieben werden. Einzelne TN tragen anschließend ihre Texte dem Plenum vor. Wie bei allen schriftlichen Arbeiten ist eine Einzelkorrektur durch KL sinnvoll.

eigene Meinung äußern und begründen

5 In einem abschließenden offenen Klassengespräch äußern die TN ihre eigene Meinung zur Person Thomas W. Falls die zu Anfang der Lektion angestellten Vermutungen noch an der Tafel stehen, kann ein Vergleich mit den Angaben des Hörtextes stattfinden.

Lesen 1

12/13

Die drei kurzen Texte sind persönliche Aussagen („statements") von drei ausgewählten Personen zum Thema „Arbeitszeit – Freizeit". Da die Aussagen spontan sind, enthalten sie eine Reihe von umgangssprachlichen Redewendungen.

> **Landeskunde:** Arbeitszeit und Freizeit in Deutschland
> Die wöchentliche Arbeitszeit wird in Deutschland von den Tarifpartnern, d. h. den Arbeitgeberverbänden und den Gewerkschaften, ausgehandelt. Seit 1965 existiert die gesetzliche Regelung, dass die wöchentliche Arbeitszeit 40 Stunden nicht überschreiten darf. Hierzu gibt es allerdings zahlreiche Ausnahmeregelungen, die in bestimmten Fällen Überstunden möglich machen. 1984 fand für viele Wirtschaftsbereiche eine weitere Absenkung der Regelarbeitszeit auf 38,5 Stunden pro Woche statt, teilweise liegt sie heute sogar bei

Rubrik/S.	Lernziel	Nr./Hinweise

35 Stunden. Auch der Urlaubsanspruch ist gesetzlich geregelt, er beträgt mindestens 24 Werktage pro Jahr. Der Durchschnitt liegt bei 29 Tagen, hinzu kommen je nach Bundesland mindestens elf gesetzliche Feiertage.

Die Menschen der Industrie- und Dienstleistungsgesellschaften haben immer mehr Freizeit. In diesen Ländern hat sich daher ein gigantischer Dienstleistungsbereich entwickelt, der Angebote zur Gestaltung der Freizeit bereitstellt. Hierzu gehören die Tourismusbranche, Anbieter von sportlichen oder kulturellen Aktivitäten sowie die öffentlichen Bildungseinrichtungen, z.B. die Volkshochschulen. Da die Menschen in der modernen Informationsgesellschaft ständig neuen beruflichen Anforderungen unterworfen sind, nutzen viele ihre Freizeit, um persönliche Interessen mit beruflicher Fortbildung zu kombinieren, so dass die Grenzen zwischen arbeitsbezogenen Tätigkeiten und Freizeitaktivitäten zum Teil fließend geworden sind.

eigene länderspezifische Erfahrungen einbringen

1 In einer länderhomogenen Klasse beschränkt sich der Vergleich auf Deutschland – Heimatland. In einer multikulturellen Lernergruppe erarbeitet KL mit den TN eine Tabelle an der Tafel/auf Folie nach folgendem Muster:

Land	Arbeitszeit pro Woche	Jahresurlaub	tägliche Arbeitszeit
Deutschland	38,5 Stunden	mindestens 24 Tage	ca. 8 Stunden
Polen ...			

Die Aufgabe stimmt die TN auf das Thema der folgenden Lesetexte ein und dient der Vorentlastung des Wortschatzes.

überfliegendes Lesen

2 Die TN lesen in Einzelarbeit die Texte und ordnen die drei Überschriften den drei Texten zu. Für die Lösung dieser Aufgabe ist kein detailliertes Lesen erforderlich, deshalb hält KL die TN an, ohne Wörterbuch zu arbeiten. Sie/Er sichert anschließend die Ergebnisse im Plenum.

selektives Lesen

3 Die TN lesen die Texte mit dem Ziel, bestimmte Informationen zu entnehmen. KL klärt zur Entlastung der Lesetexte die Bedeutung der umgangssprachlichen Ausdrücke (*Sprung ins kalte Wasser, sich ausmalen, herummaulen*). Nachdem die TN sich den Raster **3a** angesehen haben, entnehmen sie bei einem zweiten Lesen den Texten die entsprechenden Details und ordnen sie den drei Personen zu. Anschließend vergleichen die TN im Klassengespräch ihre Ergebnisse mit den in Aufgabe 1 gesammelten. Wenn nötig, gibt KL in einer schwächeren Lernergruppe einige Redemittel zur Versprachlichung von Unterschieden vor (*Im Vergleich zu ... ist in .../In ... ist ... anders als in ...*).

eigene Meinung äußern und begründen

4 KL klärt vorab Redemittel zur Meinungsäußerung und ergänzt sie evtl. nach Vorgabe der TN. Unter Anwendung der erarbeiteten Redemittel äußern und begründen die TN ihre eigene Meinung zu den drei Personen.

Rubrik/S.	Lernziel	Nr./Hinweise
	Konjunktiv II: irreale Bedingung, irrealer Wunsch	Der Konjunktiv II ist Grundstufenstoff, jedoch ist auf dieser Stufe meist eine gründliche Wiederholung notwendig.
		5 Die Erarbeitung von Formen und Gebrauch des Konjunktivs II geht vom Lesetext aus. Die TN *sammeln* (evtl. in Partnerarbeit) die Konjunktiv II-Formen (**5b**). Dann erfolgt das *Ordnen* und schließlich das *Systematisieren* (SOS-Prinzip). Mit Hilfe dieser Methode können die TN ihr Vorwissen reaktivieren und einbringen. Im Plenum sichert KL die Ergebnisse. Auf der Grundlage von Übung **5c + e** formulieren die TN abschließend die Regeln zu Formen und Gebrauch des Konjunktivs II. Diese hält KL an der Tafel/auf Folie fest. Darüber hinaus hat KL auf der Grundlage der Übersicht auf S. 20/1a + b eine Lückentabelle erstellt, in die die TN die fehlenden Formen einsetzen. Anschließend vergleichen sie ihre Ergebnisse mit den Tabellen S. 20/1a + b.
		6 Die TN identifizieren in ihrer Liste **5b** die Sätze, die einen irrealen Wunsch ausdrücken. Dann formulieren sie an Hand der Beispiele eigene irreale Wünsche im Plenum.
	Konjunktiv II: Ratschläge geben	**7** KL klärt Wortschatz zum sprachlichen Handeln „Ratschläge geben". Anschließend formulieren die TN im Plenum mit Hilfe der Redemittel Ratschläge für Wilhelm W.
Hören 2 **14**		Georg Kreislers Lied „Wenn alle das täten …" behandelt das Thema „Arbeit" unter einem heiter-ironischen Blickwinkel. Die leicht mundartliche Aussprache des Sängers und der Walzertakt weisen auf die österreichische Herkunft des Liedes hin. Biographische Hinweise zum Komponisten finden Sie im Arbeitsbuch S. 14/13.
	Hypothesen bilden	**1–2** Die TN hören die ersten Takte des Liedes und schließen über Melodie und Titel auf das mögliche Thema und die Art des Liedes. Sie versuchen, es auch mit Hilfe des Fotos zeitlich einzuordnen. Durch diesen Einstieg wird die Neugier der TN auf den Inhalt des Liedes geweckt.
	globales Verstehen	**3–4** Beim Hören des Liedes schließen die TN das Buch und konzentrieren sich auf den Aspekt Ratschläge/Empfehlungen zum Thema „arbeiten" bzw. „nicht arbeiten" und notieren diese. Die TN können die Imperative des Liedes in Infinitive umformen (Imperativ: *Seien Sie doch nicht immer …* – Infinitiv: *nicht immer so angepasst sein*) oder aber Notizen im Imperativ machen. Schwache TN sollten sich auch Notizen in der Muttersprache machen können. KL weist darauf hin, dass die TN nicht jedes Detail verstehen müssen.
	in einem Text Empfehlungen identifizieren und darüber diskutieren	**5a+b** Beim Lesen der drei Strophen des Liedes unterstreichen die TN alle Empfehlungen (**5a**) und vergleichen sie mit ihren Ergebnissen (**3a**). In einem Klassengespräch diskutieren sie ihre Meinung zu den Ratschlägen (**3b**). (Siehe Redemittel zur Meinungsäußerung S. 13/4.)
	Konjunktiv II: Ratschläge geben	**5c** Hier wird der Konjunktiv II (S. 13/5 + 6) wieder aufgegriffen und im Bereich „Ratschläge/Empfehlungen geben" angewandt. In einer Stimulus-Reaktionskette, die von KL in Gang gesetzt wird, geben sich die TN gegenseitig Ratschläge zu den im Lied angesprochenen Themen. (KL: *Maria, fordern Sie Ihren Nachbarn auf, mal wieder Sport zu treiben!*). KL sollte an dieser Stelle auf die verschiedenen Möglichkeiten der Versprachlichung „Empfehlungen/Ratschläge geben" hinweisen (*sollen* u. *können* im Konjunktiv II).

Rubrik/S.	Lernziel	Nr./Hinweise
Sprechen 2 **15**		Dieses Rollenspiel ist alltagsbezogen und entspricht dem ZD-Niveau.

Methode: Rollenspiel
Rollenspiele dienen der Simulation realer Kommunikation und der Interaktion der TN untereinander sowie der Auflockerung der Lern-atmosphäre. Durch den Einsatz von Rollenspielen werden die TN in hohem Maße auf sprachliches Handeln in authentischen Situationen vorbereitet. Rollenspiele können nach der Erarbeitungsphase (in Partner- oder Gruppenarbeit) mit einer variablen Zahl von TN durch-geführt werden. Diese Arbeitsform eignet sich auch für Ton- oder Videoaufnahmen, die anschließend korrigiert und beurteilt werden können. Rollenspiele sollten, falls nicht bereits im Kursbuch vor-gegeben, vom KL sorgfältig vorbereitet werden, indem er z. B. den TN Rollenkärtchen mit klaren Beschreibungen und Arbeitsanweisungen an die Hand gibt.

Rubrik/S.	Lernziel	Nr./Hinweise
	Bewältigung von Alltagssituationen	**1** KL klärt mit den TN vorab die Redemittel. Die einzelnen Situationen kön-nen von KL auf Kärtchen übertragen und von den TN gezogen werden (jeweils A und B). Die TN erarbeiten dann in Partnerarbeit den Dialog und einige Paare spielen ihn vor. In lernschwächeren Klassen kann KL die Cartoons vergrößern, auf Folie kopieren, die Dialoge im Plenum erarbeiten lassen und Musterdialoge an der Tafel/auf Folie festhalten.
	Konjunktiv II: höfliche Bitte	**2** Die TN suchen in den „Sprechblasen" die Konjunktiv II-Formen, systema-tisieren sie und formulieren die Regel für den Konjunktiv II in der höflichen Bitte. Anschließend wenden sie ihn an: *Würdest du mir bitte dein Buch leihen?* KL verweist auf die fünf Funktionen des Konjunktivs II im Grammatikanhang zu Lektion 1/S. 20/1c.
Lesen 2 **16/17**		Es handelt sich um einen authentischen, fiktionalen Text. Die charakteristischen Textsortenmerkmale dieser Glosse sind Übertreibungen, kurze Sätze, rhetori-sche Fragen, Interjektionen und idiomatische Wendungen. Die Ironie des Textes ist leicht zu entschlüsseln. Auch Überschrift und Cartoons weisen auf den feuilletonistischen Charakter des Textes hin.
	Wortfeld erarbeiten	**1** Als thematischen Einstieg lässt KL die TN frei assoziieren und eigene Erfah-rungen einbringen. KL kann die Beiträge der TN als Wortigel an der Tafel/auf Folie festhalten.

Methode: Binnendifferenzierung
Bei der Erarbeitung von längeren Lesetexten im Unterricht entsteht häufig das Problem der unterschiedlichen Lesegeschwindigkeiten. Richtet sich KL nach einer mittleren Geschwindigkeit, kann es so-wohl bei den langsameren als auch bei den kompetenteren Lesern zu Unzufriedenheit führen. Vorschlag: Warten Sie auf den langsamsten Leser, aber geben Sie den Schnelleren für die restliche Zeit spezielle Aufgaben (z. B. Schlüsselwörter suchen oder idiomatische Aus-drücke im einsprachigen Wörterbuch nachschlagen und erklären).

Rubrik/S.	Lernziel	Nr./Hinweise

Grundsätzliches zur Binnendifferenzierung:
In jeder Lernergruppe unterscheiden sich die einzelnen Mitglieder nach Lernertypus, Vorwissen und Arbeitsweise. Je heterogener die Lernergruppe, desto größer ist der Bedarf nach unterschiedlichen Arbeitsaufträgen mit verschiedenem Schwierigkeitsgrad und/oder verschiedenen Inhalten. Binnendifferenzierung kann bei der Entwicklung der vier Fertigkeiten (Hören, Lesen, Sprechen, Schreiben) und der Erarbeitung der Grammatik eingesetzt werden. Sie kann in den unterschiedlichen Phasen des Unterrichts (Erarbeitung, Sicherung, Transfer) und bei der Hausaufgabe angewandt werden. Ebenso eignen sich alle Sozialformen (Einzelarbeit, Partnerarbeit, Gruppenarbeit, Klassengespräch, Projektunterricht) für die Binnendifferenzierung.

	globales Verstehen	**3** Die TN lesen den Text (Einzelarbeit) für die Bearbeitung dieser Aufgabe noch einmal und erarbeiten die Stichpunkte zu den Personen. KL kann den Raster auf Folie vergrößern und im Plenum die Ergebnisse sichern. Kl achtet darauf, dass die TN nicht alle unbekannten Wörter nachschlagen.
	eine Person charakterisieren	**4** Die TN beschreiben im Klassengespräch den Erzähler mit Hilfe der vorgegebenen oder weiterer Adjektive. (*Der Erzähler ist wahrscheinlich ein ironischer Mensch. Ich finde den Erzähler etwas unentschlossen.*)
	sich am Telefon verabreden	**5** Hier handelt es sich um eine produktive Aufgabe zum Leseverstehen. Telefonische Verabredungen sind realitäts- und alltagsbezogen, ihre Beherrschung deshalb wichtig für die TN. In Vierer-Gruppen (Anrufer, Kurt, Anita, Eberhard) erarbeiten die TN Telefongespräche auf der Grundlage des Textes und benutzen dabei die Redemittel zur Verabredung (Vorschlag – Gegenvorschlag – Ablehnung). Alle/Einzelne Gruppen spielen ihre Gespräche im Plenum vor.
	finale Beziehungen identifizieren	**7** Die TN suchen im Text finale Beziehungen und ergänzen in ihren Heften den Raster. Nach dem Umformulieren (7c und d) hält KL die Grammatikregel an der Tafel fest. KL liest mit den TN die systematische Darstellung der Finalsätze im Kursbuch S. 20/2 und die Regelfindung im Arbeitsbuch S. 15/17. Auf einer vorbereiteten Folie kann KL weitere Beispielsätze von den TN umformen bzw. einordnen lassen.
	Finalsätze anwenden	**8** Zur Initiierung des Frage-Anwort-Spiels gibt KL Stimuli mit Hilfe von Bildern von bekannten oder ungewöhnlicheren Gegenständen (z. B. Skier, Rucksack, Handy, Zipfelmütze, Dudelsack, Maske, ...).
Wortschatz 18	Wortfeld „Freizeit" erarbeiten	**1–2** Erst spielt KL eine Freizeitaktivität pantomimisch vor, danach die TN. Durch dieses Spiel reaktivieren und erweitern die TN ihren Wortschatz zum Thema „Freizeit". Die TN erarbeiten dann in Gruppenarbeit (bei multikulturellen Klassen empfehlen sich Gruppen nach kultureller/sprachlicher Affinität) mit einsprachigem Wörterbuch die aufgelisteten Begriffe. Nicht alle Begriffe sind eindeutig zuzuordnen (z. B. *malen* kann sowohl unter *Kreatives* als auch unter *Handwerk/Handarbeit* eingeordnet werden). Diese offene Aufgabenstellung regt die TN zur Diskussion an. KL sichert die Ergebnisse auf Folie.
	idiomatische Ausdrücke erarbeiten	**3** KL vergrößert die Cartoons auf Folie und lässt die Begriffe im Plenum zuordnen.

Rubrik/S.	Lernziel	Nr./Hinweise

Schreiben

19

Mit den beiden unterschiedlichen E-Mails werden verschiedene Lernertypen angesprochen. Die Aufgabenstellung entspricht in ihrem Schwierigkeitsgrad und ihrer Sechs-Punkte-Gliederung dem schriftlichen Ausdruck des ZD.

einen persönlichen Brief schreiben

1–3   Analog zu den beiden Beispielen verfassen die TN selbst Briefe an Hand der vorgegebenen Punkte. KL lässt die Kurzbriefe Korrektur lesen, z. B. im Austausch mit dem Nachbarn. Die TN können ihre Briefe in die *Wandzeitung* (siehe Einstiegsseite) übernehmen. Als Weiterführung könnte KL ein Klassengespräch über die Verwendung und Häufigkeit von E-Mail initiieren. Wo und warum wird sie verwendet? Was sind die Vor- und Nachteile?

Landeskunde: E-Mail

E-Mail hält in den deutschsprachigen Ländern als Kommunkationsmittel zunehmend auch in Privathaushalte Einzug. In vielen deutschen Städten gibt es Internet-Cafés, in denen den Gästen der Gebrauch von PC angeboten und wenn nötig erklärt wird. Die Gäste können im Internet surfen oder mit Partnern im Internet oder per E-Mail kommunizieren.

An Lernorten mit Internet-Cafés bietet sich die Möglichkeit, einen *erkundungsorientierten Unterricht* zu gestalten. Die TN erkunden Internet-Cafés am Lernort und erarbeiten die folgenden Fragen: Wo? Wie viele? Wer geht dorthin? Was passiert dort?

Als ein weiteres Projekt bietet sich an: Klassenfreundschaften. Auf dem Server des Goethe Instituts (http://www.goethe.de/z/ekp/deindex.htm) bestehen für die TN Kommunikationsmöglichkeiten durch E-Mail-Projekte in der Fremdsprache. Auf diese Weise können Klassenfreundschaften im Internet realisiert werden.

b) möglicher Wochenplan zu Lektion 1

	Lernziele	Fertigkeiten	Textsorten	sprachliches Handeln	Wortschatz Grammatik Redemittel	Kurs- und Arbeitsbuch Seite
Montag	• sich kennen lernen	• Sprechen	• Gespräch	• Fragen stellen, beantworten, den Partner vorstellen	• WS persönliche Daten	KB S. 9
	• eigene Prioritäten beim Spracherwerb erkunden	• Lesen Sprechen	• Fragebogen	• eigene Lernziele identifizieren und darüber sprechen	• WS Fertigkeiten und Ziele beim Spracherwerb	AB S. 8/9
	• über fiktiven und realen Beruf sprechen	• Sprechen	• Rollenspiel, Interview	• Vor- und Nachteile, Wünsche ausdrücken	• RM Gefallen und Missfallen äußern	KB S. 10 HA z. B. AB S. 9/2
Dienstag	• einem Hörtext Haupt- und Detailaussagen entnehmen	• Hören Lesen Sprechen	• Interview	• Vermutungen äußern, Aussagen verstehen, vergleichen	• RM Vermutungs-äußerung	KB S. 11
	• Lesetexten Hauptinformationen entnehmen	• Lesen Sprechen	• Statements	• Hauptinformationen sammeln, mit Vorinformationen vergleichen	• RM Vergleich, Meinungsäußerung	KB S. 12/13
	• sprachliche Strukturen im Text erkennen, anwenden	• Lesen Sprechen	• Arbeits-aufträge	• irreale Möglichkeiten, Wünsche, Bedingungen, Ratschläge formulieren	• Konjunktiv II	KB S. 13 S. 20/1a–c HA z. B. AB S. 11/4, 5 S. 12–13/ 6–11
	• Lernstrategie: Wortschatzarbeit	• Lesen Wortschatz	• Lerntipps Arbeits-aufträge	• Tipps umsetzen		AB S. 9–10/3
Mittwoch	• Hörtext verstehen	• Hören Sprechen	• Lied	• Vermutungen anstellen, Aussagen verstehen, Fragen stellen und beantworten, Empfehlungen aussprechen	• Konjunktiv II	KB S. 14 AB S. 14/13
	• sprachlich angemessen handeln	• Sprechen	• Alltagssitua-tionen als Sprechanlässe	• höflich bitten, fragen, reagieren	• WS höfliche Bitte Konjunktiv II	KB S. 15 HA z. B. AB S. 14/14

Rubrik/S.   **Lernziel**   **Nr./Hinweise**

	Lernziele	Fertigkeiten	Textsorten	sprachliches Handeln	Wortschatz Grammatik Redemittel	Kurs- und Arbeitsbuch Seite
Donnerstag	• Lesestrategien üben • Informationen aus Text entnehmen • Verabredungen treffen • sprachliche Strukturen im Text erkennen, anwenden	• Lesen • Sprechen • Sprechen • Lesen Sprechen	• Glosse • Telefongespräch • Glosse	• Stichpunkte sammeln • Personen charakterisieren • sich telefonisch verabreden • Absichten ausdrücken	 • WS Charakter • Zeitabfolge von Geschehnissen • Finalsätze	KB S. 16/17 AB S. 15–16 KB S. 17 KB S. 17/7, 8 KB S. 20/2 AB S. 15/17 HA AB z. B. S. 15/18, S. 15/19
Freitag	• Wortschatz erarbeiten • nach Inhaltspunkten persönlichen Brief schreiben • Lehrwerk kennen lernen	• Sprechen Lesen • Lesen Sprechen • Lesen Schreiben Sprechen	• Tabelle zum Wortfeld • persönlicher Brief • Quiz	• WS zum Thema finden, erklären, ordnen • E-Mail schreiben • Fragen beantworten	• WS Freizeit • Merkmale persönlicher Brief • W-Fragen	KB S. 18 AB S. 16/20 KB S. 19 AB S. 18 HA z. B. S. 17/21

RM = Redemittel   WS = Wortschatz   HA = Hausaufgabe

c) Unterrichtsskizze zu Lesen 1

für eine Doppelstunde 2 x 45 Minuten (Lektion 1/Lesen 1, S. 12/13)

Lernziel	sprachliches Handeln	Arbeitsform	KL-Aktivitäten	Strukturen Wortschatz Redemittel	Medien	Zeit
1. Einstieg in Thema: eigenes Wissen einbringen	zum Thema berichten	Plenum	Moderation	Zeitangaben	Kursbuch S. 12/1a–c vorbereitete Folie	10 Min.
2. Strategien zum überfliegenden Lesen anwenden	Text überfliegend lesen	Einzelarbeit, anschließend Plenum	Beratung, Kontrolle, dann Ergebnissicherung	Aspekte: Selbständigkeit, Rente, Arbeitslosigkeit	Kursbuch S. 12/2	5 Min.
3. Strategien zum selektiven Lesen anwenden	dem Text bestimmte Informationen entnehmen und reproduzieren	Einzelarbeit, anschließend Plenum	Beratung, Kontrolle, Ergebnissicherung	Wortschatz zum Thema	Kursbuch S. 12–13/3a	15 Min.
4. Vergleiche mit den Heimatländern anstellen	Vergleiche formulieren	Plenum	Moderation	Parallelen und Unterschiede benennen	Kursbuch S. 12–13/3b Tafel oder Folie	5 Min.
5. Meinung äußern und begründen	Meinungen und Begründungen dazu aussprechen	Plenum	Moderation	Redemittel zur Meinungsäußerung und Begründung	KB S. 13/4 Tafel oder Folie	10 Min.
6. Funktion des Konjunktivs II identifizieren	Funktion und Bedeutung des Konjunktivs II aus dem Kontext erschließen	Partnerarbeit	Beratung, Kontrolle	Konjunktiv II: irreale Möglichkeit	Kursbuch S. 13/5a	5 Min.
7. Formen des Konjunktivs II in Text identifizieren	Notizen machen	Partnerarbeit	Beratung, Kontrolle	Konjunktiv II: irreale Möglichkeit und irreale Wünsche	Kursbuch S. 13/5b	10 Min.
8. Regeln zum Konjunktiv II finden	Regeln zur Bildung ergänzen	Partnerarbeit anschließend a–e im Plenum	Beratung, Kontrolle, Ergebnissicherung	Konjunktiv II: Formen in Gegenwart und Vergangenheit	Kursbuch S. 13/5c–e S. 20/1a+b	10 Min.
9. Funktion von Konjunktiv II erkennen und anwenden	Wünsche im Konjunktiv II formulieren	Einzelarbeit, anschließend Plenum	Ergebnissicherung	Konjunktiv II: irreale Wünsche	Kursbuch S. 13/6a–c Tafel oder Folie	10 Min.
10. Konjunktiv II anwenden	Ratschläge formulieren	Plenum	Stimulus geben, Moderation, Ergebnissicherung	Konjunktiv II und Redemittel, Ratschläge geben	Kursbuch S. 13/7 Tafel oder Folie	10 Min.

Rubrik/S.	Lernziel	Nr./Hinweise

Methodisch-didaktische Hinweise zu Lektion 2

Einstiegsseite
21

Personen auf einem Foto beschreiben und Angaben zuordnen

1 Der Einstieg in das Thema „Menschliche Beziehungen" erfolgt über das Foto einer „typischen" deutschen Familie (Vater, Mutter, zwei Kinder) beim Frühstück. Mehrere TN beschreiben im Plenum die Personen auf diesem Foto. In vier Gruppen ordnen die TN dann die Angaben in den Kästen den einzelnen Personen zu. Der Einstieg über die Beschreibung der Personen auf dem Foto ist gleichzeitig Vorentlastung für das Interview mit der Familie in Hören 1.

Vermutungen und Meinungen zu Personen äußern

2 In einem zweiten Schritt vervollständigen die TN die steckbrieflichen Angaben zu den einzelnen Personen. Hier können nur Vermutungen angestellt werden. Danach trägt je ein TN pro Gruppe die Ergebnisse im Plenum vor. Bei unterschiedlichen Ergebnissen kann KL nach Begründungen fragen.

Hören
22

Interview-Fragen vorbereiten

1 In Partnerarbeit erarbeiten die TN Fragen, die sie den Familienmitgliedern stellen würden und stellen die Fragen dann in der Klasse vor. KL sichert die häufigsten Fragen an der Tafel/auf Folie.

Methode: Partnerarbeit
Partnerarbeit ist ähnlich wie Gruppenarbeit eine Arbeitsform für arbeitsteilige und auch kommunikative Aufgaben. Für Partnerarbeit eignen sich generell alle Dialogaufgaben, Interviews, Zuordnungsaufgaben, Suchaufgaben. Sie kann sowohl bei der Erarbeitung als auch bei der Sicherung erarbeiteter Aufträge eingesetzt werden. KL sollte bei der Einteilung zur Partnerarbeit darauf achten, dass die Paare variieren und gemischt werden, beispielsweise darauf, dass ein schwächerer und ein kompetenterer TN jeweils ein Paar bilden. Im Hinblick auf die spätere Präsentation der Resultate sollte der zeitliche Umfang der Arbeitsaufträge begrenzt sein.

globales Verstehen

2 Vor dem Hören des gesamten Interviews lesen die TN die Angaben im Raster. Nach dem Hören kreuzen sie an, über welche Themen gesprochen und über welche nicht gesprochen wurde.

detailliertes Verstehen

3 Vor dem abschnittweisen Hören lesen die TN die Fragen und Aufgaben. Nach jedem gehörten Abschnitt beantworten die TN dann die Fragen oder ergänzen die Aufgaben.

zu einem Hörtext Stellung nehmen

4 In dem anschließenden Klassengespräch äußern sich die TN darüber, was sie an den Aussagen der Familienmitglieder überrascht hat, ob ihre Fragen aus Aufgabe 1 beantwortet wurden und überlegen, welche Verhaltensweisen in ihrem Heimatland/in ihren Heimatländern sehr ungewöhnlich wären. Bei der Ergebnissicherung können kompetente TN die Rolle der/des KL übernehmen und das Klassengespräch leiten.

Rubrik/S.	Lernziel	Nr./Hinweise
Wortschatz 23	Wortschatz zum Thema „menschliche Beziehungen" erarbeiten	**1** KL überträgt den Wortigel aus dem Buch an die Tafel/auf Folie. Die TN ergänzen Nomen zu dem Thema „Mensch und menschliche Beziehung".
		2+3 Die TN übertragen die drei „Typen", die der Charakterisierung entgegengesetzter und neutraler Gefühle dienen, in ihre Hefte. In Partnerarbeit (im Notfall mit Hilfe eines Wörterbuches) ordnen sie dann die Verben und die Adjektive den drei „Typen" zu. Die Kontrolle erfolgt im Plenum. KL und TN klären hier auch die idiomatischen Ausdrücke (z.B. *für jemanden durchs Feuer gehen*). In diesem Zusammenhang kann diskutiert werden, warum es gerade in diesem Bereich so viele idiomatische und bildhafte Ausdrücke gibt. KL kann die drei Zeichnungen mit den entsprechenden Zuordnungen auf Packpapier als Wandbild produzieren. Ein flexibler Pfeil, der dem jeweiligen Gesicht zugeordnet werden kann, dient dann für die Klasse als Stimmungbarometer von Tag zu Tag.
	Wortschatz anwenden	**4** In einer multikulturellen Gruppe ist es interessant zu diskutieren, ob es in den verschiedenen Kulturen entsprechende Begriffe gibt, mit denen Gefühle benannt werden.
Sprechen 1 24		Die Bearbeitung einer Statistik gehört zur Aufgabenstellung des *ZD*. Mit dieser Statistik wird die Versprachlichung von Tabellen, Diagrammen etc. eingeführt. Im AB S. 25 gibt es eine weitere Statistik zur Vertiefung dieser Aufgabenstellung.
	eine Statistik an Hand von Fragen versprachlichen und kommentieren	**1** In Partnerarbeit beantworten die TN die Fragen und stellen ihre Antworten im Plenum vor. KL schreibt Antworten an die Tafel/auf Folie und sensibilisiert die TN für die unterschiedlichen Möglichkeiten der Versprachlichung, z.B. zu a: *Die Statistik zeigt, wie junge Deutsche ... leben* (verbal, Nebensatz), oder *... zeigt den Lebensstil junger Deutscher* (Nominalstil). Dabei wird nicht auf die Grammatik eingegangen.
	Wortschatz zu Mengenangaben erarbeiten	**2** In Partnerarbeit erarbeiten die TN die Mengen-, Prozent- und Bruchteilangaben auf der Grundlage des Textes. KL hat die Ergebnisse auf Folie vorbereitet, die TN vergleichen ihre Ergebnisse mit denen des KL.
	Schätzungen und Vermutungen zum Thema ausdrücken	**3** Nach Einführung der Redemittel zu Äußerungen von Vermutungen und Schätzungen sammeln die TN in Kleingruppen (hier am besten länderhomogen) an Hand der Leitfragen a–c Informationen zu den Lebensformen junger Menschen in ihrem Heimatland. Anschließend diskutieren sie, welche Lebensform ihnen selbst am besten gefallen würde und referieren im Plenum. Hieran kann sich auch ein offenes Klassengespräch über *Pro* und *Contra* bestimmter Lebensformen anschließen. Die meisten TN haben zu diesem Thema persönliche Erfahrungen, die sie einbringen können.

Methode: Gruppenarbeit
Gruppenarbeit dient der besseren Kommunikation der TN untereinander, der besseren Integration schüchterner und schwacher Lerner und einer erhöhten Lerneraktivität.
Arten von Gruppenarbeit: Es gibt arbeitsgleiche (alle Gruppen haben den gleichen Arbeitsauftrag) und arbeitsteilige Gruppenarbeit (jede

Rubrik/S.	Lernziel	Nr./Hinweise

Gruppe hat ihren speziellen Arbeitsauftrag). Die arbeitsteilige Gruppenarbeit bietet sich aus zeitökonomischen Gründen für aufwendige Arbeiten an.

In jedem Fall ist die Sicherung der Ergebnisse aus der Gruppenarbeit wichtig (Vortrag, Folie, Pinnwand etc.). Die arbeitsteilige Gruppenarbeit hat den Vorteil, dass bei den Vorträgen im Plenum jede Gruppe mit neuen Ergebnissen konfrontiert wird und darum wahrscheinlich aufmerksamer zuhört, als wenn von jeder Gruppe die gleichen Ergebnisse vorgetragen werden. Außerdem bietet sie die Möglichkeit der *Binnendifferenzierung*: Arbeitsaufträge können sowohl thematisch als auch nach dem Schwierigkeitsgrad differenziert erteilt werden.

Arten der Gruppenfindung: Die Gruppen können sich formieren
– über Abzählen der gewünschten Anzahl an Gruppenmitgliedern,
– nach dem Zufallsprinzip, z.B. Ziehen von bunten Kärtchen oder auch zusammengehörigen Puzzleteilen etc.,
– in multikulturellen Klassen nach Länderzugehörigkeit.

Zeitvorgaben: KL und die TN vereinbaren sowohl für die Erarbeitungsphase als auch für die Ergebnissicherungsphase (Vorträge) eine Zeit, die dem Umfang der jeweiligen Aufgabe angemessen ist. Eine Projektarbeit kann dabei mehrere Unterrichtseinheiten umfassen, ein Arbeitsauftrag zur Bearbeitung einer Übungsaufgabe nur wenige Minuten.

Arbeitsteilung innerhalb der Gruppe: KL und die TN vereinbaren – wenn nötig – die Verteilung der einzelnen Aufgaben: Ideen sammeln (alle), Materialien beschaffen, Notizen machen, Vortragen etc.

Einsatz der Arbeitsmaterialien: KL und die TN beschaffen die für die Erarbeitung und für die Darstellung der Ergebnisse notwendigen Materialien: z.B. Folien, Pinnwand, Packpapier, Fotos, Zeitungsausschnitte etc.

Rolle des KL: KL übernimmt während der Gruppenarbeit eine begleitende, aber aktive Rolle: Sie/Er geht von Gruppe zu Gruppe, bietet Hilfestellung, berät und achtet darauf, dass auch die stillen und langsamen Lerner in die Aktivitäten der Gruppe einbezogen werden.

Rubrik/S.	Lernziel	Nr./Hinweise
Sprechen 2 25	Personen auf Fotos beschreiben und zuordnen	**1** KL bittet die TN im Voraus, wenn möglich Fotos von sich oder Verwandten mitzubringen. Nach der Erarbeitung der Redemittel beschreiben die TN die ausgesuchten Fotos und stellen ihre Vermutungen zu den abgebildeten Personen an. Diese Äußerungen eignen sich für eine Tonaufnahme, da die TN spontan und unbefangen ihre Vermutungen zu den Bildern aussprechen. In diesem Fall sollte KL die TN nicht unterbrechen und korrigieren. Anschließend besteht die Möglichkeit, beim Anhören der Aufnahme gemeinsam mit den TN Fehler zu korrigieren und individuelle Defizite zu diagnostizieren.
	Hypothesen zu einer Traumfamilie formulieren	**2** Für dieses Projekt muss ausreichend Zeit veranschlagt werden. Die TN können ihrer Phantasie freien Lauf lassen und haben Gelegenheit, ihre Meinung zu äußern. Ebenso kann der Konjunktiv II wiederholt und geübt werden (*Meine Traumfamilie würde zehn Familienmitglieder umfassen. Wir hätten auch einen Hund ...*).

Rubrik/S.	Lernziel	Nr./Hinweise

Lesen 1
26/27

In dem Text aus der *Brigitte*, einer bekannten deutschen Frauenzeitschrift, geht es um die Frage: Wie löst eine Frau das Problem, sowohl ihrer traditionellen Rolle als Mutter gerecht zu werden, als auch im Berufsleben gleichberechtigt „ihren Mann zu stehen"? Eine Reporterin der Zeitschrift befragt dazu die Leiterin des *Brigitte*-Berufsseminars zu ihrer Meinung. Der Text ist etwas gekürzt.

Landeskunde: Gleichberechtigung von Frauen
Laut Verfassung der Bundesrepublik Deutschland, dem *Grundgesetz*, Artikel 3: (1) „Alle Menschen sind vor dem Gesetz gleich" (2) „Männer und Frauen sind gleichberechtigt" muss der Staat für die Umsetzung dieser Rechte Sorge tragen. Tatsächlich aber sieht die Realität oft anders aus. Um die Stellung der Frau im Berufsleben zu stärken und eine gleiche Behandlung von Mann und Frau besonders im Hinblick auf die Besetzung und Bezahlung höherer Positonen zu erreichen, gibt es sogenannte Sonderbeauftragte in *Gleichstellungsstellen*, die die Umsetzung des Grundgesetzes überprüfen sollen (z. B. in Behörden und auch in vielen Firmen). An diese Stelle kann sich eine Frau wenden, wenn sie sich bei der Arbeit aufgrund ihres Geschlechtes benachteiligt sieht.
Der Schutz der Familie ist ebenfalls im Grundgesetz verankert. Artikel 6 lautet: (1) „Ehe und Familie stehen unter dem besonderen Schutz der staatlichen Ordnung" (4) „Jede Mutter hat Anspruch auf den Schutz und die Fürsorge der Gemeinschaft". Deshalb ist dies ein vorrangiges politisches Thema einer jeden Regierung. Um auch Frauen mit Kindern die Ausübung ihres Berufes zu ermöglichen, gibt es bereits vereinzelt unterstützende Maßnahmen von Arbeitgeberseite:
– Teilzeitarbeit (z. B. 7.30 – Mittag)
– Die Möglichkeit, ganz/teilweise zu Hause zu arbeiten
– Betriebskindergarten
– „Job-sharing", d. h. Teilung einer Stelle

zu drei Äußerungen kurz Stellung nehmen

1 Die drei Kurztexte dienen dem Einstieg in das Thema Frauen, Familie und Beruf und helfen bei der Vorentlastung der Texte. Sie geben drei Positionen zu diesem Thema in der *ich*-Form wieder. Die TN sollen ihre Meinung dazu äußern.

globales Verstehen

2 Die TN lesen in Einzelarbeit die Interview-Fragen a–g, danach die Antworten 1–7. Vor dem Lesen kann KL die Bedeutung idiomatischer Wendungen (z. B. *etwas läuft schief*) klären. In Partnerarbeit ordnen die TN die Fragen den einzelnen Abschnitten zu. Die Zuordnung ist nicht immer eindeutig. Darum lässt KL die TN ihre Entscheidung begründen.

Satzteile zusammenfügen

3a Die Sätze geben wichtige Inhaltspunkte des Interviews mit anderen Worten wieder. Durch die richtige Zuordnung der Satzteile (in Partnerarbeit) erfolgt eine weitere Kontrolle des Leseverstehens.

Rubrik/S.	Lernziel	Nr./Hinweise
	Modalverben wiederholen, vertiefen und anwenden	**4** Die TN identifizieren zunächst die Modalverben im Interview. Anschließend lösen sie die Übung **b**, indem sie der Umschreibung der Modalverben das passende Modalverb zuordnen.
		5 In einem nächsten Schritt formen die TN Sätze um, indem sie die Umschreibung durch das passende Modalverb ersetzen. Hier wird der Grundstufenstoff „Semantik der Modalverben" in einem schwierigeren Kontext weitergeführt. Die TN sehen sich in Einzelarbeit die Übersicht über die Grundbedeutung der Modalverben S. 32/1b an. Anschließend bringt KL zu den einzelnen Modalverben weitere Beispiele und lässt die TN die Bedeutung identifizieren. Alternativ gibt KL die Bedeutung vor und lässt die TN dann Beispiele finden.
Schreiben 28	Anweisungen schreiben	Eingebettet in eine reale familiäre Situation (die Mutter muss überraschend dringend fort) sollen die TN üben, Anweisungen schriftlich zu formulieren.
		KL liest den Text **a** laut vor oder lässt ihn vorlesen. Die TN lesen dann in Einzelarbeit den Terminkalender **b**, KL liest wiederum Text **c** als Arbeitsanweisung vor. In Partnerarbeit lesen die TN die beiden Beispiele und formulieren in gleicher Weise ihre Anweisungen auf der Grundlage des Terminkalenders. KL verweist vorab auf den Gebrauch des Bedingungssatzes: *Wenn du ...* und den Gebrauch der Modalverben im Konjunktiv II (höfliche Bitte: *Könntest du ...*).
Sprechen 3 29	über die Bedeutung von Familiennamen sprechen	Hier gibt es zwei Themenschwerpunkte: die Bedeutung von Familiennamen und die rechtliche Grundlage der Namensgebung bei der Eheschließung. Zu beiden Themen sind Vergleiche mit den entsprechenden Regelungen in den Heimatländern der TN interessant.
	länderspezifisches Wissen zur Namensgebung einbringen	**1** Das Thema „Namen" eignet sich gut als Thema für den so genannten „Small Talk". Einzelne TN sprechen im Plenum über Herkunft, Bedeutung, Beliebtheit/Unbeliebtheit ihrer und anderer Familiennamen aus ihrem Heimatland. Die TN äußern sich zu Klang, Mehrteiligkeit, Schreibung und Bedeutung der angegebenen deutschen Familiennamen. Sie nennen und analysieren – wenn möglich – noch weitere deutsche Familiennamen.
	detailliertes Verstehen	**2** In einer multikulturellen Lernergruppe tragen die TN ihr Wissen über die Namensgebung in ihrem Heimatland und in Deutschland zusammen, berichten und vergleichen im Plenum. In länderhomogenen Klassen reduziert sich der Vergleich auf das Heimatland und Deutschland. In diesem Fall erarbeiten die TN die Unterschiede in einem Klassengespräch.
	an Hand von Redemitteln Gefallen und Missfallen ausdrücken	**3** Hier handelt es sich um die Textsorte „Gesetzestexte, Regeln und Vorschriften", die sich durch starke sprachliche Dichte, Nominalstil und Fachwortschatz auszeichnet. Deshalb sollte dieser Text detailliert gelesen werden, u. U. mit Hilfe eines Wörterbuchs. In Einzelarbeit lesen die TN den leicht vereinfachten Gesetzestext zur Namensgebung und suchen mögliche Namenskombinationen. KL kann Lösungen auf Folie vorbereiten, die TN vergleichen ihre Ergebnisse.
		4 KL und die TN klären die Redemittel. Entsprechend den drei Kombinationsmöglichkeiten für die Ehepartner bildet die Klasse drei Gruppen, jede Gruppe vertritt eine der drei Möglichkeiten, damit eine Debatte geführt werden kann. Dabei sollten die Konsequenzen für den Familiennamen der Kinder mit einbezogen werden. Da es sich hier um eine schwierige Aufgabe zum mündlichen Ausdruck handelt, bekommen die TN eine Zeitvorgabe, ihre Meinung mit Hilfe

Rubrik/S.	Lernziel	Nr./Hinweise

der Redemittel vorzuformulieren (vielleicht schriftlich). Im Plenum debattieren die TN Vor- und Nachteile der einzelnen Varianten und begründen ihre Meinung.

Lesen 2

30/31

Der Text ist der Informationsbroschüre „Familien" des Presse- und Informationsdienstes der Bundesregierung entnommen.

Vorschläge zum Thema sammeln und formulieren

1 In Kleingruppenarbeit überlegen die TN mögliche Maßnahmen des Staates zur Unterstützung der Familien mit Kindern und stellen ihre Vorschläge im Plenum vor. KL sichert die wichtigsten Ergebnisse an der Tafel/auf Folie.

detailliertes Verstehen, Fachwortschatz verstehen

3 Die vorliegenden, sprachlich anspruchsvollen Texte A–D sind authentisch, allerdings gekürzt. Hier handelt es sich um eine Aufgabe zum Verstehen juristischer oder behördlicher Texte und Vorschriften (textsortenspezifische Merkmale: Fachvokabular, Zahlenangaben, Inversion, Nominalstil). Die Texte sind zueinander in Beziehung zu setzen; der eine ist der Originaltext, der andere eine kurze Zusammenfassung. Die Aufgabe wird dadurch erschwert, dass es mehr Zusammenfassungen als Originaltexte gibt. Deshalb müssen die Texte sehr genau gelesen werden. In Einzelarbeit lesen die TN zunächst die Zusammenfassungen, dann die Originaltexte und lösen danach die Zuordnungsaufgabe.

reflexive und reziproke Verben wiederholen, vertiefen und anwenden

5 Die TN sammeln aus den Texten A–D alle reflexiven Verben und ordnen sie unter dem Aspekt „Akkusativ oder Dativ". Die TN können ihr Vorwissen einbringen und den Raster durch weitere Verben ergänzen. Dann bilden sie mit den gesammelten Verben Beispielsätze.

6 Der Grundstufenstoff „reflexive Verben" wird mit Hilfe von Übung **6** erweitert, indem zwischen reflexiver und reziproker Beziehung differenziert wird. Aus der Umgangssprache ist *einander* fast verschwunden. Es sollte hier nur zur Unterscheidung von reflexiver und reziproker Beziehung und nicht als Ersatz von *sich* dienen. In der Grammatikübersicht auf S. 32/2b wird dieser Komplex noch um Verben erweitert, die man sowohl reflexiv als auch nichtreflexiv gebrauchen kann (teilreflexiv). KL kann eine Folie mit den drei unterschiedlichen Verbtypen vorbereiten und die TN weitere Beispiele dazu suchen lassen.

Methodisch-didaktische Hinweise zu Lektion 3

Einstiegsseite

33

Feste und Bräuche durch das Jahr sind das Thema der Lektion. Der Schwerpunkt liegt dabei auf offiziellen Festen in deutschsprachigen Ländern und auf privaten Feiern. Da die meisten Feste und Bräuche ihren Ursprung im christlichen Glauben haben, ist in einer multikulturellen Klasse mit TN aus anderen Religionsgemeinschaften ein sensibler Umgang des KL mit diesem Thema erforderlich.

1 KL fordert einzelne TN auf, im Plenum zunächst nur das Bild kurz zu beschreiben und dann Vermutungen darüber anzustellen, um was für ein Fest es sich handeln könnte.

Rubrik/S.	Lernziel	Nr./Hinweise
	über das Feiern des eigenen Geburtstages sprechen	**2** In kleinen Gruppen schildern die TN einander die Art und Weise, wie sie ihren Geburtstag feiern. KL geht in der Klasse herum, korrigiert und achtet darauf, dass alle Gruppenmitglieder zu Wort kommen. Anschließend berichten einige TN darüber im Plenum.
		3 Das Thema wird auf den Bereich „Schenken" verlagert. In Partnerarbeit sprechen die TN über die Punkte **a–c**.

> **Landeskunde:** Schenken
> In Deutschland schenkt man vor allem zu Weihnachten und zum Geburtstag (in katholischen Regionen auch zum Namenstag). Was man schenkt, ist individuell sehr verschieden und hängt unter anderem vom sozialen Status und den Beziehungen zwischen Schenkendem und Beschenktem ab. Es gilt als schlechter Stil, wenn ein Beschenkter ein Geschenk kritisiert oder gar zurückweist. Ein altes Sprichwort sagt dazu: „Einem geschenkten Gaul schaut man nicht ins Maul". Es wird erwartet, dass der/die Beschenkte sein Geschenk gleich auspackt und sich dafür bedankt. Zu besonderen Anlässen wie Taufe, Kommunion/Konfirmation oder Hochzeit gibt es teilweise traditionelle Geschenke (z. B. Taufe: Silberbesteck; Kommunion/Konfirmation: Bibel, Goldkette mit Kreuzanhänger, Uhr; Hochzeit: Hausrat).

Rubrik/S.	Lernziel	Nr./Hinweise
Hören `34`		Diese Gesprächsrunde wurde nach einer authentischen Vorlage im Studio aufgenommen. Teilnehmer sind der Interviewer und vier Personen. Sie sprechen mit unterschiedlicher Sprechgeschwindigkeit und Aussprache, so dass sich die TN beim Hören auf eine größere Zahl von Sprechern und Beiträgen einstellen müssen. Im ersten Abschnitt des Hörtextes stellen sich die vier Teilnehmer der Gesprächsrunde vor. Im zweiten Abschnitt befragt der Interviewer sie zunächst nach dem schönsten Fest ihres Lebens und danach, wie sie Feiertage oder Geburtstage verbringen. Schließlich möchte er von ihnen wissen, wie sie spontan ein Fest feiern würden. Da sich unter den Teilnehmern der Gesprächsrunde vom „Partyfreak" bis zum „Partymuffel" sehr verschiedene Typen befinden, gibt es für die TN zahlreiche Überraschungen sowie Identifikationsmöglichkeiten. Zudem bietet das Thema „Feiern" selbst ausreichend Anlass, sich zu äußern. Bei den Aufgaben zu diesem Hörverstehen handelt es sich um drei Ankreuz- und eine *Richtig-falsch*-Aufgabe. Das kommt den Lernern auf dieser Stufe entgegen, da die einzelnen Aussagen umfangreich und komplex sind und von den TN nur schwer in eigenen Worten wiederzugeben wären.
	ein Gespräch mit mehreren Teilnehmern global verstehen	**1** Die TN sehen sich zunächst die vier Fotos an und lösen dann Aufgabe **a**. Vor dem weiteren Hören lesen die TN bei Aufgabe **b** in Einzelarbeit die möglichen Aussagen und stellen im Plenum Vermutungen an (Redemittel zur Vermutungsäußerung S. 11/1), welche Aussagen zu welcher Person passen könnten. KL fixiert die Beiträge an der Tafel/auf Folie. Dieser Einstieg über die Hypothese lenkt die Konzentration der TN auf die anschließend vorgespielten Aussagen der Gesprächspartner.

Rubrik/S.	Lernziel	Nr./Hinweise
		2–3 Auch vor dem Hören von Teil 2 lesen die TN die möglichen Antworten, um sich auf die entsprechenden Textstellen konzentrieren zu können. Dadurch wird ein detailliertes (Wort-für-Wort) Hören umgangen. Nach dem Hören korrigieren KL und die TN gemeinsam die Ergebnisse und vergleichen ihre Vermutungen aus 1b mit den Inhalten dieses Textabschnittes.
Wortschatz `35`	Wortschatz und landeskundliche Informationen zum Thema „Feste und Bräuche" erarbeiten	**1** Bei geschlossenen Büchern sammelt KL Beiträge der TN zu ihnen bekannten deutschen Festen und Bräuchen an der Tafel/auf Folie und vervollständigt diese gegebenenfalls. **2** Die TN übertragen die kalendarische Tabelle in ihr Heft und ordnen die angegebenen Feste dem Jahresverlauf zu. Implizit werden hier Monate und Jahreszeiten wiederholt. Für Angehörige nicht-christlicher Religionen ist diese Aufgabe nur mit Hilfe des KL und/oder anderer TN oder eines Lexikons lösbar. **3a+b** In Partnerarbeit ordnen die TN die Begriffe den Cartoons zu. *Alternativ* kann KL die Aufgabe auf Folie kopieren und durch Zuruf vom Plenum die Begriffe einordnen. Danach ergänzen die TN den Raster in **b**. Zu evtl. unbekannten Begriffen wie z. B. „Pfingstochse" lässt KL zunächst Vermutungen anstellen und erklärt sie dann, wenn nötig.

Methode: Erschließen von neuen Wörtern
Fragen nach der Bedeutung unbekannter Wörter gibt KL zunächst an die TN weiter. Hier können die verschiedenen Methoden der Worterschließung angewandt werden:
– aus dem Kontext (KL oder TN stellen das Wort in einen Kontext)
– durch Umschreibung (Paraphrasierung)
– durch Finden eines Wortes mit gleicher Bedeutung (Synonym)
– aus dem Gegenteil (Antonym)
– durch Bild oder Zeichnung (Visualisierung)
– durch Darstellen (Pantomime)
– durch Ableitung von einer Grundform oder einem Wortstamm (Derivation)
– Nachschlagen in ein- oder zweisprachigem Wörterbuch.

Landeskunde: Feste und Bräuche
Silvester (31. Dezember)/**Neujahr** (1. Januar): Silvester wird wie alle Vorabende von Neuanfängen mit Zeremonien begangen, die Unglück abwenden sollen (Lärm, Feuerwerk, Ausgelassenheit und Fröhlichkeit) oder mit Versuchen, die Zukunft zu erkennen (Bleigießen). Mit dem Läuten der Kirchenglocken um zwölf Uhr nachts wird das alte Jahr aus- und das neue eingeläutet. Die Menschen wünschen sich „ein gutes neues Jahr" und stoßen mit Sekt/Wein an. Neujahr als der erste Tag des neuen Kalenderjahres ist ein gesetzlicher Feiertag.

Dreikönigstag: Die „Heiligen drei Könige" Kaspar, Melchior und Balthasar, die nach der Überlieferung des Neuen Testaments, geleitet vom Stern von Bethlehem, dem Jesuskind huldigten und Geschenke brachten, werden am 6. Januar gefeiert. Dieser Tag ist – besonders in süddeutschen/österreichischen Gegenden – Anlass zum Feiern alter Bräuche: z. B. ziehen Kinder verkleidet als die drei Könige, so genannte „Sternsinger", von Haus zu Haus, segnen dieses und bekommen Obst, Süßigkeiten und Geldspenden. Sie schreiben mit Kreide die Jahreszahl und die Buchstaben CMB (Christus Mansionem Benedicat) über die Tür.

Fasching (Süddeutschland und Österreich), **Fasnacht** (Schweiz) und **Karneval** (Rheinland) haben ihren Ursprung in vorchristlicher, heidnischer Zeit. Man feierte, um den Winter auszutreiben. Heute spielt sich der Fasching überwiegend zwischen dem Dreikönigstag (6.1.) und Aschermittwoch ab, dem Beginn der Fastenzeit sechs Wochen vor Ostern. Die Bräuche sind regional sehr unterschiedlich, aber immer gehören Lärm, lauter Gesang und Masken/Verkleidung dazu.

Ostern: Sein Ursprung ist die Auferstehung Christi. Ostern ist das höchste christliche Fest. Bräuche aus vorchristlicher Zeit haben sich mit christlichen Bräuchen verbunden, wie z. B. das Osterei. Das Ei gilt als Symbol für Fruchtbarkeit und den Ursprung des Lebens. Für kleine Kinder bringt/versteckt der Osterhase die Eier. Ostern ist ein „bewegliches" Fest und findet jeweils am ersten Sonntag nach dem ersten Frühlingsvollmond statt. Der darauf folgende Montag ist in Deutschland (wie der Pfingstmontag) gesetzlicher Feiertag.

Pfingsten: Pfingsten findet am 50. Tag nach Ostern statt. Die Christen feiern, dass der Heilige Geist zu den Menschen gekommen ist. Da dieser Tag im süddeutschen Raum vielfach mit dem Tag des ersten Viehaustriebes im Frühling zusammenfällt, schmückt man das Tier an der Spitze der Herde mit Blumen und Glocken („Pfingstochse": Noch heute gibt es im Sprachgebrauch den ironischen Ausdruck „geschmückt sein wie ein Pfingstochse" für eine Person, die zu auffällig gekleidet ist).

Sommersonnwendfeier: Dieses Fest stammt aus der vorchristlichen Zeit. Um den 22. Juni wird mit Feuern die Sommersonnenwende und der Eintritt des Sommers gefeiert. Entsprechend wird um den 22. Dezember die Wintersonnenwende gefeiert.

Advent: Der Advent beginnt am ersten Sonntag nach dem 26. November und ist der Beginn des christlichen Kirchenjahres. Es ist die Vorbereitungszeit auf die Geburt Jesu. An den vier vorweihnachtlichen Sonntagen wird auf dem Adventskranz für jeden Sonntag jeweils eine neue Kerze angezündet. Die Kinder zählen außerdem an Hand eines Adventskalenders die Tage bis Heiligabend/Weihnachten. Eine feste Institution zu dieser Zeit sind

mittlerweile Weihnachtsmärkte geworden. Hier kann man Leb-
kuchen, Glühwein, Weihnachtsbaumschmuck, Geschenke kaufen.

Nikolaustag: Nikolaustag ist der 6. Dezember. An diesem Tag im
Advent werden als Erinnerung an den heiligen Nikolaus den Kindern
Äpfel, Nüsse und kleine Geschenke in Schuhe gesteckt, die sie am
Vorabend vor die Tür gestellt haben. Kleine Kinder werden auch
häufig vom Nikolaus „persönlich" besucht, in Gestalt eines Verwandten oder Freundes der Familie, der sich mit rotem Mantel und
weißem Bart als Nikolaus verkleidet hat. Über einen Studentendienst
o. Ä. können auch „Miet-Nikoläuse" ins Haus bestellt werden.

Heiligabend/Weihnachten: Weihnachten ist das Fest, an dem seit
dem 4. Jahrhundert Christi Geburt gefeiert wird. Dieses Datum fällt
mit der Zeit der Wintersonnenwende zusammen. Ein geschmückter
Christbaum mit Kerzen ist am 24. Dezember (Heiligabend) das
Zeichen der häuslichen Feier. Viele Menschen gehen in den Got-
tesdienst, bleiben dann innerhalb der Familie, singen Weihnachtslieder und beschenken sich gegenseitig. Die Kinder glauben, das
Christkind oder der Weihnachtsmann habe ihnen die Geschenke
gebracht. Die festliche Stimmung und die Geschenke machen
Weihnachten für sie zum wichtigsten Fest des Jahres. In der Erinnerung an die armseligen Umstände der Geburt Christi ist Weihnachten für viele Menschen Anlass, Geld oder Geschenke für be-
dürftige Mitmenschen zu stiften. Der 25./26. Dezember, das eigent-
liche Weihnachten, sind gesetzliche Feiertage, an denen die Menschen es sich mit ausgiebigem Essen (z. B. Gänsebraten) und Trinken gut gehen lassen.

3c+d   Nun ordnen die TN feiertagsspezifische Aktivitäten in die Tabelle ein
und diskutieren ihre Ergebnisse im Plenum.

4   Anschließend berichten sie über Feste und Bräuche in ihrem Heimatland.
An dieser Stelle ist es interessant zu besprechen, welche Feiertage typische
Familienfeste, welche Feiertage traditionell mit Freunden und Bekannten und
welche offiziell gefeiert werden. Es ist wichtig, dass in einer multikulturellen
Gruppe besonders die Angehörigen anderer Religionsgemeinschaften zu Wort
kommen.

Lesen 1

`36/37`

Von den fünf Zeitungsmeldungen sind nur Text D und E wahr, die anderen –
obwohl thematisch passend und im gleichen Stil geschrieben – sind frei erfun-
den. Bei der Textsorte „Zeitungsmeldung" ist es wichtig, dass die TN lernen, mit
Hilfe von Hauptinformationen/Schlüsselwörtern die wichtigsten Aussagen zu
erfassen. Dabei helfen die Leitfragen: *wer – wo – wann – was – warum?* Die
Gegenüberstellung von unwahren und wahren Geschichten motiviert die TN,
sich mit diesen Zeitungsmeldungen auseinander zu setzen.

Rubrik/S.	Lernziel	Nr./Hinweise
	Fotos Texten zuordnen und von Fotos und Überschriften auf Inhalte schließen	**1** Die TN ordnen die Fotos den Artikelüberschriften zu und berichten im Klassengespräch, was sie bereits über die aufgeführten Feste wissen. KL hält die Ergebnisse an der Tafel/auf Folie fest und ergänzt die Informationen. In kleinen Gruppen erarbeiten die TN Vermutungen über den möglichen Inhalt der vorliegenden Meldungen und berichten anschließend im Plenum. In lernschwächeren Gruppen ist es möglich, dass jede Gruppe sich nur mit einer Meldung beschäftigt. Die TN hören dadurch mit größerer Aufmerksamkeit den Berichten der anderen Gruppen zu.
	Vermutungen über den Wahrheitsgehalt von Zeitungsmeldungen äußern und begründen	**3** Nach Klärung der Redemittel zur Vermutungsäußerung stellen die TN ihre Vermutungen an und begründen sie im Plenum. Gegebenenfalls vergleichen sie ihre Ergebnisse mit den Lösungen im AB S. 37. Wenn vor Ort deutsche Zeitungen vorhanden sind, können besonders motivierte TN ähnliche Meldungen suchen und an Hand der Leitfragen entschlüsseln.
	Temporalsätze erkennen und anwenden	**4–7** Temporalsätze mit *als* und *wenn* sind Grundstufenstoff. Da die Lerner sie auf dieser Stufe oft noch fehlerhaft anwenden (im englischen Sprachraum gibt es beispielsweise keinen Unterschied zwischen *als* und *wenn*), werden sie an dieser Stelle wiederholt und gefestigt. Damit wird gleichzeitig die Wiederholung/Erarbeitung und Systematisierung temporaler Angaben eingeleitet (siehe Übersicht im KB S. 44). An Hand des bekannten SOS-Prinzips erarbeiten die TN auf der Grundlage der Zeitungsmeldungen die Grammatik der Temporalsätze und formulieren die Regeln zu ihrer Anwendung.
Sprechen 1 `38`		Auf dieser Stufe haben die TN das Bedürfnis, auch längere Redebeiträge und Referate einzuüben. Bei dem Projekt „Ein Fest in meinem Heimatland" handelt es sich um die Vorbereitung und Durchführung eines einfachen, kurzen mündlichen Vortrages. Dazu eignet sich das Thema „Feste" besonders, da es zum persönlichen Erfahrungs- und Erlebnisbereich eines jeden TN gehört.
	Vorbereiten und Durchführen eines mündlichen Vortrages	**1–4** KL erarbeitet mit den TN in der Klasse den Aufbau und die Gliederung des Referates, die Redemittel zu Einleitung und Schluss sowie die Tipps zur „Inszenierung" des Vortrages. Zu Hause formulieren die TN ihren mündlichen Vortrag. KL und die TN setzen gemeinsam die Termine für die Vorträge fest. In länderhomogenen Gruppen behandeln die einzelnen TN wenn möglich unterschiedliche Feste.
Lesen 2 `39`		Der kurze Text über das Oktoberfest stammt aus einem Reiseführer. Typische Merkmale für diese Textsorte sind die Reihung von Informationen (Hauptsätze) sowie Zahlen- und Datenangaben zu Sehenswürdigkeiten.
	Informationen zum Oktoberfest sammeln	**1** KL sammelt Beiträge der TN zum Begriff „Oktoberfest" und hält sie an der Tafel/auf Folie fest. Falls vorhanden, kann KL Bilder/Zeichnungen von typischen Oktoberfestrequisiten zeigen (Bierseidel, Brez'n, Riesenrad usw.) und von den TN benennen lassen.
	auf der Grundlage des Textes Fragen formulieren und beantworten	**3** Wenn die Fragen zum Text schriftlich formuliert werden, gibt KL den TN dafür eine Zeitvorgabe. In Partnerarbeit stellen die Partner sich gegenseitig die erarbeiteten Fragen und beantworten sie. KL geht herum, hilft und korrigiert, wenn nötig. *Alternativ* stellen einzelne TN ihre Fragen anderen TN aus dem Plenum.

Rubrik/S.	Lernziel	Nr./Hinweise
	temporale Präpositionen im Text identifizieren, sammeln und systematisieren und in Beispielsätzen anwenden	**4** Nach dem Prinzip des „entdeckenden Lernens" verfahren die TN bei dieser Aufgabe wie bei den vorherigen Grammatikaufgaben.
Sprechen 2 **40**		Einladungen am Telefon aussprechen und darauf reagieren können ist Stoff aus der Grundstufe. Er wird hier aufgenommen und weitergeführt, indem bei gleichem Inhalt der Sprachduktus vom Informellen ins Formelle transferiert wird.
	Telefongespräche detailliert hören und verstehen	**1** Die beiden kurzen Telefongespräche dienen als Einstieg bzw. Aufhänger für diese Sprechaufgabe. Daher werden sie nur knapp analysiert. Die TN hören die beiden Gespräche und berichten im Plenum kurz über deren Inhalt. Sie versuchen festzustellen, welches das informelle und welches das formelle Gespräch ist und begründen ihre Entscheidung. Gespräch 1 (informell): Anrede *du*, umgangssprachliche Ausdrücke wie: *Quatsch, halt, stopp, Mensch, da freu' ich mich ...*; Gespräch 2 (formell): Anrede *Sie*, viele Höflichkeitsfloskeln wie: *ganz herzlich, selbstverständlich*, offizielle Grußformeln wie: *Auf Wiedersehen.*
	informelles Telefongespräch führen	**2** Zunächst lesen die TN die möglichen Redemittel für das Gespräch. In Partnerarbeit üben sie anschließend nach dem vorgegebenen Raster, ein informelles Telefongespräch zu führen. Sie markieren dabei im Raster die Redemittel, die sie selbst verwenden möchten. Einige TN spielen ihre Rollen dann dem Plenum vor. Wichtig ist, dass die TN sowohl inhaltlich als auch sprachlich in dem vorgegebenen Raster bleiben, damit sie die adäquate Ausdrucksweise einüben.
	ein formelles Telefongespräch führen	**3** Die TN hören das zweite Gespräch noch einmal. In Partnerarbeit ergänzen sie dann die richtigen Redemittel. Auf der Grundlage dieser Redemittel erarbeiten sie nun gemeinsam ein formelles Einladungsgespräch und achten auf den entsprechenden Sprachduktus. Schwächere TN fixieren vorab das Gespräch schriftlich und KL korrigiert. Kompetentere TN können diese Aufgabe mündlich „improvisieren".
Schreiben **41**		Die Aufgabe „Einladungen schreiben" schließt sich thematisch an Sprechen 2 „telefonisch einladen" an. Die TN schreiben an Hand von Beispielen formelle und informelle Einladungen. Der konkrete Schreibanlass ist praxisorientiert und alltagsbezogen und entspricht damit der Lernstufe.
	schriftlicher Ausdruck: formelle und informelle Einladung	**1** Als Vorbereitung auf die produktive Schreibarbeit lesen die TN in Einzelarbeit die drei Einladungen und identifizieren deren Register (formell/informell) und kommunikativen Anlass (z. B. Hochzeitseinladung, Einladung zum Geburtstag). Sie lösen dann die Aufgaben a und b. KL sichert in einem kurzen Klassengespräch die Ergebnisse und sammelt zusammen mit den TN typische Textsortenmerkmale der einzelnen Einladungen: unterschiedlicher Sprachduktus für unterschiedliche Adressaten. Einladung 1 (formell): *wir haben beschlossen, findet ... statt, U.A.w.g.* Einladung 2 (informell): Anrede *ihr*, Gäste können mitgebracht werden. Einladung 3 (informell): 30 Jahre = *Greis*, Geburtstagsfeier = *Trauerfeierlichkeit, „wertvolle" Geschenke mitbringen* sind Beispiele für witzige Sprache unter Freunden.

Rubrik/S.	Lernziel	Nr./Hinweise
		2 Das schriftliche Formulieren kann in Intensiv-Kursen in der Klasse, in Extensiv-Kursen als Hausaufgabe erfolgen. Zur Vorbereitung kann KL verschiedene Einladungsanlässe, z.B. die Taufe eines Kindes, Abiturfeier, Sommerfest, an die Tafel schreiben. Jede/r TN wählt einen Anlass für eine formelle und eine informelle Einladung. *Alternativ* kann KL die Einladungsanlässe auf Kärtchen schreiben und jede/n TN zwei Kärtchen ziehen lassen. (z.B. informell = rot/formell = grün). KL weist TN auf die verbindliche Bearbeitung der Punkte **b+c** hin.
Lesen 3 42	Vorwissen zum Thema „Karneval" einbringen	**1a** Zur Vorentlastung des Leseverstehens knüpfen die TN an Bekanntes an und bringen ihr Vorwissen zum Thema „Karneval" ein. KL kann Stichworte an der Tafel/auf Folie sammeln und ergänzen.
	globales Verstehen	**1b+c** Nach dem Lesen des Rasters **c** konzentrieren sich die TN beim Lesen der drei Statements auf die Einstellung der drei Personen zum Karneval. Die TN unterstreichen beim Lesen die Textstellen, die ihnen die gewünschten Informationen liefern (*immer gehasst, fürchterlich, totale Idioten, ordinäres Spektakel, schönste Jahreszeit* etc.). Nach der Lösung der Aufgabe **c** und dem Vergleich im Plenum fordert KL einzelne TN auf, ihre Entscheidung auf der Grundlage der entsprechenden Textstellen zu belegen.
	temporale Präpositionen verwenden	**2** Die TN setzen die Erarbeitung der temporalen Präpositionen (S. 39/4) nach dem SOS-Prinzip fort. KL bespricht mit den TN die Übersicht S. 44/2 am Ende der Lektion und lässt evtl. weitere Beispiele machen.
	eigene, länderspezifische Erfahrungen zum Thema „Karneval" einbringen	**3** In länderheterogenen Klassen setzen sich die TN nach Ländergruppen zusammen und bringen ihr spezifisches Wissen ein. In länderhomogenen Klassen erarbeiten die TN verschiedene Aspekte des Karnevals, z.B. private Feiern, Straßenumzüge, Karnevalssitzungen etc. In Ländern, in denen Karneval unbekannt ist, kann KL evtl. Texte, Videos zum Karneval in deutschsprachigen Ländern als Zusatzmaterial einführen.
Lesen 4 43		Bei dem Bild handelt es sich um eine Karikatur von Ronald Searle. Text und Bild sollen Sensibilität für Texte wecken und die TN motivieren, in der Produktion von kleinen Texten selbst kreativ zu werden.
	eine Geschichte erfinden und erzählen	**1** Jeweils zwei TN schreiben an Hand der drei Leitfragen eine kleine Geschichte in nicht mehr als fünf Sätzen. KL geht in der Klasse herum und gibt Hilfestellungen und korrigiert gegebenenfalls. Anschließend erzählen einzelne TN ihre Geschichte im Plenum. KL kann später auch einen Mustertext auf Kopie oder Folie vorlegen.
	interpretierendes Lesen und Verstehen	**2** Hervorstechendes Merkmal dieses Textes ist die Ironie. Dementsprechend verlangt der Text ein interpretierendes Lesen. In Einzelarbeit erschließen die TN den Inhalt mit Hilfe eines Wörterbuches (für schwächere Lerner: zweisprachig, für kompetentere Lerner: einsprachig. Zum Gebrauch des einsprachigen Wörterbuches siehe Lerntipp AB S. 31).
	einen literarischen Text interpretieren	**3** Zum ersten Mal auf dieser Stufe werden die TN an die Interpretation eines literarischen Textes herangeführt. Um diese Aufgabe zu erleichtern, gibt es die Leitfragen a–f. Die TN erarbeiten diese Fragen am besten in Partnerarbeit und tragen dann die Ergebnisse im Plenum zusammen.
	mündlich einen Text produzieren	**4** In Partnerarbeit können die TN an Hand der zwei Leitfragen die Geschichte zu Ende erzählen. KL kann eine Prämie für den gelungensten Einfall ausgeben, z.B. ein Bonbon, einen Kaugummi, ein Sternchen o. Ä.

Rubrik/S.	Lernziel	Nr./Hinweise

Methodisch-didaktische Hinweise zu Lektion 4

Einstiegsseite	Vorlieben und Abneigungen kennen lernen, über Vorlieben und Abneigungen sprechen	**1–2** Der Sprechanlass ist ein Fragebogen, der dem näheren Kennenlernen einer Person dient. Geübt werden kurze Fragen und Antworten, die von den TN in dem Interviewspiel nach den Stichworten des „Steckbriefs" zu formulieren sind. Die Angaben von Sabrina W. dienen als Orientierung, Antworten welcher Art und Länge auf die zehn Fragen erwartet werden.

Hören 1		Bei diesem ersten Text handelt es sich um eine Originalaufnahme, die von der Radiojournalistin Claudia Decker produziert wurde. Die Aufnahme entstand am Tag der Zeugnisvergabe Ende Juli 1997 vor einem Münchner Gymnasium. Ziel der Sendung ist eine Art Stimmungsbild. Befragt werden mehrere Schüler und eine Mutter. Da es sich um Originaltöne handelt, gibt es Hintergrundgeräusche von der Straße, ist die Sprechweise authentisch, das Sprechtempo relativ hoch. Die Aufgaben zum Hörverstehen tragen dieser Schwierigkeit Rechnung. Sie zielen mehrheitlich auf das Erschließen der Hauptaussagen. Bei den Aufgaben handelt es sich zum Teil um offene Fragen, die sich in Stichworten beantworten lassen, zum Teil um Ankreuzaufgaben.
	authentische Kurz-interviews sowie Gespräch verstehen, Erschließen von Hauptaussagen und Einzelheiten	**1** Die TN hören den Text in Abschnitten. Er sollte nicht öfter als zweimal gehört werden, um einer Detailversessenheit vorzubeugen.

2–3 Bei dem zweiten Text handelt es sich um ein Einzelgespräch, das mehr ins Detail geht als der erste Teil. Claudia Decker interviewt hier eine Schülerin am Tag nach der Zeugnisvergabe. Das Gespräch findet bei der Schülerin zu Hause statt. Auch hier handelt es sich um Originalsprache, das Sprechtempo der Schülerin ist relativ hoch. Das Gespräch konzentriert sich auf einen bestimmten, wichtigen Aspekt bei einem deutschen Zeugnis, die Bemerkung bzw. Beurteilung des Verhaltens der Schülerin.

4 Die Unterrichtseinheit endet mit einem Ausblick auf Zeugnisse im jeweiligen Heimatland und gibt den TN damit Gelegenheit, zu der gehörten Thematik vor dem Hintergrund eigener Erfahrungen Stellung zu nehmen. |

Wortschatz	Wortschatz zum Thema „Schule" auffrischen und erweitern	**1** Die Unterrichtseinheit beginnt mit einer spielerischen Übung, deren Schwierigkeitsgrad sich durch die Wahl der Gegenstände der Gruppe anpassen lässt. Die beiden Gruppen können die Gegenstände aussuchen und dadurch versuchen, das Raten für die anderen schwierig zu machen. Ein solcher spielerischer Einstieg spricht weniger kognitiv veranlagte Lerner an, lockert die Atmosphäre auf und trägt somit zu einer positiven Gruppendynamik bei.

2 Bei dieser Aufgabe sammeln und ordnen die TN bereits bekannten Wortschatz. Der Lernfortschritt der Einzelnen liegt darin, von anderen TN das eine oder andere neue Wort hinzuzulernen.

3 Die Aufgabe ist bewusst offen gestaltet. Somit hat jeder Lerner die Möglichkeit, die für ihn relevanten Fächer einzutragen. Außerdem unterstützt dieses Vorgehen das selbst gesteuerte Arbeiten der Lerner. Ein Zuhilfenehmen des Wörterbuchs ist hier erlaubt, sogar erwünscht. Die Frage „Wer hat einen Horrorstundenplan?" soll den Vergleich bzw. die Auswertung in der Klasse humorvoll gestalten. |

Rubrik/S.	Lernziel	Nr./Hinweise
		4 Der Fokus liegt hier auf einem strukturellen Aspekt der Sprache, den für das Deutsche typischen zusammengesetzten Wörtern.
		5 Die letzte Aufgabe dieser Unterrichtseinheit erarbeitet relevante Verben bzw. Funktionsverbgefüge zum Thema wie z. B. *Pause machen*.
Sprechen **48**	Redemittel zur Argumentation sammeln und anwenden	**1** Diese Aufgabe lässt absichtlich Raum für verschiedene Auslegungen. Sicherlich sind die Antworten aus Aufgabe c unter anderem abhängig von der Persönlichkeit und dem kulturellen Hintergrund der Lerner.
		2–3 Die TN planen einen Diskussionsbeitrag. Sprechanlass ist das Thema „Schuluniformen". Das Register ist – da es sich um eine Podiumsdiskussion handelt – formell. Zunächst macht die Vorgabe eines ausformulierten Beispiels den Lernenden die Struktur eines argumentierenden Redebeitrags bewusst. Die TN wenden meist die neuen Redemittel in der anschließenden Diskussion bereitwilliger an, wenn sie die Gelegenheit hatten, sich zuvor intensiv damit zu beschäftigen.
		4 Nun soll mit dem sprachlichen Material, das gesammelt und somit bereitgestellt ist, eine eigene Position formuliert werden.
		5 Rollenspiele erfreuen sich in verschiedenen Klassen sehr unterschiedlicher Beliebtheit. Klassen, die offen sind für solche Spiele, arbeiten genau nach der Aufgabenstellung. In weniger spielfreudigen Klassen kann jeder auch aus der persönlichen Sicht argumentieren.
		6 Diese Aufgabe kann gemacht werden, falls noch Zeit und Lust vorhanden sind.
Lesen 1 **49**		Es handelt sich bei dem folgenden Text um einen typischen Informationstext, wie er in Broschüren häufig vorkommt.

Landeskunde: Schulsystem

In Deutschland gibt es fast so viele Schulsysteme wie Bundesländer. Das ursprünglich für alle alten Bundesländer geltende dreigliedrige Schulsystem mit Gymnasium, Realschule, Hauptschule gilt heute nur noch in Bayern, Baden-Württemberg und Bremen. Die alten Bundesländer Berlin, Hamburg, Hessen, Niedersachsen, Rheinland-Pfalz, Saarland und Schleswig-Holstein führten im Rahmen der Bildungsreform der Siebzigerjahre zusätzlich Gesamtschulen ein, in denen die ursprünglichen Schultypen integriert sind. Die neuen Bundesländer orientierten sich nach dem Beitritt teils am Gesamtschulmodell, teils an dem ursprünglichen dreigliedrigen Modell. Die Hauptschulen sind seit einigen Jahren als „Restschulen" stigmatisiert und deshalb im Verschwinden begriffen. In sechs Bundesländern wurden sie von einem kombinierten Haupt- und Realschultyp abgelöst. 46% aller Eltern möchten laut einer Umfrage, dass ihr Kind als weiterführende Schule ein Gymnasium besucht und das Abitur macht. (Focus 5/1999, S. 53)

Rubrik/S.	Lernziel	Nr./Hinweise
		1 Durch die Beschäftigung mit dem Schaubild wird der Lesetext vorentlastet. Es handelt sich um eine graphisch geschickte Darstellung des dreigliedrigen Schulsystems, wie es in dem Bundesland Bayern die Regel ist. Die Darstellung suggeriert ein gleichwertiges Nebeneinander der drei Schullaufbahnen. Die Begriffe des Schaubildes sollen nur so weit semantisiert werden, wie einerseits für das Verständnis des Lesetextes notwendig ist und andererseits von den TN gewünscht wird.
		2 Die Aufgabe greift das Vorwissen der TN über Textsorten und ihre Merkmale auf und nutzt es als weitere Vorentlastung.
	Hauptaussagen eines Informationstextes entnehmen	**3** Der Text gibt in knappen Worten Basisinformationen über das dreigliedrige Schulsystem in Bayern. Die Autoren haben sich bemüht, diese Informationen so neutral wie möglich zu gestalten, also sich jeglicher Wertung über gute und bessere Schullaufbahnen zu enthalten. Die Zuordnung der Textabsätze zum Schaubild soll das Grobverstehen des Textes sichern. Erst danach geht es in Aufgabe 4 um Einzelheiten und damit um ein detailliertes Lesen.
		4 Die Aufgabe verlangt von den TN eine reproduktive Leistung in Form von Notizen. Diese Aufgabenform ist wesentlich schwieriger als das Ankreuzen einer richtigen Lösung. Die TN sollten genügend Zeit erhalten, um die Aufgabe selbständig zu lösen.
		5 Die Unterrichtseinheit endet einerseits mit einem Rückbezug auf die eigene Realität und gibt den Teilnehmern damit Gelegenheit, zu der gelesenen Thematik auf dem Hintergrund eigener Erfahrungen Stellung zu nehmen. Zum anderen regt die Aufgabe zu einer kritischen Evaluation des Gelesenen an.
Lesen 2 50/51		Bei diesem Text handelt es sich um den ersten Teil eines längeren Magazinbeitrags des Journalisten Stephan Lebert. Dieser Beitrag steht in einem Spannungsverhältnis zum vorangegangenen Lesetext. Nach der nüchtern neutralen Beschreibung aus der Sicht der Schulbehörde folgt nun ein auf die emotionale Bedeutung von Schule und Leistung abzielender subjektiver Erlebnisbericht. Zwei Schullaufbahnen innerhalb des dreigliedrigen Systems werden daraufhin hinterfragt, welche Bedeutung sie für den weiteren Lebensweg eines Menschen haben.

Methode: Lesen im Unterricht

Lesen im Unterricht kann auf verschiedene Weisen ablaufen. Zu berücksichtigen ist dabei, dass die Unterrichtszeit kostbar ist. Längere Stillphasen, in denen sich die TN durch lange und für sie schwierige Texte kämpfen, wirken ermüdend auf die Dynamik des Unterrichtsgeschehens. Da dieses immer abwechslungsreich sein soll, bietet es sich an, dass auch die Herangehensweise an die Lesetexte des Buches variiert wird. Folgende Möglichkeiten sind denkbar:

Rubrik/S.	Lernziel	Nr./Hinweise

Lese-Methode	sinnvoll bei Texten, die	Beispiel
TN lesen still in der Klasse	• nicht zu lang sind	S. 12, 39
TN lesen Text zu Hause, berichten der Klasse ihre Ergebnisse	• lang sind • ohne Partner und Hilfe des KL bearbeitet werden können	S. 30, 36, 74, 82
KL liest Text in der Klasse laut vor, TN hören zu	• stilistisch anspruchsvoll sind • sich zur Rezitation eignen z.B. literarische • wie mündliche Texte strukturiert sind	S. 43, 50 S. 16, 26
TN lesen Text in der Klasse laut vor	• sich zum Training der Aussprache und Intonation eignen	S. 42

1 Die Aufgabe lässt sich per Ausschlussverfahren lösen. Gegen die Optionen Roman und Tagebuch sprechen die Textsortenmerkmale Überschrift und Untertitel. Gegen die Option Informationsbroschüre wiederum sprechen der leicht kritische Ton des Untertitels sowie die Ich-Form des Textes.

2 Der Appell an die TN, zunächst ihr Vorwissen sowie freie Assoziationen zum Thema des Textes zu aktivieren, stellt eine wichtige Vorentlastung dar. Die Erwartungshaltung wird bereits vor dem Lesevorgang geschärft und öffnet den Leser für die im Text angesprochene Thematik.
Das Wort „Klassenkampf" weckt sicherlich bei einigen die Assoziation Marx, Marxismus, soziale Ungleichheit etc. Aber auch wenn solches Vorwissen nicht vorhanden ist, sollte der Begriff „Kampf" Assoziationen von etwas nicht mehr Neutralem hervorrufen.

explizite und implizite Informationen in einem Magazinbeitrag erkennen

3 Von Anfang an sollten die TN angehalten werden, beim Lesen Schlüsselwörter zu unterstreichen und sich so einen ersten Überblick über den Text zu verschaffen. Statt beim ersten unbekannten Wort das Wörterbuch zu öffnen, sollten die TN sich angewöhnen, bei einem ersten Durchgang durch den Text nur das zu lesen, was sie verstehen und erst bei einem zweiten Durchgang auf Details und unbekannte Wörter einzugehen.

4 Es geht um das Herausarbeiten der faktischen Informationen in Form von Notizen. Die TN sollten genügend Zeit erhalten, um die Aufgabe selbständig zu lösen.

5 Die Aufgabe beschäftigt sich mit den Anspielungen und impliziten Informationen des Textes.

6 Siehe Aufgabe 2.

Vergangenheitsformen von Verben wiederholen

7 Nachdem die Leseaufgaben abgeschlossen sind, folgt nun das Grammatiktraining, indem der Text auf bestimmte sprachliche Strukturen – hier die Zeitformen – hin untersucht wird. Phase 1: Sammeln. Um unnötigen Zeitver-

Rubrik/S.	Lernziel	Nr./Hinweise

lust zu vermeiden, wird diese Sammelarbeit in arbeitsteiliger Gruppenarbeit vorgenommen.

8 Grammatiktraining Phase 2: Ordnen. Der Raster bildet die Grundlage für eine Ordnung der Vergangenheitsformen nach den drei Gruppen, unregelmäßige bzw. starke Verben, regelmäßige bzw. schwache Verben und Mischformen. Die in Aufgabe 7 gesammelten Verben sollen in dieses Schema eingetragen werden. Damit werden vor allem die schwierigeren Verbformen gezielt wiederholt.

richtiger Gebrauch der Vergangenheitsformen der Verben

9 Grammatiktraining Phase 3: Systematisieren. Ziel dieser Aufgabe ist eine Wiederholung der Regeln zum Gebrauch der Vergangenheitsformen. Die Gesamtheit der komplexen Regeln wurde hier absichtlich auf das Wesentliche und auf dieser Stufe Lernbare reduziert.

10 Zum Abschluss dieser Unterrichtseinheit wiederholt die Klasse die aus der Grundstufe bekannten Regeln zu den Hilfsverben im Perfekt. Es geht also nicht um eine Neueinführung der Regeln. Vielmehr lassen die TN diese Regeln noch einmal kurz Revue passieren. TN, die in der Grammatik noch nicht so „fit" sind, erhalten die Gelegenheit, Anschluss an das Niveau der Lernergruppe zu bekommen.

Hören 2

52

Bei diesem zweiten Text zum Hörverstehen handelt es sich wie bei Hören 1 um eine Originalaufnahme. Produziert wurde sie von den Autorinnen. Ziel des Gesprächs ist das Porträt eines einzelnen Schülers. Da es sich um Originaltöne handelt, ist die Sprechweise authentisch, das Sprechtempo relativ hoch. Die Aufgaben zum Hörverstehen tragen dieser Schwierigkeit Rechnung. Sie zielen mehrheitlich auf das Erschließen der Hauptaussagen.

Landeskunde: Schulzeugnis
Deutsche Schüler erhalten zweimal pro Schuljahr ein Zeugnis, das so genannte Zwischen- oder Halbjahreszeugnis nach der ersten Schuljahreshälfte, das Jahreszeugnis am Schuljahresende. Diese Zeugnisse haben die Funktion eines Berichtes für Eltern und Erziehungsberechtigte über Leistungsstand, Lernverhalten und Verhalten der Schülerin/des Schülers. In den ersten Schuljahren der Grundschule sind diese Zeugnisse in Textform verfasst. Je nach Bundesland ab der zweiten bzw. spätestens ab der fünften Klasse erhalten die Schüler dann Zensuren wie in der Abbildung.
Schülerinnen und Schüler, deren Leistungen am Schuljahresende in einzelnen Fächern unter einem festgesetzten Leistungsstand liegen und deshalb zweimal die Note „fünf" bzw. einmal die Note „sechs" in einem wichtigen Fach (Kern-, Haupt- oder Vorrückungsfach genannt) haben, müssen die Klasse wiederholen. Während in einem solchen Fall im Zwischenzeugnis zunächst eine Warnung in Form der Bemerkung „Vorrücken gefährdet" steht, attestiert das Jahreszeugnis „nicht versetzt". Für die Betroffenen bedeutet das, sie müssen in einem anderen Klassenverband mit Schülern, die in der Regel ein Jahr jünger sind, das Schuljahr noch einmal machen.

Rubrik/S.	Lernziel	Nr./Hinweise
		1 Die Beschäftigung mit dem Zeugnis dient als Vorentlastung für das anschließende Hören. Da das Zeugnis authentisch ist – es gehört wirklich dem Jungen, der im Gespräch zu hören ist – vermittelt es bereits landeskundliche Informationen. Noten im Zeugnis: sehr gut = 1; gut = 2; befriedigend = 3; ausreichend = 4; mangelhaft = 5; ungenügend = 6. Zu den Abkürzungen im Zeugnis: n. e. = nicht erteilt.
	authentisches Gespräch verstehen, Erschließen von Hauptaussagen und Einzelheiten	**2** Die TN hören den Text in Abschnitten. Er sollte nicht öfter als zweimal gehört werden, um einer Detailversessenheit vorzubeugen. Die Aufgabe zu Abschnitt 1 ist relativ anspruchsvoll, da die TN die sehr rasch aufeinander folgenden gehörten Informationen notieren sollen. Die Aufgaben zu Abschnitt 2 bis 4 sind dagegen rein rezeptiv. Der Aufgabentyp entspricht dem im *ZD*. Die Aufgabe ist daher sinnvoll im Rahmen einer Prüfungsvorbereitung.
		3 Die Unterrichtseinheit endet in einer Evaluation. Die TN können ihren subjektiven Eindruck äußern und zum Thema auf dem Hintergrund eigener Erfahrungen Stellung nehmen.
Schreiben 53	einen informellen Brief verfassen	**1** Der Schreibanlass ist ein Brief, den die TN erhalten und beantworten sollen. Damit wird das Schreiben durch eine Handlungskette motiviert.
		2 Das abgedruckte Beispiel dient formal als Vorlage für den zu verfassenden Brief. Deshalb untersuchen die TN zunächst die Merkmale dieses Beispiels. Nachdem Anrede und Grußformel bereits bekannt sind, geht es dabei vor allem um Stilmittel wie z. B. typische Adjektive, *toll*, Modalpartikeln, *mal, echt*, Jugendsprache, *der Horror, Mathe*, Idiomatik, *links liegen lassen, sieht düster aus*.
		3 Der Brief soll inhaltlich verschiedene Aspekte enthalten: Verständnis äußern, eigene Erfahrungen anführen und Rat geben. Da es hier nicht um das Prüfen, sondern um das Training der Fertigkeit Schreiben geht, sind für diese drei Aspekte Redemittel vorgegeben. Somit besteht die Aufgabe in erster Linie darin, die vorgegebenen Bausteine zusammenzusetzen. Der Aufgabentyp entspricht dem im *ZD*.
		4 An das Schreiben sollte sich immer ein Korrekturgang anschließen. Die gegenseitige Kontrolle kann psychologisch gewinnbringend sein, sofern die TN einander wohlwollend behandeln. Fehler, die TN in der Selbstkontrolle finden und korrigieren, werden ihnen bewusster als in der Fremdkorrektur durch KL.
Lesen 3 54/55		**1** Als Hinführung und Vorentlastung dient eine Wortschatzaufgabe. Sechs umgangssprachliche Ausdrücke für das Phänomen „Sitzenbleiben" verdeutlichen, welchen hohen emotionalen Stellenwert das „Sitzenbleiben" in der deutschsprachigen Kultur hat.
	globales Verstehen	**2** Beim ersten Lesedurchgang geht es um das globale Verstehen der ungewöhnlichen Situation, die hier beschrieben ist.
	einen literarischen Text selbständig erschließen	**3** Beim zweiten Lesen sollen mit Hilfe der *Richtig-falsch*-Aufgabe Einzelheiten selbständig erschlossen werden. Der Aufgabentyp entspricht dem im *ZD*.

Rubrik/S.	Lernziel	Nr./Hinweise
		4 Hier ermuntert KL die TN in einem kurzen, offenen Klassengespräch Stellung zu nehmen.
	Verben mit Vorsilben sammeln, ordnen, systematisieren	**5–6** Nach Abschluss der Leseaufgaben folgt das Grammatikthema Wortbildung der Verben. Der Einstieg erfolgt über die Gruppe der nicht trennbaren Vorsilben (5). Die TN sammeln die Verben des Textes und ordnen sie anschließend nach Vorsilben. KL verweist schließlich auf S. 56/2, wo eine für diese Stufe relevante Auswahl der wichtigsten trennbaren und nicht trennbaren Verben geboten wird. Aufgabe 6 gibt einzelne Hinweise zur Bedeutung der Vorsilben *ver-* und *zer-*. Allerdings muss eingeschränkt werden, dass Regularitäten wie hier nur angedeutet werden können. Es finden sich immer auch Ausnahmen.
		7–8 In einem weiteren Schritt sammeln und ordnen die TN die trennbaren Vorsilben der Verben. In Aufgabe 8 wenden die TN das bekannte Prinzip der Satzklammer auf die trennbaren Verben an.
	einen Lexikonartikel verstehen	**9** Die Sequenz endet mit einem biographischen Kurzporträt des Autors Peter Weiss. Da diese Textsorte als Teil von Zeitschriftenartikeln häufig auftaucht, scheint eine Beschäftigung mit den typischen Merkmalen der kurzen Sprachform und dem Wortschatz sinnvoll.
Grammatik 56	Vergangenheitsformen wiederholen	**1** Die Formen sind grundsätzlich bekannt, sind aber häufig noch nicht gefestigt. Die TN sollten daher angehalten werden, die unregelmäßigen Verben gelegentlich zu wiederholen.
	Verben mit Vorsilben wiederholen	**2** Ausgewählt wurden gängige Verben.

Methodisch-didaktische Hinweise zu Lektion 5

Einstiegsseite 57	Das Foto wurde in einem Münchner Szenelokal, dem Café Ruffini, aufgenommen, in dem sich „Literaten", Studenten, „junge Leute bis 50" zum Essen, Trinken, Rauchen, Plaudern, Lesen und zu kulturellen Veranstaltungen treffen.

> **Landeskunde: Café**
> Heute ist in Deutschland der Begriff „Café" – anders als in Österreich – in vielen Fällen weitgefasst: neben Kaffee und Kuchen gibt es kalte und warme Speisen, Getränke aller Art (ähnlich wie in einem Bistro in Frankreich), manchmal Musik wie in einer Bar. Es hat in der Regel auch abends geöffnet.

ein Foto beschreiben	**1** Die TN sollen das Bild mit Hilfe vorgegebener Redemittel so genau wie möglich beschreiben, ohne Vermutungen über den Raum oder die Personen etc. anzustellen. Nach einer entsprechenden Zeitvorgabe beschreiben einzelne TN das, was sie auf dem Foto sehen, im Plenum.

Rubrik/S.	Lernziel	Nr./Hinweise
	ein Foto interpretieren	**2–3** Die TN sprechen über das Bild an Hand der beiden Leitfragen und der Redemittel zur Vermutungsäußerung. Dabei ist es wichtig, dass die TN zwischen Beschreibung (Aufgabe 1) und Interpretation (Aufgabe 2) klar unterscheiden. Zur Interpretation gehören z.B. Vermutungen darüber, – welche Funktion die Personen haben könnten, – wie alt sie sind, – was sie beruflich machen, – zu welcher sozialen Schicht sie gehören, – welche Atmosphäre in dem Café herrscht, – was man dort essen und trinken kann. Die TN stellen ihre Interpretationen im Plenum vor und äußern, was sie gerne noch über das Lokal wissen möchten. Durch die Arbeit mit dem Bild haben sich die TN in die Atmosphäre des Cafés hineinversetzt. Da die folgende Radioreportage S. 58 von diesem Szenelokal handelt, ist durch Beschreibung und Interpretation des Bildes der Hörtext vorentlastet.
Hören 1 58		Bei diesem Text handelt es sich um eine Radioreportage. Typische Textmerkmale sind: ein Interview mit einer/mehreren Person(en), kurze Einleitungen zu den gestellten Fragen, Zusammenfassungen der Antworten und evtl. Kommentare durch den/die Reporter/in. Normale Sprechgeschwindigkeit, natürlicher Sprachduktus und Hintergrundgeräusche sind weitere Kennzeichen. Die in dem Lokal aufgenommenen authentischen Interviews – die Interviewerin befragt Gäste und Personal im Café Ruffini – lassen für die TN eine realitätsnahe Situation entstehen.
	landeskundliches Vorwissen einbringen	**1** KL sammelt evtl. vorhandenes Vorwissen der TN an der Tafel/auf Folie übersichtlich gegliedert nach: Essen, Trinken, Öffnungszeiten, Publikum, Sonstiges.
	globales Verstehen	**2** Die TN hören das Interview zunächst ganz. Sie haben sich vorher den Raster angesehen, in den sie während des Hörens oder danach Stichworte notieren.
	detailliertes Verstehen von Einzelheiten	**3** Nach der Bearbeitung der Aufgabe in Einzelarbeit kontrollieren die TN ihre Ergebnisse in Partnerarbeit und berichten in einem anschließenden Klassengespräch, welche Informationen über das Café sie durch die Interviews bekommen haben.
Lesen 1 59	selektiv lesen und Informationen zuordnen	Es handelt sich um sechs authentische Anzeigen von Münchner Restaurants aus dem Branchentelefonbuch. Die Zuordnungsaufgabe entspricht einer der ZD-Aufgabenstellungen. Die TN sehen sich zunächst die Bilder kurz an. Danach lesen sie die Kurzbeschreibungen der suchenden Personen und nehmen die Zuordnung vor. Bei der Auswertung in der Klasse erläutern die TN diese Wahl. Anschließend bearbeitet KL gemeinsam mit den TN AB S. 62/1. So können die TN selbst herausfinden, ob sie den angemessenen Rezeptionsstil für das Leseverstehen angewandt haben. Bei ausreichend Zeit und in einer kreativen Lernergruppe können die TN eine eigene Collage mit Restaurantanzeigen als Empfehlung für andere TN erstellen.
Wortschatz 60	Wortschatz zum Thema „Essen und Trinken" erarbeiten, eigene Erfahrungen dazu einbringen	**1** KL kann als Einstieg in das Thema „Mahlzeiten" entsprechende Fotos (Bilder aus Werbung in Zeitungen: z.B. Müsli für Frühstück, Spaghetti für Mittagessen etc.) mitbringen, sie benennen und in den vergrößerten Raster einordnen lassen. Mit Hilfe der vorgegebenen Redemittel beschreiben die TN typische Essensgewohnheiten in ihrem Heimatland.

Rubrik/S.	Lernziel	Nr./Hinweise
Sprechen 61		**1–2** In deutschsprachigen Ländern oder an Orten mit deutschen Restaurants können die Lernergruppen einen gemeinsamen Restaurantbesuch einplanen, um ihre Kenntnisse in der Zielsprache anzuwenden.
Lesen 2 62/63		In fast allen regionalen deutschen Zeitungen findet man heute regelmäßig Besprechungen von Lokalen und Restaurants. Die folgende Besprechung stammt – leicht gekürzt – aus der *TZ*, einem Münchner Boulevardblatt. Der Titel der Kolumne „Lokal-Termin" ist ein Wortspiel und dadurch doppeldeutig: normalerweise bedeutet Lokaltermin ein gerichtlicher Termin am Ort des Verbrechens. Hier bezieht sich der Begriff auf das zu besprechende Lokal/Restaurant. Typisch für die Sprache von Restaurantkritiken sind bildhafte Ausdrücke (*Entenbrust macht glatte Bauchlandung*), zahlreiche beschreibende Adjektive (*zart, kräftig, locker* etc.), häufig auftretende Inversionen zur Hervorhebung (*In jeder Hinsicht gute Noten verdient ...*).
	Kriterien zum Thema „Restaurantkritik" sammeln	**1** Um sich auf die folgende Restaurantkritik einzustimmen, stellen die TN in Partnerarbeit ihre Erwartungen an ein Restaurant in Stichworten schriftlich zusammen. KL sammelt die Kriterien an der Tafel/auf Folie.
	globales Verstehen	**2** Nach dem ersten Lesen überprüfen die TN in einem kurzen Klassengespräch, welche ihrer Kriterien im Text behandelt wurden. Danach ordnen sie in Partnerarbeit die angegebenen Stichworte den vier Abschnitten zu.
	Meinung zum Thema äußern und begründen	**5** Diese Aufgabe kann auch praxis- und erkundungsorientiert gestellt werden, indem unterschiedliche Gruppen unterschiedliche Restaurants nach den vorgegebenen Kriterien testen und anschließend in der Klasse darüber berichten.
Sprechen 2 64	über Vorlieben zum Thema „Ausgehen" sprechen	**1** Durch drei Kurztexte, Statements zum Thema „Ausgehen am Abend", werden die TN motiviert, ihre Erfahrungen im Plenum einzubringen.
		2 In Kleingruppen (in deutschsprachigen Ländern möglichst interkulturell) sprechen die TN über ihre eigenen Vorlieben. Die Fragen **a–d** helfen ihnen, ihren Redebeitrag inhaltlich zu gliedern. KL beobachtet und korrigiert.
	landeskundliches Vorwissen in der Zielsprache einbringen	**3** Die TN können hier in Partnerarbeit einen Raster anlegen und die Aktivitäten **b** den Orten **a** zuordnen und gegebenenfalls erweitern. An Hand dieser Begriffe formulieren sie dann wie in Beispiel **c** kurze Definitionen und stellen diese dem Plenum vor. An dieser Stelle können die TN noch einmal eigenes landeskundliches Wissen zu diesem Thema aus ihren Heimatländern einbringen und Unterschiede zu Deutschland herausstellen.
		4 Die Aufgabe thematisiert den kulturspezifischen Umgang mit Zeit anhand der Wahl des richtigen Zeitpunktes für bestimmte Anlässe (z. B. kein Anruf zu später Abendstunde). Hier können die TN im Plenum Unterschiede zu ihren Heimatländern aufzeigen und diskutieren.
Lesen 3 65		In Lesen 3 sollen Beziehungswörter als Hilfe zur Entschlüsselung von Lesetexten identifiziert und eingesetzt werden. Die folgenden Feinschmeckertipps sind der bekannten Gourmetzeitschrift *essen & trinken* entnommen. Diese enthält Rezepte, Kritiken und Ratschläge für Leser.

Rubrik/S.	Lernziel	Nr./Hinweise
	einen Text mit Hilfe von sprachlichen Strukturen entschlüsseln	**1, 3, 4** Diese Aufgaben können in einem Arbeitsgang gelöst werden. Sie gehören logisch zusammen, denn für die „Schnittstellen" der Texte ist das Finden der Beziehungswörter unerlässlich. Die Zuordnung der Texte erfolgt hier überwiegend über textgrammatische Bezüge und weniger über den Inhalt. Die TN gehen hier so vor wie auf S. 59. Sie lesen jeweils einen Abschnitt in der linken Spalte und suchen in den Texten 1–5 das passende Beziehungswort und damit die passende Textstelle.
Hören 2 **66**		**Landeskunde:** Kochrezepte Anleitungen zum Kochen und Backen in Fernsehen und Rundfunk gehören heute zu den beliebten Informationssendungen. Einige prominente Persönlichkeiten haben ihre eigenen, sehr populären Sendungen. Die Rezepte werden mündlich präsentiert, sind aber auch als Kochbücher erhältlich. Die sprachliche Besonderheit der Kochrezepte ist in der gesprochenen Sprache häufig das Passiv, das hier wiederholt und vertieft wird. Das Hörverstehen an dieser Stelle hat zwei Funktionen: Zum einen simuliert es eine „Kochstudio-Situation" in der Zielsprache und erfüllt damit eine landeskundliche Funktion, zum anderen dient es als Motivation und Vorbereitung der textproduktiven Aufgabe S. 67/2.
	genaues Verstehen und reproduzieren des Gehörten	**2** Vor dem Hören lesen die TN die Fragen a–e und beantworten sie anschließend. Die Lösung der Aufgabe besteht in einer reproduktiven Leistung. Die TN sollen hier ihre Antworten auf die offenen Fragen selbst formulieren (evtl. in Stichworten).
	Passivformen identifizieren, systematisieren, Regeln zum Passiv selbst finden	**3–5** Die TN lesen das Rezept und suchen in Partnerarbeit die Passivformen. Sie ordnen die Passivformen systematisch in den Raster ein und ergänzen die Regeln zum Passiv. Abschließend stellen einzelne TN ihre Ergebnisse im Plenum vor. Wenn noch genügend Zeit vorhanden ist und die technische Ausstattung es ermöglicht, kann KL der Klasse ein Beispiel einer der oben erwähnten Koch-Sendungen als Video oder Tonaufnahme präsentieren.
Schreiben **67**		Die Vorbereitung einer Party ist ein Thema, das den meisten TN großen Spaß macht, da sie auf ihre Erfahrungswelt zurückgreifen können. Diese Aufgabe kann bei entsprechenden Voraussetzungen real umgesetzt werden: Die TN schreiben die Einladungen (S. 41), bereiten die Party vor und feiern dann gemeinsam eine Kursparty.
	ein Buffet planen*	**1a+b** Die TN planen in Partnerarbeit die Zusammenstellung eines kalten Buffets und tragen die dafür nötigen Zutaten zusammen.
	Tätigkeiten Bildern zuordnen	**1c** Durch die Zuordnung von Küchentätigkeiten zu Bildern (auch auf Folie möglich) wird der Wortschatz für die produktive Arbeit vorbereitet. KL kann durch zusätzliches Material diese Aufgabe erweitern (z.B. Fotos aus Kochbüchern zu einzelnen Arbeitsschritten beim Kochen).

Rubrik/S.	Lernziel	Nr./Hinweise
	ein Rezept schreiben	**2** Die TN schreiben an Hand der kleinen Drei-Punkte-Gliederung ein Rezept. Sie beachten dabei besonders die Punkte **b** und **c**. Einzelne TN lesen ihre Rezepte im Plenum vor. KL sammelt die Rezepte ein, korrigiert sie und lässt sie danach noch einmal sauber abschreiben, so dass am Ende entweder ein *multikulturelles* (multikulturelle Klasse) oder ein *Spezialitäten*-Kochbuch (länderhomogene Gruppe) vorliegt.

Methodisch-didaktische Hinweise zu Lektion 6

Einstiegsseite **69**		Der Einstieg in das Lektionsthema erfolgt über die Schauspielerin Marlene Dietrich. Da sie eine Art „Ikone" des internationalen Films ist, dürfte sie zahlreichen TN bekannt sein. Die TN können ihr Vorwissen einbringen und an Bekanntes anknüpfen.
	Vermutungen über ein Foto anstellen, eine dargestellte Person beschreiben	**1** KL kopiert das Foto von Marlene Dietrich auf Folie. In einem Klassengespräch bei geschlossenen Büchern äußern die TN zunächst Vermutungen zur Person und versuchen dann, zu den Stichpunkten beschreibende und qualifizierende Adjektive zu finden, die KL oder ein/e TN auf Folie/an der Tafel festhält. Die TN aktivieren so bereits vorhandenen Wortschatz und erweitern ihn.

Landeskunde: Marlene Dietrich

Die gebürtige Berlinerin Marlene Dietrich absolvierte ihre Ausbildung als Schauspielerin bei dem berühmten Theaterregisseur Max Reinhardt in Berlin. 1930 gab der Regisseur Josef von Sternberg ihr die weibliche Hauptrolle in der Heinrich-Mann-Verfilmung *Der blaue Engel*. Marlene Dietrich ist hier in der Rolle des blonden „Vamps" zu sehen, der sie zukünftig ihr Image verdankte. Sie blieb nach ihrer Übersiedlung in die USA Sternbergs bevorzugte Darstellerin in herausragenden Filmen wie *Marokko* und *Shanghai-Express*. An der Seite so berühmter Schauspieler wie James Stewart und John Wayne wurde sie zu einer der profiliertesten Schauspielerinnen ihrer Generation. Auch als Chanson-Sängerin machte sie sich einen Namen, z. B. mit dem Lied Friedrich Hollaenders *Ich bin von Kopf bis Fuß auf Liebe eingestellt.…*, das sie in *Der blaue Engel* singt. Marlene Dietrich war eine scharfe Kritikerin des Nationalsozialismus und engagierte sich während des Zweiten Weltkrieges in der Betreuung der US-Soldaten. Nach dem Ende des Krieges drehte sie Filme mit allen großen Regisseuren der Zeit, wie Billy Wilder, Alfred Hitchcock, Fritz Lang, Orson Welles und Stanley Kramer. Seit Ende der fünfziger Jahre errang sie auch internationalen Ruhm als Chansonsängerin. Bis ins hohe Alter stand sie vor ausverkauften Häusern auf der Bühne. Nach ihrem Tod 1992 wurde sie auf ihren Wunsch im Grab ihrer Eltern in Berlin beigesetzt. Die Stadt Berlin erwarb ihren Nachlass, der dort im Filmmuseum aufbewahrt ist.

Rubrik/S.	Lernziel	Nr./Hinweise
Lesen 1 70/71		Der Lesetext stammt aus einem Filmlexikon und weist die typischen Textsortenmerkmale des Genres „Lexikonartikel" auf: Dichte der Information, viele Hauptsätze, keine komplexen Satzkonstruktionen. Er ist leicht umgearbeitet und gekürzt.
	einem Text an Hand von Schlüsselwörtern Informationen entnehmen	**3** Die TN lesen die Fragen und unterstreichen dann in Abschnitt 2 die Schlüsselwörter. Dann beantworten sie im Plenum die Fragen mit Hilfe der identifizierten Textstellen. KL oder ein/e TN kann die Antworten an der Tafel/auf Folie fixieren.
	Konnektoren in einem Text identifizieren und systematisieren, Wortstellung in Satzgefügen	**4** Kausale und konzessive Satzverbindungen sind den TN von der Grundstufe bekannt, hier werden sie aufgegriffen und vertieft. Gleichzeitig wird die Wortstellung in Satzgefügen wiederholt. Sowohl die Wortstellung als auch die Semantik der Konnektoren bereiten den TN häufig Schwierigkeiten. Zur Lösung der folgenden Aufgaben empfiehlt sich Partnerarbeit, damit die TN sich gegenseitig helfen können. KL kann den Raster auf Folie/an der Tafel reproduzieren, die TN bringen ihre Ergebnisse im Plenum ein, KL fixiert sie in dem Raster.
		5 Hier geht es um die Wortstellung in Sätzen mit verschiedenen Konnektoren. Die TN suchen in Partnerarbeit die zur Ergänzung notwendigen Textstellen und tragen sie in ihren Raster ein. KL sichert wie bei Aufgabe 4 die Ergebnisse.
		6 Nach dem Prinzip des selbst gesteuerten Lernens untersuchen die TN nun die Stellung des Verbs in den einzelnen Sätzen. Zur Lösung von **a** markieren die TN das Verb in den Sätzen aus 5. Die TN ergänzen dann den Raster **c**. Die Arbeit wird ihnen dadurch erleichtert, dass sowohl die Konnektoren nach Gruppen geordnet eingetragen sind, als auch zum Teil schon die Satzkategorien aufgeführt sind. Zur Ergänzung arbeitet KL mit den TN die systematische Übersicht S. 80/1 durch.
		7+8 Die TN üben die Satzstruktur von kausalen und konzessiven Nebensätzen ein.
		9 Zur Auflockerung der Atmosphäre kann in einer spielfreudigen Lernergruppe mit diesem Spiel eine weitere Festigung der kausalen Satzgefüge und der richtigen Wortstellung erfolgen.
Sprechen 1 72		**1** Zum Einstieg in das Thema dienen Plakate von zwei neueren deutschen Filmen; damit wird die thematische Brücke von der Vergangenheit (*Der blaue Engel*) zur Gegenwart geschlagen. KL kopiert die Plakate auf Folie, die TN sprechen bei geschlossenen Büchern zu den Punkten **a+b**. In Klassen, in denen die TN nichts mit diesen Filmen verbinden können, können KL oder TN als *Alternative* Zeitungsanzeigen aktueller Filme mitbringen. Die TN äußern ihre Meinung dazu. Der Einstieg kann auch mit einem allgemeinen Gespräch über Lieblingsfilme oder Filme, die die TN kürzlich gesehen haben, erfolgen.
	Verabredungen zu einem Kinobesuch treffen	**2** Zur Erarbeitung des Dialogs bilden die TN Zweiergruppen. Nachdem sie zuvor die Redemittel gelesen haben, entwickeln sie ihren Dialog mit Hilfe der Redemittel. KL gibt dabei den Gruppen Hilfestellung und korrigiert, wenn nötig. Anschließend können einzelne Paare ihre Dialoge als Rollenspiel im Plenum vortragen.

Rubrik/S.	Lernziel	Nr./Hinweise
Wortschatz `73`	Wortschatz zum Thema „Film" aktivieren und erweitern	**1** KL bereitet einen Wortigel wie im Buch an der Tafel/auf Folie vor, den die TN im Plenum ergänzen. Falls die TN nur über einen geringen Wortschatz zu diesem speziellen Thema verfügen, kann KL eine Liste mit einigen relevanten Wörtern vorbereiten und der Klasse auf Folie präsentieren. Er fordert die TN auf, die Begriffe wenn möglich zu erklären. Andernfalls lesen einzelne TN aus einem einsprachigen Wörterbuch die entsprechenden Einträge vor.
		2 Zur Sicherung des Wortschatzes werden die gefundenen Begriffe im Plenum in den Raster eingeordnet.
		3+4 Die TN stellen im Plenum Vermutungen an und benutzen dabei möglichst den Wortschatz aus 1 und 2 (Redemittel zur Vermutungsäußerung siehe S. 11). Die Lösung von 4 kann in Partnerarbeit erfolgen. Falls ausreichend Zeit vorhanden ist, kann im Anschluss an Aufgabe 4 bei geschlossenen Büchern der Wortschatz weiter aktiviert werden nach folgendem Frage-Antwortmuster: *Was macht eigentlich eine Drehbuchautorin? – Eine Drehbuchautorin schreibt ein Filmskript.* Dazu hat KL ein Muster an die Tafel geschrieben, die TN versuchen aus dem Gedächtnis ihre Fragen und Antworten zu formulieren.
		5 Am Ende der Stunde kann ein Gespräch der TN über ihr Lieblingsgenre beim Film stattfinden. In Einzelarbeit lesen die TN zunächst die Liste, ergänzen sie wenn nötig, kreuzen dann ihre Favoriten an und versuchen charakterisierende Adjektive zu finden. Im Plenum kann ein Gespräch nach folgendem Muster stattfinden: *Welches Filmgenre magst du am liebsten? – Ich mag am liebsten Liebesfilme, weil sie so romantisch und gefühlvoll sind.* KL kann dazu ein Muster an die Tafel schreiben, z. B.: *Ich mag am liebsten deutsche Stummfilme, weil ich dann keinen Text zu verstehen brauche.*
Lesen 2 `74/75`		Der Lesetext setzt sich aus verschiedenen Einträgen im Guinness Buch zusammen. Diese Zusammensetzung entspricht dem Aufbau des Buches, in dem Informationen über internationale Filme unter verschiedenen Aspekten subsumiert angeboten werden.
	Erwartungen formulieren	**2** Die persönliche Stellungnahme zu der Titelblattabbildung veranlasst die TN, sich intensiver mit dem angebotenen Lesestoff auseinander zu setzen.
	Text global verstehen	**3** Die TN lesen zuerst die vorangestellte Aufgabe, dann die Abschnitte A–D nicht detailliert, sondern global. Als Lesehilfe dienen die Stichworte der Aufgabe, zu denen die TN die entsprechenden Passagen finden sollen. Auf diese Weise üben die TN, sich auf die wesentlichen Informationen zu konzentrieren. Die TN können diese Aufgabe in Partnerarbeit lösen, da sich eventuelle Unstimmigkeiten diskutierend klären lassen. Die endgültige Kontrolle der Resultate erfolgt im Plenum. KL kann dazu den vollständigen Raster als Korrekturblatt vorlegen.
	Relativsätze nach Muster bilden	**5** Der Verwendung des einfachen Relativsatzes ist bereits von der Grundstufe bekannt. Hier werden die erweiterten Relativsätze mit Präposition + Relativpronomen und Relativsätze mit den Relativpronomen *wo* und *was* hinzugefügt. KL kann entweder nach der Aufgabenstellung im Kursbuch oder mit vorbereiteten Kärtchen arbeiten. In Partnerarbeit verbinden die TN die jeweiligen Hauptsätze zu einem passenden Relativsatzgefüge und lesen die Sätze vor. KL achtet dabei darauf, dass alle Formen von Relativsätzen gebildet werden können:

Rubrik/S.	Lernziel	Nr./Hinweise
		– einfache Relativsätze: *M. Dietrich ist eine Frau, die weltweit bekannt ist.*
		– Relativsätze mit Präpositionen: *M. Dietrich ist eine Frau, mit der eine Zusammenarbeit schwierig war.*
		– Relativsätze, die nach *etwas, alles, nichts* folgen: *M. Dietrich hatte etwas, was Männern gefiel.*
		– Relativsätze, die sich auf einen ganzen Satz beziehen: *M. Dietrich war eine außergewöhnliche Frau, worüber sich alle einig waren.*
	Regeln zum Relativsatz formulieren, Relativsätze üben	**6+7** In Partnerarbeit ergänzen die TN die vorgegebenen Regeln, soweit sie können. Im Klassengespräch tragen alle TN ihre Ergebnisse zusammen und ergänzen die Lücken. Zum Abschluss lesen die TN die systematische Darstellung der Relativsätze S. 80/2.
		8 In Partnerarbeit bilden die TN mit Hilfe des angegebenen Wortschatzes Relativsätze und stellen einige davon dem Plenum vor. Bei der Bearbeitung des Themas „Traummann" bzw. „Traumfrau" bietet sich an, gleichgeschlechtliche Paare zu bilden, um geschlechtsspezifische Definitionen zu sammeln.
Sprechen 2 76		Für die Bearbeitung der Aufgaben ist es nicht erforderlich, dass die TN den Film gesehen haben. Falls der Film *Der blaue Engel* als Videokassette beschafft werden kann, sollte er aber zumindest ausschnittweise (vor allem die Szene zu S. 76) gezeigt werden, da er eine der bedeutenden deutschen Literaturverfilmungen ist. Die vorliegenden Aufnahmen sind Fotos von Schlüsselszenen aus dem Film und dem Einband des Videos entnommen.
	Vermutungen zu Fotos äußern	**1+2** Um die Aufmerksamkeit aller TN auf die Fotos und die Aufgabe zu lenken, sollte KL die Fotos vergrößert auf Folie kopieren. KL und die TN besprechen im Plenum die Fragen und den zur Formulierung vorgegebenen Wortschatz. Jeder sprachlich richtige Beitrag, jede Interpretation sollte willkommen sein und muss nicht notwendigerweise auf den tatsächlichen Inhalt des Films zutreffen. In anschließender Einzelarbeit formulieren die TN unter Verwendung der vorgegebenen Stichworte ihre Beobachtungen zu den Fotos. Der Grammatikstoff „Relativsätze" wird so wieder aufgenommen und an diesem konkreten Beispiel vertieft und gesichert. Im Plenum stellen einzelne/mehrere TN ihre Beispielsätze vor. KL oder andere TN korrigieren.
	Originaldialoge global verstehen	**3** Die Minidialoge sind dem Film entnommene Gesprächsanfänge. Die TN bekommen so einen Eindruck von der Atmosphäre des Films. Ein Ausdruck wie *elende Buben* ist heute ungebräuchlich; er ist typisch für den Stil und die Sprache der Zeit, in der Romanvorlage und Film spielen.
Schreiben 77	nach einem Gliederungsschema einen Artikel vorbereiten und verfassen	**2** Thematisch wurde dieser Schreibanlass durch die bisherigen Lektionsteile zu Marlene Dietrich vorentlastet. Den TN werden Hilfen in Form von einleitenden Formulierungen und Stichworten an die Hand gegeben. Der Prozess des Schreibens wird in die Teilschritte *Informationen sammeln, ordnen, gliedern, ausformulieren* zerlegt, um den Arbeitsvorgang überschaubar zu machen und sicherzustellen, dass die sprachliche Leistung nicht durch mangelnde thematische Vorbereitung belastet wird. In Partnerarbeit bereiten die TN gemäß der vorgegebenen Schrittfolge den Artikel vor und schreiben ihn dann. Wenn möglich, bringen sie auch ein Foto aus einer Zeitschrift oder einem Filmlexikon mit. KL sammelt die Beiträge ein und korrigiert sie. Einige korrigierte Versionen können von einzelnen TN im Plenum vorgetragen werden. Besonders gelungene Exemplare finden wieder ihren Platz an der Wand des Klassen-

Rubrik/S.	Lernziel	Nr./Hinweise
		zimmers. Die *Wandzeitung* (siehe Lektion 1) gewinnt allmählich an Volumen und dokumentiert behandelte Themen und die Fortschritte des Kurses.
Hören 78		Das Lied *Sag' mir, wo die Blumen sind* ist die deutsche Fassung des englischen Originals *Where have all the flowers gone*. Es entstand zur Zeit der Friedensbewegung als Reaktion auf den Vietnamkrieg und ist international bekannt. Marlene Dietrich sang es auf Deutsch und hatte damit großen Erfolg.
	ein Lied interpretieren	**5** In einem offenen Klassengespräch versuchen die TN ihre Gedanken und Gefühle zu diesem Lied auszudrücken. Die offene Frage des Refrains *Wann wird man je verstehen ...* deutet die Resignation darüber an, dass die Menschen auch aus so schrecklichen Ereignissen wie Krieg keine Lehren ziehen.
	indirekte Fragen üben	**6** Der Gebrauch der indirekten Fragen wird als kurze Wiederholung und Vertiefung der Interpretation des Liedes angeschlossen. KL und die TN können in einem Klassengespräch die Übersicht S. 80/3 durch andere mögliche W-Frageworte und durch weitere Einleitungsvarianten z. B. *Worüber? Worauf? Womit?* ... ergänzen. Anschließend formulieren die TN im Plenum indirekte Fragen auf der Grundlage der Stichworte.
Sprechen 3 79		Die Szenenfotos entstammen dem deutschen Film *Männer* (1985, Regie Doris Dörrie) und dem Film *Der große Diktator* (1940, Regie und Titelrolle Charlie Chaplin). Dörries Film persifliert das klassische Rollenverhalten von Frauen und Männern. In *Der große Diktator* wird der Größenwahn Adolf Hitlers und die Militarisierung Deutschlands satirisch dargestellt. Die beiden Filme wurden als Beispiele für einen neueren deutschen Film und für einen ausländischen Film über Deutsche und Deutschland ausgewählt.
	Vermutungen zu Szenenfotos anstellen, Assoziationen sammeln	**1** Die TN äußern im Plenum ihre Vermutungen zu den möglichen Themen der Filme. Dies ist auch möglich, wenn man die Filme nicht kennt. **2** Da viele TN im Ausland wahrscheinlich nur wenig über deutsche Filme wissen, haben sie für das folgende Projekt die beiden angeführten Themen **a+b** zur Auswahl.
	ein Interview als Projekt durchführen	**3** Mit Hilfe des jeweiligen Fragebogens zu dem Thema, für das sich die TN entschieden haben (Partnerarbeit), machen die TN ihre Interviews. Falls nur nicht-deutschsprachige Interviewpartner zur Verfügung stehen, müssen die Fragen und Antworten in die Zielsprache übersetzt werden.
	Interviewergebnisse präsentieren und darüber sprechen	**4** Alle/Einige Paare präsentieren ihre Ergebnisse im Plenum. Zuvor geben sie kurz Auskunft über ihren Interviewpartner (z. B. Nationalität, Muttersprache, Beruf, Alter etc.). In einer guten Lernergruppe könnte sich ein Gespräch darüber ergeben, inwieweit das Bild des Deutschen durch ihre Charakterisierung in ausländischen Filmen geprägt bzw. verzerrt wird.

Landeskunde: Die Entwicklung des deutschen Films

Stummfilm: Am 1. November 1895 fand die erste Filmvorführung der Welt im Berliner Wintergarten statt. Bald danach hatte das neue Unterhaltungsmedium Film große Popularität erlangt. Die Filme der zwanziger Jahre waren stark von der Kunstrichtung des Expressionismus beeinflusst. Bekannte Beispiele sind *Das Cabinet des Dr. Caligari* (Regie: Wiene, 1919), *Nosferatu* (Regie: Murnau, 1922), *Dr. Mabuse* (Regie: Lang, 1921).
Der Film *Metropolis* (Regie: Lang, 1926) war die technisch aufwendigste Produktion der damaligen Zeit.

Früher Tonfilm: Der erste bedeutende deutsche Tonfilm war *Der blaue Engel* (Regie: Sternberg, 1930). Er gilt als eines der großen zeitlosen Meisterwerke, ebenso *Berlin Alexanderplatz* (Regie: Pabst, 1931).

Zeit des Nationalsozialismus: Anfang der dreißiger Jahre begannen in Deutschland die Nationalsozialisten, das Medium Film für Propagandazwecke zu benutzen. Bedingt durch politische und rassische Diskriminierung nach der Machtübernahme durch die Nationalsozialisten emigrierten zahlreiche bekannte Regisseure und Schauspieler in die USA.

Nachkriegszeit und fünfziger Jahre: In den ersten Nachkriegsjahren entstand eine Reihe von künstlerisch wertvollen Filmen, die sich mit Menschenschicksalen in Kriegs- und Nachkriegszeit beschäftigten: *In jenen Tagen, Film ohne Titel* (Regie: Käutner, 1947/48). Im Verlauf der fünfziger Jahre entstanden dann v. a. unbedeutende und anspruchslose Filme des Musik- und Heimatfilmgenres. Erst Ende der fünfziger Jahre wurden in Deutschland – gleichzeitig zur Nouvelle Vague in Frankreich – unter einer neuen Generation von Regisseuren wieder künstlerisch substantiellere Filme produziert wie *Die Brücke* (Regie: Wicki, 1959).

Neuer Deutscher Film: Mitte der sechziger Jahre begannen junge deutsche Filmemacher unter dem Etikett „Autorenfilm" mit der Produktion von Filmen, die ein Kontrastprogramm zum kommerzialisierten und oberflächlichen deutschen Film bilden sollten. Die bedeutenden Regisseure dieser Zeit sind z.B. Alexander Kluge (*Abschied von gestern*, 1966) und Volker Schlöndorf (*Der junge Törless*, 1966), Werner Herzog (*Nosferatu, Jeder für sich und Gott gegen Alle, Fitzcarraldo*), Rainer Werner Fassbinder (*Die Ehe der Maria Braun, Lili Marleen, Effi Briest, Berlin Alexanderplatz*) und Wim Wenders (*Der Himmel über Berlin, Paris Texas*).

Jüngste Entwicklungen: 1985 hat Doris Dörrie mit ihrem Film *Männer* großen Erfolg, er ist nach den kopflastigen und problembeladenen Produktionen des Autorenfilmes endlich wieder ein Beispiel für das Genre „Komödie". In diese Kategorie gehören auch die

Rubrik/S.	Lernziel	Nr./Hinweise

Filme zu Beginn der neunziger Jahre, wie *Der bewegte Mann* (Regie: Wortmann) sowie *Rossini* (Regie: Dietl). Die Themen dieser Filme sind Selbstverwirklichung, Beziehungsprobleme und Persiflagen auf die Eitelkeiten in der Medienbranche. Auch in der Kategorie des Problemfilms entstehen künstlerisch anspruchsvolle Filme, wie *Jenseits der Stille* (Regie: Link, 1997). Nach dem „Kinosterben" der fünfziger Jahre herrscht Ende der neunziger wieder ein großer Kinoboom. Der weitaus größte Teil der in Deutschland gezeigten Filme sind amerikanische Produktionen, der Anteil der deutschen Filme liegt nur bei ca. 8%.

Methodisch-didaktische Hinweise zu Lektion 7

Einstiegsseite
81

Ein Foto, das im Vordergrund zwei jugendliche Heimkehrer von einer großen Reise zeigt, leitet diese Lektion ein. Die abgebildeten Personen sind gleichzeitig die Protagonisten des anschließenden Lesetextes.

visuelle Eindrücke formulieren

1 In einem kurzen Klassengespräch teilen die TN ihre Eindrücke und Gefühle zu dem Foto mit. Dadurch wird der anschließende Lesetext vorentlastet. Die aufgeführten Adjektive sind dabei eine erste Hilfe und geben die Richtung an, in die die Aussagen zum Bild gehen sollen. Die TN sollen das Bild nicht detailliert beschreiben, sondern sich auf den Gesamteindruck konzentrieren.

Fragen zum Foto und seiner „Geschichte" beantworten

2 Diese Aufgabenstellung führt zu einer Interpretation des Bildes und macht die TN neugierig, inwieweit ihre Spekulationen den Aussagen des folgenden Lesetextes entsprechen.

gehörte Informationen mit eigenen Spekulationen vergleichen

3 Die TN hören die Aussagen zu dem Foto auf CD/Cassette, machen sich evtl. Notizen und vergleichen in einem Klassengespräch ihre Spekulationen mit der dargebotenen Information. Der Hörtext gibt ein muttersprachliches Beispiel, welche sprachliche Form bei einer Bildbeschreibung zu erwarten ist.

Lesen 1
82/83

Foto und authentischer, allerdings stark gekürzter Text entstammen der Wochenzeitung *Die Zeit*. Dieser Zeitungsartikel thematisiert die Weltreise zweier Radfahrer aus der ehemaligen DDR vor dem politischen Hintergrund der „Wende". Es handelt sich nicht nur um eine Reise durch den Raum (Welt), sondern auch, bedingt durch den politischen Umbruch, um eine Reise durch die Zeit (vor der Wende: DDR, nach der Wende: BRD). Typische Erscheinungen des ehemals „sozialistischen" Deutschlands wie Kontrolle, Unbeweglichkeit, Starre werden dem „kapitalistischen" Deutschland mit seinen Konsumgütern, Statussymbolen, Werbeanzeigen gegenübergestellt. Dies nehmen die TN „durch die Brille" der beiden Protagonisten wahr. Der Zeitungsartikel zeichnet sich durch eine komplexe Sprache aus, die fließend die Ebenen wechselt, von wörtlicher Rede (*mal alles angucken*) über eingeschobene Fragen (*Wie sehr muss sich unsere Heimat verändert haben?*) hin zu beschreibenden und kommentierenden Passagen (*Schon im Nachbarort Bad Blankenburg haben sich mittags ...*).

Rubrik/S.	Lernziel	Nr./Hinweise

Landeskunde: Die Wende
Die Wende bezeichnet den politischen Umbruch von der ehemaligen Teilung Deutschlands in DDR und BRD hin zur Wiedervereinigung Deutschlands im Jahre 1990. Der Prozess der Angleichung der ehemaligen DDR an den Lebensstandard der BRD ist die Folge dieser Wende und ist bis heute in einzelnen Bereichen, wie der Angleichung von Gehältern, Löhnen und Renten nicht abgeschlossen.

	Text global verstehen und Hauptaussagen zuordnen	**2+3** In Einzelarbeit lesen die TN den Artikel. TN, denen es schwer fällt, den Artikel ohne Wörterbuch zu lesen, können als Erleichterung zunächst die Hauptaussagen (S. 83, Aufgabe 3) lesen.
	Lokalpräpositionen erkennen, sammeln, anwenden	**5+6** An Hand des Textes werden die Lokalpräpositionen wiederholt. Besonders der Gebrauch der Wechselpräpositionen *Wo?* (Dativ) – *Wohin?* (Akkusativ) bereitet immer wieder Schwierigkeiten und sollte deshalb gründlich wiederholt werden. Der Grammatikstoff wird mit Hilfe des Frage-Antwort-Dominos spielerisch gefestigt. Dabei sollen die TN verschiedene Verben der Fortbewegung (*gehen, fliegen, steigen, wandern* usw.) und der Statik (*stehen, liegen, sitzen* usw.) verwenden.
Wortschatz 84	Wortschatz zum Thema „Reisen" erarbeiten und sichern	**1** Das Spiel „Ich mache eine Reise …" dient als Einstieg in die Erarbeitung des Wortschatzes zum Thema „Reisen". **2** In dieser Aufgabe listen die TN in Partnerarbeit Worte zum Bereich „Reisen" unter die Oberbegriffe *Verkehrsmittel* und *Übernachtung* und klassifizieren sie zusätzlich nach Unterbegriffen. In der Liste tauchen dabei manche den TN schon vertraute Begriffe wie *Auto, Fahrrad* usw. auf, denen sie neue Wörter zuordnen. Dieses assoziative Lernen unterstützt die Sicherung neuer Begriffe. Es führt daneben zu einer Angleichung verschiedener Kenntnisstände bei den TN. **3** In Partnerarbeit ordnen die TN die aufgelisteten Begriffe den entsprechenden Definitionen im Buch zu. Kompetente TN können als Transfer und Erweiterung dieser Aufgabe selbst Begriffe aus einem Reiseführer oder -prospekt suchen und versuchen, eine Definition nach dem vorgegebenen Muster zu schreiben. Diese können sie dann den anderen TN als zusätzliche Rätselaufgabe stellen. **5** Hier bieten sich landeskundliche Vergleiche an: Existieren entsprechende oder ähnliche Sprüche in der eigenen Muttersprache?
Hören 85		Bei dem Hörtext handelt es sich um eine Gesprächsrunde zum Thema „Reisen", in der vier Personen von ihren Erfahrungen von unterschiedlich gestalteten Reisen (Individualreise, Clubreise etc.) berichten. Das Format ist einer Radiosendung nachempfunden.
	über Erfahrungen bei einer Reise berichten	**1** Vor dem Hören bringen die TN ihre eigenen Erfahrungen von einer Reise ein. Sie systematisieren ihren Bericht mit Hilfe des Rasters. Dabei verwenden und erweitern sie den erarbeiteten Wortschatz und sichern ihn auf diese Weise.

Rubrik/S.	Lernziel	Nr./Hinweise
		Die Aufgabe wird in Partnerarbeit erledigt. Anschließend stellen einzelne/mehrere TN ihren „Reisebericht" im Plenum vor.
	mündliche Reiseberichte global verstehen	**2** Vor dem Hörverstehen lesen die TN die Aufgaben. Schritt für Schritt folgen sie dann den Hauptaussagen der Sprecher.
	Reiseberichte im Detail verstehen	**3** Beim zweiten Hören steigert sich der Schwierigkeitsgrad der Aufgabe. Die TN notieren das Gehörte und reproduzieren es somit. Die detaillierten Notizen helfen den TN, ihre Meinung in einem anschließenden Klassengespräch darzustellen.
Sprechen 1 **86**	ein Reiseerlebnis erzählen	**1** Sollten die TN keine Erfahrungen mit „Deutsch auf Reisen" gemacht haben, können sie auch über ein Reiseerlebnis in ihrem/einem anderen Land/einem Phantasieland berichten. Die Vorüberlegungen zu den Erzählungen können von den TN vorher als Hausaufgabe in ein paar Stichworten fixiert werden. KL lässt einige TN ihre Erlebnisse erzählen. *Alternativ* kann KL zu Anfang selbst ein Erlebnis erzählen, um die TN auf das Thema einzustimmen.
	Redeabsichten verwirklichen	**2b** Mit Hilfe der Redemittel bereiten die Partner jeweils einen der sechs kleinen Dialoge vor. Kompetente TN können zusätzliche Redemittel einsetzen. Falls diese den anderen TN neu sind, sollte KL sie geordnet nach den sechs Kategorien an der Tafel/auf Folie fixieren.
	telefonisch eine Terminvereinbarung treffen	**3** Diese Aufgabe ist nach dem Prinzip der Informationslücke gestaltet: Ein Partner findet seinen Terminkalender im Kursbuch, der andere im Arbeitsbuch. Dadurch wird die reale Situation simuliert, dass keiner den Terminkalender des anderen kennt. An Hand ihrer jeweiligen Terminkalender spielen die Partner/innen das Telefongespräch nach dem Muster: Vorschlag – Annahme bzw. Vorschläge – Ablehnung – Gegenvorschlag. KL geht herum, hört zu und korrigiert. Er achtet besonders darauf, dass das sprachliche Register stimmt: Es handelt sich um ein Gespräch unter guten Freunden. Die eine oder andere Variante kann vor der Klasse präsentiert werden.
Lesen 2 **87**		Bei dem Text „Schwerkraft inklusive" handelt es sich um einen Text aus der Rubrik „Reise und Erholung" der *Süddeutschen Zeitung*.
	Vermutungen anstellen	**1** Falls möglich, kann KL Abbildungen von Planeten, Erdkugel, Spaceshuttle, Kosmonauten etc. auf Folie kopieren und präsentieren. Falls in den Beiträgen schon relevanter Wortschatz vorkommt, kann er an der Tafel fixiert werden (z. B. in Form eines Wortigels) und so bei der Vorentlastung des Textes helfen. Z. B. sollte das Wort *All* mit seinen Synonymen *Kosmos, Sphäre, Weltraum, Universum, Orbit* schon erarbeitet werden.
	aus Titel und Untertitel auf Inhalt eines Zeitungstextes schließen	**2** Die TN üben mit dieser Aufgabe einen Rezeptionsstil, den sie aus ihrer Muttersprache kennen: Überschriften lesen und daraus Vermutungen über einen Inhalt anstellen. Sie lösen diese Aufgabe in Partner- oder Einzelarbeit, äußern ihre Vermutungen im Plenum, KL fixiert die wichtigsten Äußerungen an der Tafel/auf Folie.
	globales Verstehen	**3** Die TN lösen in Partnerarbeit das Textpuzzle, indem sie die zugehörigen Satzteile zusammenfügen und danach die Sätze in eine richtige Reihenfolge bringen. KL geht herum und kontrolliert. Eine Gruppe kann die so entstandene kurze Zusammenfassung des Textes vorlesen, die anderen TN vergleichen ihre Texte. *Alternativ* kann KL den fertigen Text auf Folie präsentieren und so einen Vergleich und evtl. Korrektur ermöglichen.

Rubrik/S.	Lernziel	Nr./Hinweise
	Wortfelder erarbeiten	**4** Das Leseverstehen geht in eine Wortschatzaufgabe über, indem der Wortschatz des Textes nach den drei vorgegebenen Themenbereichen geordnet wird. Dazu ist ein zweiter Lesedurchgang sinnvoll, bei dem die relevanten Wörter unterstrichen und dann in den Raster übertragen werden. KL kann diesen auf Folie vorlegen und die gefundenen Wörter im Plenum sammeln und eintragen. Diese Aufgabe führt gleichzeitig zu einem vertieften Verständnis des Lesetextes. Bei abweichenden Lösungen diskutieren KL und TN über deren Akzeptanz.
Schreiben 88	einen formellen Brief schreiben: Anfrage in einem Reisebüro	Hier handelt es sich um einen situativ eingebetteten Schreibanlass, der praxis- und realitätsbezogen ist. **2** Der wichtige erste Schritt vor dem Schreiben ist die gedankliche Arbeit: *Was will ich schreiben?* (bei einer Anfrage: *Welche Informationen will ich haben?*) und *In welcher Reihenfolge will ich schreiben?* Die Anleitung für diese inhaltliche Vorarbeit bekommen die TN in Form der vorgegebenen Punkte, zu denen sie in Einzel- oder Partnerarbeit mindestens je eine Frage formulieren. KL geht herum und sieht die Fragen an. **3** Dieser Vorarbeit folgt das eigentliche Schreiben. Die vorgegebene Gliederung erleichtert den TN die Aufgabe. Außerdem werden die TN auf die richtigen Formalia bei der Textsorte „formeller Brief" hingewiesen.
	einen eigenen Brief mit einem Musterbrief vergleichen und evtl. korrigieren	**4** Die TN setzen in Partnerarbeit das Textpuzzle zusammen. Sie erhalten dadurch einen Musterbrief, mit dem sie ihren eigenen Brief – oder im Austausch – den Brief der Partnerin/des Partners vergleichen. KL sollte am Ende die Briefe einsammeln und eine Nachkorrektur vornehmen, der sich u.U. noch eine Fehlerbesprechung im Plenum oder Einzelbesprechungen anschließen können.
Sprechen 2 89	sich zum Thema „Reisen" äußern	**1** Der Einstieg in diese Aufgabe erfolgt über ein Plakat zu einem öffentlichen Dia-Vortrag. Vorträge dieser Art finden heute in den deutschsprachigen Ländern in großer Zahl statt. Sie stoßen auf reges Interesse beim Publikum, da sie entweder bei der Vorbereitung der eigenen Reise helfen können oder denen, die nicht selbst reisen können, einen „Sehnsuchts-Trip" vermitteln. Hier ist bewusst ein außereuropäisches Reiseziel gewählt worden, weil damit auch das Fernweh vieler Deutscher demonstriert wird. Die TN beschreiben in einem Klassengespräch das Plakat und finden heraus, dass hier nicht für eine Reise, sondern für einen Dia-Vortrag geworben wird. **2** Die TN stellen Überlegungen dazu an, welches ihre Wunschreise wäre, dazu ist eine kurze Zeitvorgabe nötig. Einzelne TN stellen im Plenum kurz ihre Wunschreise vor, möglichst unter Gebrauch des Konjunktivs II.
	einen mündlichen Vortrag vorbereiten und halten	**3** Die Planung und Durchführung der Vorträge soll in Gruppenarbeit erfolgen. Da hier ein Reiseziel im jeweiligen Heimatland gewählt werden soll, kann die Gruppenbildung problematisch sein, falls sich nicht genügend TN für länderhomogene Gruppen finden. *Alternativ* einigen sich dann TN aus verschiedenen Ländern auf ein Land (evtl. auch ein Phantasieland). Die Aufgabe kann auch in Einzelarbeit gelöst werden, allerdings fallen dann Arbeitsteilung und kommunikatives Arbeiten weg. Die TN übertragen den Raster in ihre Hefte und notieren ihre Überlegungen zu den Fragen a. Die Vorbereitung b erfolgt außerhalb des Klassenzimmers. Hier kann gegenseitige Hilfestellung und Austausch von gefundenen Materialien auch zwischen den Gruppen erfolgen. KL sollte

Rubrik/S.	Lernziel	Nr./Hinweise

ebenfalls mit Ratschlägen und Tipps zur Beschaffung von Materialien, z. B. aus Mediotheken und Bibliotheken zur Verfügung stehen.

4 Für die folgende Arbeit gibt es verschiedene Möglichkeiten des Vorgehens, die von der zeitlichen Struktur des Kurses abhängig sind. Auf jeden Fall sollte KL die aufgeführten Merkmale und typischen Redemittel für den mündlichen Vortrag mit den TN im Plenum erarbeiten und so sicherstellen, dass sie eingesetzt werden. Die TN erstellen dann mit den erarbeiteten Hilfen ihren mündlichen Vortrag entweder im Unterricht oder als Hausarbeit (dies macht eine Zusammenkunft der Gruppe außerhalb des Unterrichts notwendig).

5 KL hat vorab mit den TN eine Terminplanung für die Präsentation der Vorträge gemacht. Wenn möglich, sollten die Vorträge auf Cassette oder Video aufgenommen werden, damit anschließend ein Korrektur- und Besprechungsdurchlauf gemacht werden kann. Wenn dies nicht möglich ist, sollte sich KL während des Vortrags Notizen machen und den Vortrag nach dem Unterricht mit der/dem TN durchsprechen. Ein Vortrag/Alle Vorträge kann/können auf Packpapier geschrieben und mit den gesammelten Materialien illustriert Teil der *Wandzeitung* (siehe Lektion 1) werden.

Lesen 3
90/91

Bei den beiden folgenden Lesetexten „Rollen statt falten" und „Richtig packen" handelt es sich um so genannte „Ratgebertexte". Ein Text stammt aus der Zeitschrift *abenteuer & reisen,* der andere aus dem *wdv Wirtschaftsdienst.* In Ratgebertexten werden Vorgänge oder Handlungen detailliert und Schritt für Schritt beschrieben. Der erste Text ist kurz und in Stichworten formuliert, im zweiten sind die Sätze ausformuliert. Beide Texte sagen im Wesentlichen das Gleiche aus und eignen sich deshalb gut für einen detaillierten Textvergleich.

globales Verstehen: in zwei Texten nach gleichen/ ähnlichen Informationen suchen

2+3 KL hält die Beiträge an der Tafel/auf Folie in Form eines Wortigels oder in einer anderen sinnvollen Ordnung (z. B. Wortkategorien) fest. Durch dieses Sammeln und Aktivieren von Vorwissen wird der Lesetext auch für schwächere Lerner, die nichts oder wenig beitragen können, vorentlastet. Anschließend lesen die TN in Einzelarbeit unter Beachtung der Aufgabenstellung 3 die beiden Texte und konzentrieren sich darauf, welche Informationen aus dem kurzen Text genau so oder ähnlich auch im längeren Text vorkommen. Somit findet durch den kurzen Text auch eine inhaltliche Vorentlastung des längeren Textes statt.

sprachliche Varianten zu „Ratschläge geben" in einem Text identifizieren und anwenden

5+6 Die TN ergänzen den Raster aus ihrem Buch, indem sie weitere Beispiele zu den drei Varianten *Imperativ – Infinitiv – unpersönlicher Ausdruck* im Text 2 suchen. KL sichert die Ergebnisse im Plenum. In einem zweiten Schritt formulieren die TN nun **6a–d** selbst in verschiedenen sprachlichen Varianten. Hier erscheint auch die Variante mit *sollen* im Konjunktiv II.

Imperativ wiederholen und festigen

7 Die TN sehen sich zuerst die systematische Übersicht am Ende der Lektion an und ergänzen dann selbst die Regeln **a–f**. KL sichert das Ergebnis im Plenum, indem er **7a–f** auf Folie präsentiert und die Einträge entsprechend den Vorschlägen der TN macht oder machen lässt. KL weist darauf hin, wie man einen Satz vom Befehl zu einer Empfehlung „entschärft" und verbindlicher klingen lässt: durch eine freundliche Intonation, durch das Einfügen von *bitte, doch* oder *lieber* (siehe Beispiele in **6**) etc.

Rubrik/S.	Lernziel	Nr./Hinweise
	Präpositional-adverbien als Vorsilben anwenden	**9** Der Gebrauch von *hinein* und *heraus* und ihren umgangssprachlichen Kurzformen *rein* und *raus* als Vorsilben zu Positionsverben *legen, setzen, stellen, stecken, hängen* und anderen Verben wie *tun, gehen, fallen, steigen* etc. bereitet vielen TN beträchtliche Lernschwierigkeiten. Hier können sich die TN auf die vorgegebenen Verben beschränken.

> Spiel: Koffer packen
> Als Abrundung kann das bekannte Spiel „Koffer packen" auf den Kulturbeutel übertragen werden. Ein Teilnehmer beginnt: *Ich tue Zahnpasta in meinen Kulturbeutel.* Der nächste wiederholt diesen Satz und fügt ein weiteres Wort hinzu: ... *Zahnpasta und eine Zahnbürste* ... Jeder Teilnehmer ergänzt die Liste durch einen weiteren Gegenstand, die Gedächtnis- und Reproduktionsleistung des Wortschatzes wird mit jedem zusätzlichen Wort größer. Auch die Begriffe *rein* und *raus* können in diesem Zusammenhang geübt werden: *Ich tue Deo rein./Ich nehme das Deo raus./* usw.

Methodisch-didaktische Hinweise zu Lektion 8

Einstiegsseite 93	Vorwissen zum Thema „Musik" einbringen	Zur Einstimmung auf das Thema „Musik" kann KL eine beliebige Musikkassette/-CD auflegen. Die TN tauschen sich in freiem Gespräch über ihre Musikvorlieben, Lieblingsinterpreten, -komponisten usw. aus. Somit bringen sie Vorwissen ein und werden für das Thema sensibilisiert. *Alternativ:* KL bereitet Kärtchen nach folgendem Muster vor:

> Mein bevorzugter Musikstil:
> Mein Lieblingskomponist:
> Mein Lieblingsinterpret:
> Mein Lieblingsinstrument:
> Ich spiele selbst kein/ein Instrument, und zwar:

		Jeder TN schreibt in Stichworten seine Angaben dazu. KL sammelt die Kärtchen ein, lässt einzelne vorlesen und die TN raten, wer der Verfasser ist.
	Vermutungen zu einem Foto äußern	Die TN sehen sich das Foto an und reagieren spontan (*Ich finde den Mann sympathisch/witzig/typisch deutsch* usw.) Dann lesen die TN die Fragen und die aufgeführten Redemittel. Sie schließen ihre Bücher und führen im Plenum ein Gespräch auf der Grundlage der vorgegebenen Fragen und Redemittel.
Hören 94		**1** Nach dem visuellen Einstieg (Seite 93) hören die TN einige Takte Musik zur weiteren Vorbereitung auf das Interview. KL fixiert die vorgeschlagenen Adjektive und Fragen an der Tafel/auf Folie.
	detailliertes Verstehen	**2** Die Aufgaben zu den Abschnitten 1–3 sind Ankreuz-Aufgaben, die Aufgabe zu Abschnitt 4 hat einen erhöhten Schwierigkeitsgrad: Die TN müssen hier reproduktiv tätig werden.

Rubrik/S.	Lernziel	Nr./Hinweise
	mündliche Zusammenfassung an Hand von Fragen und Antworten	**3** Die TN lesen nochmal Fragen und Antworten aus Aufgabe 3. Dann fasst ein/e TN im Plenum die Informationen zusammen. Zur Abrundung kann der Text mit den anfangs von den TN vorgeschlagenen Interviewfragen verglichen werden.
Wortschatz 95		Neues Wortmaterial knüpft an Bekanntes an. Diese Methode trägt dazu bei, dass die TN den neuen Wortschatz im Langzeitgedächtnis speichern und so nach und nach aus einem passiven in einen aktiven, abrufbaren Wortschatz überführen. Siehe dazu auch AB Seite 98: Lerntipps zur Mnemotechnik.
		3 KL kann – falls vorhanden – Kassetten/CDs zu den unterschiedlichen Musikstilen mitbringen (oder mitbringen lassen).
Lesen 1 96/97		Der folgende Lesetext ist ein Auszug aus einem Jugendbuch über Wolfgang Amadeus Mozart. Der Text ist – der jugendlichen Zielgruppe entsprechend – sprachlich unkompliziert, mit kurzen Sätzen und sehr bildhaft. Zur Einstimmung auf das Thema sollte KL den TN Musik von W. A. Mozart auf Kassette/CD vorspielen (vorzugsweise aus einer Oper, z. B. der *Zauberflöte*).
	Wortschatz zum Thema „Musik" erweitern	**1** KL und TN sammeln gemeinsam in einem Klassengespräch Vorwissen zum Thema. KL kann dazu eine Tabelle auf Folie vorbereiten, in der die Ergebnisse – Name, Zeit, Stil, Werke, Besonderheiten – festgehalten werden.

Landeskunde: Komponisten
Der deutsche und österreichische Sprach- und Kulturraum hat viele berühmte Komponisten hervorgebracht. Besonders in der Zeit des Barock, der Klassik, Romantik und bis ins 20. Jahrhundert spielen österreichische und deutsche Komponisten eine bedeutende Rolle. Eine kleine Zeittabelle zeigt die Lebensdaten der wichtigsten Komponisten:
Barock (ca. 1560–1740), Georg Philip Telemann 1681–1767, Johann Sebastian Bach 1685–1750
Klassik (ca. 1780–1827), Joseph Haydn 1732–1809, W. A. Mozart 1756–1791, Ludwig van Beethoven 1770–1827, Franz Schubert 1797–1828
Romantik (ab 1821), Robert Schumann 1810–1856, Johannes Brahms 1833–1897, Richard Wagner 1813–1883, Gustav Mahler 1860–1911, Richard Strauß 1864–1949

| | selektives Verstehen | **2** Die TN lesen den Text in Einzelarbeit. KL sollte eine Zeitvorgabe machen, um ein detaillierteres Lesen an dieser Stelle zu vermeiden. Die Informationen zu **b** und **c** werden mit der Jahreszahl und dem Namen der Oper geliefert. Die Klasse vergleicht die Ergebnisse im Plenum. |
| | Negationsformen erkennen und systematisieren | **5a–c** Die Negationsformen sind für die richtige Erschließung eines Textes wichtig. Die Formen der Negation sollten den TN auf dieser Stufe bekannt sein, jedoch ist eine Wiederholung ratsam, da besonders bei der Wortstellung in einem Satz mit Negation häufig Fehler gemacht werden. Nach dem SOS-Prinzip sammeln und ordnen die TN in Partnerarbeit die Negationsformen im Text. KL hat auf Folie/an der Tafel einen Raster für die Formen vorbereitet und hält die Ergebnisse, die die TN im Plenum präsentieren, fest. Im Anschluss daran kann sie/er die Regeln auf S. 104/1 mit den TN besprechen. |

Rubrik/S.	Lernziel	Nr./Hinweise
Lesen 2 98/99		Das Interview mit einem so genannten „Wunderkind" stammt aus der *Süddeutschen Zeitung.*
	Fragen zum Interview formulieren	**1** Zur Vorentlastung des Interviews überlegen und formulieren die TN in Partnerarbeit schriftlich Fragen, die sie selbst dem Mädchen stellen würden. KL und die TN sammeln und sichern die häufigsten Fragen an der Tafel/auf Folie.
	Interview global verstehen	**2** Die TN steigen in diesen Lesetext über ihr Eigeninteresse ein und kontrollieren, inwieweit ihre persönlichen Fragen in dem Interview beantwortet werden. Dies motiviert die TN, sich mit dem Thema auseinander zu setzen.
	Hauptinformationen entnehmen und notieren	**3** Bei dem Interview handelt es sich um einen längeren Lesetext von höherem Schwierigkeitsgrad. Die Erschließung wird für die TN durch eine Vorgabe der wichtigsten zu suchenden Themenpunkte 1–8 in chronologischer Abfolge erleichtert. In einer schwächeren Lernergruppe empfiehlt es sich, das Interview ein zweites Mal lesen zu lassen. KL kann den vollständigen Raster zur Kontrolle auf Folie vorlegen.
	wichtige Aussagen eines Textes mündlich zusammenfassen	**4** Die TN fassen das Interview mit eigenen Worten und mit Hilfe ihrer Stichworte (3) kurz zusammen und achten besonders darauf, die logischen Verknüpfungen deutlich zu machen. Einzelne/Mehrere TN stellen ihre Ergebnisse im Plenum vor.
	Verben mit Präpositionen suchen, ordnen, systematisieren	**6–8** Verben mit Präpositionen und ihr zugehöriges Pronominaladverb stehen an der Schnittstelle zwischen Grammatik und Wortschatz. Die Erarbeitung dieser Verben ist eine Voraussetzung für das Verstehen und Produzieren von komplexen Texten. KL sollte mit Hilfe der TN eine Liste der gängigen Verben mit Präpositionen zusammenstellen und so die Übersicht S. 104/2 ergänzen. Wichtige Verben mit Präpositionen finden sich auch im AB S. 100/7. Die TN sollten persönliche Listen im restlichen Kursverlauf weiterführen.
Schreiben 100		Die Kategorie „formeller Brief" wird durch die Textsorte „Leserbrief an eine Zeitung" erweitert. Die TN lernen, persönliche Gefühle und Meinungen sach- und adressatengerecht zu formulieren.
	Musterbrief analysieren	**1+2** Die TN lesen den Musterbrief und untersuchen Inhalt und Stil in einem Klassengespräch. KL hält die Ergebnisse an der Tafel/auf Folie fest. Für die TN ist es wichtig zu wissen, dass Absender, Adressat, Anrede und Grußformel verbindliche Formalia sind. Inhalt und Stil dagegen sind variabel und individuell. In diesem Musterbrief sind rhetorische Fragen, direkte Ansprache des Adressaten, Einsatz von Modalpartikeln wie *doch,* was normalerweise zur gesprochenen Sprache gehört, und die Verwendung von idiomatischen Wendungen wie *vergebliche Liebesmüh* typische Stilmerkmale, die ein emotionales Engagement der Verfasserin zum Ausdruck bringen.
	einen Brief nach Muster schreiben	**3** Nach der Analyse des Musterbriefes schreiben die TN einen eigenen Leserbrief unter Berücksichtigung der erarbeiteten Merkmale. KL kann die beiden Fragen *Was will ich sagen?* und *Warum will ich was sagen?* vorher an die Tafel schreiben und im Klassengespräch dazu Stichpunkte sammeln. Kompetente TN können sich von den im Musterbrief vertretenen Ansichten lösen und eine abweichende Meinung vertreten. KL achtet darauf, dass die schwächeren TN nicht ganze Passagen aus dem Musterbrief abschreiben, sondern mit eigenen Worten formulieren.

Rubrik/S.	Lernziel	Nr./Hinweise
	Brief Korrektur lesen	**4** In Partnerarbeit korrigieren die TN den Brief des jeweiligen Partners. Anschließend diskutieren sie ihre Korrekturvorschläge. KL gibt während der Partnerarbeit Hilfestellung und übernimmt zusätzlich eine Nachkorrektur.
Sprechen 101		Das Einholen von Informationen am Telefon ist eine häufige Sprechhandlung im Alltag. Stimuli sind hier authentische Konzertanzeigen, zu denen die TN zusätzliche Informationen einholen sollen. KL kann *alternativ* Anzeigen/Broschüren von aktuellen Veranstaltungen vor Ort mitbringen (lassen). Die TN äußern sich zu den lokalen Anzeigen in der Zielsprache.
	überfliegendes Lesen Informationen am Telefon einholen	**1** Die TN lesen die Anzeigen als Vorinformation. **2** Vor der Erarbeitung des Informationsgespräches klären die TN im Klassengespräch die dazu notwendigen, vorgegebenen Redemittel. Jede Vierergruppe wählt eine Anzeige aus und legt fest, was erfragt werden soll (Datum, Preis, Anzahl der Personen etc.) und welche Informationen zu den einzelnen Punkten gegeben werden sollen. *Alternativ* können auch Paare diese Aufgabe bearbeiten.
	Gespräch vorspielen	**3** In einem Rollenspiel präsentieren die Gruppen ihr Telefongespräch. An einem deutschsprachigen Lernort können motivierte TN am Telefon reale Informationen zu Veranstaltungen einholen und in der Klasse über ihre Erfahrungen und Ergebnisse berichten.
Lesen 3 102/103		Der Text „Der perfekte Popsong" ist ein Feuilletontext aus dem Magazin der *Süddeutschen Zeitung*, der wöchentlichen Beilage dieser Tageszeitung. Mit diesem unterhaltsamen Text zur modernen U-Musik wird diese Lektion, die mit dem Thema „Klassik" begonnen hat, abgerundet und beendet.

Landeskunde: Ernste Musik – Unterhaltungsmusik
In Deutschland wird die Unterscheidung zwischen „E-Musik" (ernste Musik) und „U-Musik" (Unterhaltungsmusik) auch heute noch häufig mit einer Wertung zu Gunsten der E-Musik verbunden. Allerdings sind die Grenzen inzwischen teilweise fließend geworden, da die Unterhaltungsmusik immer mehr Genres für sich vereinnahmt.

Rubrik/S.	Lernziel	Nr./Hinweise
	einem Schaubild Informationen entnehmen und über Vorlieben sprechen	**1** In einem Klassengespräch können die TN über ihre Vorlieben sprechen und beliebte Titel zu den diversen Richtungen nennen. Evtl. erstellen die TN nach dem Muster im Buch selbst eine Beliebtheitsskala.
	globales Verstehen	**2–4** Nach dem Lesen der Aufgabenstellung lesen die TN den Text.
	Infinitive mit *zu* erkennen, analysieren und anwenden	**5** In Partnerarbeit unterstreichen die TN im Text Infinitive mit *zu*. Der Tabelle S. 104 entnehmen sie die Beispiele zur Stellung und zum Gebrauch von Infinitiven mit *zu*. KL sollte diesen Grammatikbereich weiter vertiefen, indem er den TN eine Liste mit den Verben und Ausdrücken an die Hand gibt, die Infinitive mit *zu* nach sich ziehen können. In diesem Zusammenhang kann KL auch die Verben thematisieren, die einen Infinitiv ohne *zu* brauchen.

Rubrik/S.	Lernziel	Nr./Hinweise

Methodisch–didaktische Hinweise zu Lektion 9

Rubrik/S.	Lernziel	Nr./Hinweise
Einstiegsseite `105`		Reinhold Messner hat sich als Extremsportler internationalen Ruhm erworben und dürfte deshalb vielen Menschen bekannt sein. Hinter seinen großen sportlichen Leistungen steht eine eigene „Philosophie", die er in zahlreichen Publikationen vertritt: Der Mensch kann eigentlich alles, wenn er es nur will. Messner stammt aus Südtirol, er ist italienischer Staatsangehöriger mit deutscher Muttersprache.
	über eine Person sprechen	**1** Sprechanlass sind ein Foto und eine Kurzbiographie. Im Klassengespräch können die TN beides in Beziehung setzen und Überlegungen dazu anstellen, ob irgendetwas auf dem Foto auf R. Messner als Extrem-Bergsteiger hinweist.
Lesen 1 `106`		Durch sechs Zeitungausschnitte über R. Messner wird sein hoher Bekanntheitsgrad dokumentiert. Diese Presseausschnitte stammen aus unterschiedlichen Quellen (Boulevardzeitung, Tageszeitung und Wochenmagazin).
	globales Verstehen	**1** Die TN üben das globale Lesen, indem sie den Texten nur die Hauptaussagen entnehmen. Dazu lesen sie jeweils eine der Aussagen a–h, überfliegen dann die Texte 1–6 und stellen fest, ob eine/welche der Aussagen in einem/welchem Text gemacht wird. Die TN können ihre Lösung mit einem Partner/einer Partnerin vergleichen, bei Fragen und Unsicherheiten erfolgt eine Klärung im Plenum. *Alternativ* kann diese Aufgabe arbeitsteilig gelöst werden: Jeweils zwei Partner wählen und bearbeiten eine, zwei oder mehrere der acht Aussagen und tragen ihre Ergebnisse unter Zitat der entsprechenden Textstelle im Plenum vor. KL kann anschließend die unterschiedlichen „Titulierungen" von Messner wie *Bergkönig, Abenteuerer, Weltmeister der Alpinisten* sammeln lassen und an der Tafel/auf Folie fixieren.
	genaues Verstehen	**2** Der Text stammt aus einer autorisierten Biographie über R. Messner. Die TN lesen den einfachen Text und beantworten die Fragen in Form von Stichworten.
Wortschatz 1 `107`	Wortschatz zum Thema „Sport" aktivieren, erklären und erweitern	**1** Die TN können zusätzlichen Wortschatz aus ihrem Vorwissen oder mit Hilfe eines Wörterbuches einbringen. An dieser Stelle wäre es möglich, dass einzelne TN ihr Wort pantomimisch darstellen oder an der Tafel skizzieren und raten lassen.
		2 Die Wortschatzarbeit wird nun ausgedehnt auf das gesamte Thema „Sport". Die TN nehmen in b eine Kategorisierung der Sportarten nach ihrer Funktion und Bedeutung vor. Hier ist auch die Kategorie „Extremsport" angeführt, da diese im Lauf der Lektion thematisiert wird. Viele Sportarten passen in mehrere Kategorien, je nachdem, wie man sie ausübt. Dies kann Anlass zu einem kurzen klärenden Gespräch im Plenum sein.
		3 KL kann den Raster auf Folie kopieren und dann gemeinsam mit den TN erarbeiten. Hier wird die Wortschatzarbeit erweitert durch das Thema „zusammengehörige Wörter" (Kollokationen). Ziel ist es, dass jeder TN am Ende zumindest die Sportarten, die für ihn persönlich relevant sind, sprachlich korrekt beschreiben kann.
		4 Zur Abrundung der Stunde befragen die Partner sich gegenseitig, bringen länderspezifische Informationen sowie Informationen zur eigenen Person ein und verwenden dabei den erarbeiteten Wortschatz. KL geht herum und

Rubrik/S.	Lernziel	Nr./Hinweise
		gibt Hilfestellung. *Alternativ* können diese Gespräche auch als offenes Klassengespräch im Plenum stattfinden: Ein TN spricht einen anderen an, dieser antwortet und fragt dann den nächsten TN. Die aufgeführten Redemittel sollten vorher gelesen, dann angewandt und ggf. durch zusätzliche ergänzt werden.
Lesen 2 **108**	globales Verstehen	**1** Die beiden Texte runden die Informationen zu R. Messner ab. Zunächst lesen die TN die beiden Artikel A und B global, um eine Vermutung über die Quelle anzustellen. Text B lässt sich auf Grund von Äußerungen wie *ein Leben an Reinholds Seite* ... und dem Gebrauch von *wir* schnell der Partnerin von R. Messner zuschreiben. Text A ist weniger eindeutig als biographischer/journalistischer Text einzuordnen.
	Adjektive sammeln und Steigerungsformen bilden	**2+3** Die Komparation ist den TN von der Grundstufe her bekannt. Die Aufgaben dienen der Wiederholung und Festigung. Die TN kopieren den Raster in ihre Hefte und tragen die verschiedenen Formen der Adjektive ein. Dann versuchen sie die Regeln a–e zu ergänzen. Da sich für c–d keine Beispiele im Text finden, sind sie in den Regeln aufgeführt. KL sichert die Ergebnisse, indem er den Raster und die Regeln auf Folie präsentiert und sie mit Hilfe der TN ergänzt/ergänzen lässt. Zur Korrektur liest und bespricht KL mit den TN die Übersichten am Ende der Lektion S. 116/1.
		4 Hier wird der Unterschied zwischen der adjektivischen (attributiven) und der adverbialen (prädikativen) Form des Superlativs systematisiert. Häufig bereitet es den TN Probleme, dass beim adjektivischen Gebrauch an die Komparativ- und Superlativform noch die Deklinationsendung angefügt werden muss, zumal die Komparativendung *–er* ja auch Deklinationsendung ist. *Heute ist ein schönerer Tag als gestern.* (Zur Vertiefung sollten die TN Übungen AB S. 110 ff. im Plenum machen.)
		5 Das Quiz dient dem Tranfer und der Einübung der Komparation. Die TN können die Aufgabe in Partnerarbeit lösen und ihre Sätze dann im Plenum vortragen.
Wortschatz 2 **109**	Wortschatz zum Thema „Landschaften und Klima" wiederholen, festigen und vertiefen	**1** Die meisten TN verfügen von der Grundstufe her über einen Fundus an Wortschatz zum Thema „Landschaften und Klima". KL sollte hier darauf achten, dass auch schwächere Lerner ihr Vorwissen einbringen können. Ausgehend von Fotos aktivieren die TN ihren Wortschatz und systematisieren ihn. Einzelne TN äußern ihre Vorlieben für eine der Landschaften und begründen dies.
		2–4 In diesen Übungen erarbeiten die TN weiteren Wortschatz. In Aufgabe 4 erfolgt eine zusätzliche Festigung durch Zuordnung der Adjektive zu den drei Landschaftstypen. Falls die Übungen kompetente Lerner unterfordern, kann KL für diese einen oder mehrere Lexikonartikel, z.B. zu *Wüste* oder *Dschungel* bereithalten. Die TN lesen den Artikel und können, wenn genug Zeit dazu ist, kurz darüber im Plenum referieren. KL fixiert evtl. zusätzlichen Wortschatz an der Tafel/auf Folie und lässt ihn von den TN nach den vorherigen Mustern kategorisieren.
		5 Das Quiz dient zur Festigung des erarbeiteten Wortschatzes und zur Anwendung des Superlativs in spielerischer Form. Da es sich hier um einen Wettbewerb handelt, sorgt KL dafür, dass schwächere und stärkere Lerner gleichmäßig auf die beiden Gruppen verteilt sind. In länderhomogenen Grup-

Rubrik/S.	Lernziel	Nr./Hinweise
		pen können die zu ratenden geographischen Begriffe von den TN um solche aus dem betreffenden Land ergänzt werden. In heterogenen Gruppen können TN aus dem selben Herkunftsland geographische Begriffe aus ihrem Land zusammenstellen und einen Fragebogen mit drei Auswahlantworten erarbeiten. Damit wird den anderen TN die Beantwortung der Fragen erleichtert.
Lesen 3 110/111		Die Rubrik Lesen 3 nimmt das Ausgangsthema der Lektion, R. Messner als Symbol für Extrem-Sport, wieder auf und fügt weitere Aspekte hinzu.
	Vermutungen zu einem Foto anstellen	**1** Die TN stellen zwischen Sir Edmund Hillary, dem ersten Everest-Besteiger, und Reinold Messner eine Verbindung her.
	von der Textgestalt auf den Inhalt schließen	**2** Typisch für eine Chronik ist neben der Zeittafel mit zugeordneten Kurzzeilen die einfache Struktur: Reihung von Hauptsätzen, die manchmal in einen Telegrammstil übergehen und Dichte der Informationen. Die zeitliche Übersicht über die Everest-Besteigungen wurde dem Buch *Everest Expedition zum Endpunkt* von R. Messner entnommen.
	Chronik global lesen	**3** Die TN unterstreichen in einem ersten Arbeitsschritt in Einzelarbeit die Schlüsselwörter und vergleichen im Klassengespräch ihre Lösungen mit denen der anderen TN.
	der Chronik Detailinformationen entnehmen	**4** Vor dem zweiten Lesen besprechen die TN die aufgelisteten Fragen zum Inhalt der Chronik. Danach lesen sie in Einzelarbeit die Chronik noch einmal im Detail und notieren Stichworte. Im Plenum stellen sie sich dann gegenseitig Fragen und beantworten sie, ähnlich wie in einem Quiz, ohne dass KL eingreift. Bei genügend Zeit und Interesse können die TN das Quiz ausbauen, z.B. *Welchen Berg hat Messner zuletzt bestiegen?*
	Ordnungszahlen identifizieren und systematisieren	**5** Jahreszahlen und Ordnungszahlen spielen in einer Chronik eine wichtige Rolle. Die Ordnungszahlen werden in ihrer attributiven Position, z.B. *dem ersten Bergsteiger,* genau wie das Adjektiv dekliniert. Der gesamte zur Deklination gehörende Teil der Grammatik ist komplex, schwierig und fehlerträchtig, deshalb wird er hier wiederholt und vertieft. Fehlerhafte Deklinationsendungen beeinträchtigen zwar kaum die sprachliche Kommunikation, sie unterscheiden aber einen schwächeren Sprecher von einem kompetenteren. Die TN aktivieren ihre Vorkenntnisse zu den Ordnungszahlen an Hand der Beispiele im Text und verifizieren sie mittels des Rasters. Als Referenz hilft ihnen dabei die Übersicht am Ende der Lektion S.116/4.
	Vergleiche anstellen	**6** Zuerst klären die TN im Plenum die gebräuchlichen Ausdrücke für den Vergleich (nach *so* + Grundform *wie,* nach Komparativ *als*) und einige quantifizierende Pronomen, z.B. *etwas,* und Adverbien, z.B. *kaum.* Danach stellen die TN in Partnerarbeit Vergleiche an. Zur Unterstützung können sie auf die Übersicht der regelmäßigen und unregelmäßigen Formen des Komparativs und Superlativs am Ende der Lektion S.116/1-3 zurückgreifen.
Sprechen 1 112	zu einem Fragebogen Stellung beziehen	**2+3** Der Fragebogen zum Thema „Traumberuf Abenteurer" von R. Messner stammt aus einer Infoblattreihe des Arbeitsamtes mit dem Titel „Traumberufe für Abiturienten". Die TN lesen den Fragebogen in Einzelarbeit, tragen Informationen zusammen und äußern ihre Meinung.

Rubrik/S.	Lernziel	Nr./Hinweise
	sich gegenseitig im Stil eines Fragebogens interviewen	**4** In Partnerarbeit interviewen sich die TN nun gegenseitig mit Hilfe der dem Fragebogen entnommenen Fragen. Bei ausreichend Zeit stellen anschließend einige Paare ihr Interview in einem Rollenspiel dem Plenum vor. Obwohl diese Aufgabe in den Bereich „Sprechen" gehört, können einzelne Interviews verschriftlicht und der *Wandzeitung* als eine Art erweiterter Steckbrief (vgl. Lektion 1) hinzugefügt werden.
Hören 113		Der Hörtext ist insofern eine Herausforderung für die TN, als es sich um ein authentisches Interview einer Radiojournalistin handelt. Es wird in normaler Sprechgeschwindigkeit gesprochen, Aufnahmeort ist ein Sportgeschäft in München. Der Interviewpartner, ein Geschäftsmann aus Oberbayern, spricht zwar nicht Dialekt, hat aber einen deutlichen süddeutschen Akzent. Diese hohen Anforderungen des Textes werden entschärft durch eine leichte Aufgabenstellung.
	sich über sportliche Aktivitäten unterhalten	**1** In einem Partnergespräch tauschen sich die TN über ihre Erfahrungen mit den genannten sportlichen Aktivitäten aus. Während der kurzen Unterhaltung geht KL herum, kontrolliert und korrigiert, wo nötig.
	Foto beschreiben	**2** Das Foto dient der weiteren Vorentlastung des Hörtextes.
	globales Verstehen	**3** Die TN hören die dem Interview vorangestellte Szene, die in dem abgebildeten Sportgeschäft spielt. Sie beantworten die *W-Fragen* im Plenum. KL hält die Antworten als Referenz an der Tafel/auf Folie fest.
	selektives Verstehen	**4** Die TN hören das Gespräch abschnittweise, machen Notizen zu den Fragen bzw. kreuzen die Multiple-Choice- und *Richtig-falsch*-Antworten an. Diese Aufgabe machen sie in Einzelarbeit. Anschließend werden die Ergebnisse im Plenum dargestellt und gegebenenfalls korrigiert. KL kann dazu eine vollständige Folie vorlegen.
Sprechen 2 114	über Sportunfälle sprechen	**1** Die TN berichten ihrer Partnerin/ihrem Partner von eigenen Erfahrungen mit Sportunfällen. So wird ein persönlicher Bezug zu dem in der Lektion angeschnittenen Thema hergestellt.

Landeskunde: Extremsport
Extremsportarten erfreuen sich in den deutschsprachigen Ländern immer größerer Beliebtheit und werden in Medien und Werbung thematisiert, z.B. Drachenfliegen in den Alpen als ultimative Freiheit, Bungeejumping als Kick für Alltagsverdrossene in einer Zeit, in der es nur noch wenige wirkliche Abenteuer gibt. Diese Sportarten haben so weit um sich gegriffen, dass von den Krankenkassen eine Sonderversicherung dieser Sportler gefordert wird, da die Unfallhäufigkeit und damit Belastung der Kassen seither um ein Vielfaches gestiegen ist.

Rubrik/S.	Lernziel	Nr./Hinweise
	Meinung zu Extremsportarten äußern	**2** Die TN äußern im Plenum ihre persönliche Meinung zu der Gefährlichkeit der aufgelisteten Sportarten und begründen sie. Dabei ist eine Diskussion darüber, was die TN als extrem bzw. gefährlich empfinden, nahe liegend.

Rubrik/S.	Lernziel	Nr./Hinweise
	über Gefahren beim Sport allgemein sprechen	**3** Anschließend sprechen die TN im Plenum über ihre persönlichen Erfahrungen mit Gefahren beim Sport allgemein. Der Raster hilft ihnen dabei, ihre Gedanken zu sortieren und in Worte zu fassen.
	Meinung äußern	**4+5** Drei Personen äußern ihre Meinung zum Gefahrenaspekt beim Sport. Vor der Diskussion lesen die TN global die kurzen Statements. Die Texte sind zum einen zusätzlich zu den aufgeführten Redemitteln eine Formulierungshilfe für das anschließende Gespräch. Zum anderen dienen sie der inhaltlichen Vorentlastung des folgenden Schreibanlasses. Im Plenum stellen einzelne/mehrere TN dann ihre Meinung zu den aufgeführten Aspekten dar. Weiterführende Redemittel zu diesem Thema finden sich im AB S. 116/18.
Schreiben `115`	Artikel zum Thema „Alpinismus" global verstehen	**1** Als situative Einbettung für das Schreiben eines Leserbriefes lesen die TN einen Artikel aus der Zeitschrift *Spiegel* zum Thema „Alpinismus". Dieser Artikel ist die thematische Grundlage des zu verfassenden Leserbriefes. Die TN lesen ihn in Einzelarbeit und entnehmen ihm die Hauptaussagen, die im Plenum stichwortartig zusammengefasst und an der Tafel festgehalten werden.
	Leserbrief unter Berücksichtigung von Inhalt und richtiger Form verfassen und Korrektur lesen	**2+3** In Schritten, nach Inhalt und Form getrennt, wird der Leserbrief erarbeitet. – Schritt 1: Vor dem Schreiben beantworten die TN die Frage: *Was will ich sagen?* – Schritt 2: *Warum will ich das schreiben?* – Schritt 3: *Habe ich alle Formalia beachtet? Stimmt das Register?* – Schritt 4: Schreiben des Briefes unter Berücksichtigung der Schritte 1–3. Beim Verfassen des Briefes wird auch relevanter bisheriger Lernstoff wie *Konnektoren* (Lektion 3, 6) integriert. Abschließend lesen die TN und KL den Brief Korrektur.

Methodisch-didaktische Hinweise zu Lektion 10

Einstiegsseite `117`	Hypothesen zu einem Foto anstellen	Diese Lektion wird eingeführt mit einem Foto von Karl Lagerfeld, einem der bekanntesten deutschen Mode-Designer. Zu diesem für ihn typischen Bild stellen die TN Hypothesen über das Wesen und den möglichen Beruf der abgebildeten Person an und stimmen sich so auf den folgenden biographischen Lesetext ein.
Lesen 1 `118/119`	Vorwissen einbringen und Erwartungen an einen Text formulieren	Der vorliegende Text wurde dem abgebildeten Buch *Couture* entnommen. Der Text ist sprachlich anspruchsvoll, da er um ein spezielles Thema, Lagerfelds Stil, kreist.
		1 Nachdem die TN in Einzelarbeit die Aufgaben gelöst haben, sichert KL einige häufig vorkommende Aussagen/Erwartungen an der Tafel/auf Folie.
	global verstehen	**2+3** Vor dem eigentlichen Lesen des Textes besprechen die TN die Stichworte unter 3. Um die Zuordnungsarbeit zu erleichtern, kann KL diese Stichworte vorab auf Folie kopieren und während der Lesearbeit dort als Referenz belassen. Während des abschnittweisen Lesens ordnen die TN die einzelnen Stichworte den entsprechenden Abschnitten zu. Diese Form des Lesens ist für die TN sehr motivierend, da die Informationen Schritt für Schritt enthüllt werden. KL sichert die Ergebnisse im Plenum.

Rubrik/S.	Lernziel	Nr./Hinweise
	Form und Funktion von Partizipien in Adjektivfunktion erklären	**4–6** Bei einem zweiten Lesen des Textes bearbeiten die TN in Partnerarbeit die Aufgaben. KL sichert die Ergebnisse im Plenum. Er kann dazu eine vorbereitete Folie, auf der die Adjektive und Partizipien geordnet sind, vorlegen. Den Bedeutungsunterschied der beiden Partizipien klären KL und TN mit Hilfe der Übersicht auf S. 128/2.
Wortschatz `120`	Personen beschreiben	**1** Der spielerische Einstieg in die Wortschatzarbeit zum Thema „Personenbeschreibung" ist fakultativ, er hängt von der Motivation der TN ab und von den landesspezifischen Gegebenheiten. KL kann die TN auch am Tag vorher bitten, einige Accessoires mitzubringen, z. B. Tücher, Hüte, Kappen, Brillen, Armbänder etc.
		2 KL bringt Bilder/Fotos/Piktogramme von Kleidungsstücken mit und lässt diese benennen. *Alternativ* kann der Raster unter b von den TN als vorbereitende Hausaufgabe erarbeitet werden. Nach Einführung der Redemittel durch den KL beschreiben die TN in Kleingruppen zunächst schriftlich Modelle, die sie entweder selbst aus Modezeitschriften vorab zusammengestellt haben oder die KL als Poster/Bilder präsentiert. Die Kleingruppen stellen dann mündlich ihre Modelle ähnlich einer Modenschau vor. Die nicht vorführenden Gruppen übernehmen dabei Juryfunktion und bewerten die vorgestellte „Kollektion". Bei ausreichend Zeit und Motivation der TN ist diese Präsentation nach eingehender Vorbereitung auch „life" möglich. Die TN stellen dann sich selbst als Modell verkleidet vor.
Lesen 2 `121`		Der Textauszug ist dem *Großen Brockhaus* entnommen, einem Lexikon, das sich durch umfassende Einträge und Genauigkeit auszeichnet. Mit diesem Artikel werden die TN an das Lesen von fachsprachlichen Texten herangeführt. Lexikonartikel zeichnen sich durch hohe sprachliche Dichte aus (Nominalstil, zahlreiche Zahlenangaben, stichwortartige Einträge und Abkürzungen).
	Lexikonartikel identifizieren, analysieren und verstehen	**1** Vor der Erschließung des Inhalts beschreiben die TN im Plenum lediglich ihre visuelle Wahrnehmung des Lay-outs und vermuten, um was für eine Art von Text es sich handeln könnte.
	detailliertes Lesen	**3+4** In Einzelarbeit lesen die TN den Lexikoneintrag so genau wie möglich und benutzen ein Wörterbuch, wo nötig. In Partnerarbeit ordnen sie dann die Stichworte den beiden Definitionen in den Spalten zu. Im Plenum stellen einzelne TN danach ihre Ergebnisse vor und korrigieren sie gegebenenfalls. Die Liste sollte um andere gängige/bekannte Abkürzungen ergänzt werden, etwa: *z. B. = zum Beispiel, u. a. = unter anderem, etc. = et cetera, usw. = und so weiter.*
Hören 1 `122`	globales Verstehen	**1** Das Märchen „Aschenputtel" ist – meistens unter dem Namen „Cinderella" – in vielen Sprachen bekannt. Bei den Stichworten „böse Stiefschwestern, Tauben, goldener Schuh" werden sich viele TN an dieses Märchen erinnern. In einem Klassengespräch bringen sie ihr Vorwissen ein; KL fixiert weitere Stichworte an der Tafel/auf Folie, z. B. als Wortigel oder als Raster, in den die gesammelten Wörter nach Wortkategorien eingeordnet werden.
		2 Der mündlichen Vorentlastung des Hörverstehens folgt eine visuelle: Die TN sehen sich die acht Bilder an, die sie auf das Hören des Märchens einstimmen. Dann hören sie den Text ganz. In Partnerarbeit nummerieren sie die

Rubrik/S.	Lernziel	Nr./Hinweise
		Bilder und bringen sie so in die richtige Reihenfolge. KL kann Bilder vorher auf Folie kopieren. Die Gruppen präsentieren dann im Plenum ihre Ergebnisse, die KL oder ein/e TN auf der Folie festhält. *Alternativ* schneidet KL die kopierten und vergrößerten Bilder vorher auseinander, damit sie dann in der richtigen Reihenfolge z.B. an einer Pinwand angebracht werden können.
	einen gehörten Text nach Stichworten mündlich reproduzieren	**3** Der Hörtext hat einen hohen Schwierigkeitsgrad, weil er „vorgelesen" wird. Hinzu kommt eine anspruchsvolle Aufgabenstellung. Das Hörverstehen geht hier in eine mündliche Reproduktionsaufgabe mit einem für diese Stufe hohen Schwierigkeitsgrad über. Um diese Aufgabe zu erleichtern, kann KL vier Gruppen bilden lassen, von denen jeweils eine einen Abschnitt zugeteilt bekommt. Die TN lesen zunächst ihre Aufgabe und ihre Stichworte. Zur Vorentlastung ordnen sie den jeweiligen Abschnitt den entsprechenden Bildern zu. Nach dem Hören der einzelnen Abschnitte, wobei sich jede Gruppe auf ihren Abschnitt konzentriert, rekonstruiert dann jede Gruppe an Hand der Stichworte ihren Text schriftlich. KL geht während der Gruppenarbeit herum und überprüft die Formulierungen. In einem zweiten Schritt erzählen die einzelnen Gruppen in der vorgegebenen Reihenfolge das zusammengesetzte Märchen. Einige kompetentere Lerner können im Unterricht oder als Hausaufgabe das komplette im Unterricht erarbeitete Märchen schriftlich zusammenfassen. Das Märchen kann dann als Mustertext auf Packpapier geschrieben, an den entsprechenden Stellen mit den ausgeschnittenen Bildern illustriert und im Klassenzimmer aufgehängt werden (siehe *Wandzeitung*, Lektion 1). Schwächere TN reproduzieren die Kurzfassung des Märchens an Hand des Textpuzzles AB S. 122/9.
	ein Märchen interpretieren	**4** Ein Klassengespräch über das Märchen rundet das Thema ab. Die TN könnten z.B. Überlegungen darüber anstellen, ob die Belohnung der Armen und Bescheidenen und die Bestrafung der Hochmütigen und Arroganten wirklich nur im Märchen und selten in der Realität vorkommt. Auch ein Rückbezug zum Thema „Mode" ist hier angebracht, denn auch im Märchen von Aschenputtel spielen schöne Kleider eine große Rolle.
Sprechen `123`	ein Einkaufsgespräch führen	Zur Einstimmung auf das Rollenspiel „Kleidung einkaufen" kann KL eine kleine Kulisse improvisieren, z.B. einige Kleidungsstücke in der Klasse aufhängen etc.
		2 In die Übungen zum mündlichen Ausdruck ist ein Hörverstehen integriert. Dieser Hörtext hat die Funktion eines Musterdialogs und dient der Vorentlastung des folgenden Rollenspiels.
		3 Die Klasse bildet Dreiergruppen für das folgende Rollenspiel und verteilt innerhalb der Gruppen die Rollen. Jede/r TN liest sich die Aufgabenstellung und ihre/seine Redemittel durch, mit deren Hilfe dann das Rollenspiel geführt wird. KL geht herum und gibt Hilfestellung. Anschließend kann/können eine/einige Gruppe/n ihr Rollenspiel im Plenum vortragen.
	werden + Infinitv wiederholen und vertiefen	**4+5** Die Präsentation von *werden* + Infinitiv erfolgt kontextualisiert, dieses Mal im Hörtext und in den Redemitteln. *Werden* + Infinitiv als Ausdruck der Vermutung im Gegensatz zum Futur I kann aus dem jeweiligen Kontext erschlossen werden. Die TN bilden eine Hypothese über die Bedeutung von *werden* + Infinitiv. Anschließend führen sie den Raster fort, indem sie weitere For-

Rubrik/S.	Lernziel	Nr./Hinweise
		men eintragen und dann durch andere Formen der Vermutung paraphrasieren. So üben sie gleichzeitig den Gebrauch von sprachlichen Varianten zur Sprechabsicht „Vermutungsäußerung". KL verweist auf die Übersicht S. 128 und klärt die unterschiedlichen Tempora.
Lesen 3 **124/125**		Die zwölf Kurztexte zu verschiedenen Modestilen stammen aus dem Band *Look of the Century, Das Design des 20. Jahrhunderts.* Da die Modestile Ausdruck des „Zeitgeistes" und des Lebensgefühls einer Dekade sind, ist das Thema auch für die TN interessant, die kein größeres Interesse am Thema „Mode" haben. In einer interessierten Lernergruppe könnte – bei vorhandener Zeit – das Thema auch auf andere Lebensbereiche der verschiedenen Dekaden erweitert werden. Besonders lohnend ist das Thema, wenn verschiedene Altersgruppen in der Klasse sind, die aus eigener Anschauung Aussagen zu den verschiedenen Dekaden machen können.
	globales Verstehen	**1–6** Die TN stellen Vermutungen darüber an, zu welcher Epoche die Bilder passen könnten. Damit nicht alle TN sich mit den zwölf Texten beschäftigen, teilt sich die Klasse in zwei Gruppen und bearbeitet jeweils nur die Damen- bzw. Herrenmode. Die TN lesen die sprachlich anspruchsvollen Texte global, da sie nur die Hauptinformationen erkennen und lokalisieren sollen. Dies kann durch Unterstreichen der entsprechenden Stellen im Text erfolgen. Dann ergänzen sie die Tabellen 3 + 4 bzw. 5 + 6.
	anderen über Ergebnisse von Recherchen berichten	**7** Das Leseverstehen mündet in eine Aufgabe zum mündlichen Ausdruck ein. Zusätzlich zur Präsentation ihrer Ergebnisse beschreiben die Gruppenmitglieder die Modestile an Hand der Zeichnungen. Da es sich bei der Beschreibung um eine Aufgabe mit erhöhtem Schwierigkeitsgrad handelt, kann diese von kompetenteren Lernern innerhalb der Gruppe vorgenommen werden.
	Meinung zu einem Thema äußern und begründen	**8** In einem offenen Klassengespräch äußern die TN ihre Vorliebe für einen bestimmten Modestil und versuchen, sie zu begründen.
Schreiben **126**		Beim Schreiben einer Reklamation/Beanstandung (im kaufmännischen Schriftverkehr auch „Mängelrüge" genannt und relevant für das *Zertifikat Deutsch für den Beruf)* handelt es sich um eine alltagsbezogene Textsorte, deren Beherrschung für alle TN wichtig ist. Es ist eine Textsorte mit einem formellen Register, d.h. typischen Charakteristika in Anrede- und Grußformeln sowie im Sprachduktus.
		1 Da eine freie Produktion eines solchen Briefes für Lerner dieser Stufe schwierig wäre, haben sie hier die Möglichkeit, unter jeweils drei aufgelisteten Textbausteinen den Richtigen zu finden.
	aus Textbausteinen eine Reklamation schreiben	**2** Die TN orientieren sich am Aufbau des Reklamationsbriefes in 1. Zur Korrektur kann KL die Briefe zunächst in der Klasse austauschen lassen, anschließend nachkorrigieren. Eventuell erfolgt eine Nachbesprechung von typischen Fehlern im Plenum/in Einzelgesprächen.
Hören 2 **127**	detailliertes Verstehen	**1** Dieses in Text und Aufgabenstellung einfache Hörverstehen am Ende der Lektion ist eine gute Vorbereitung auf das *ZD:* Die TN sollen drei Kurzdialogen (gut zu verstehen, ohne Hintergrundgeräusche) gezielt die gewünschten Informationen entnehmen.

Rubrik/S.	Lernziel	Nr./Hinweise
	in einem Gespräch seine Meinung äußern und begründen	**2** Für dieses informelle Gespräch zu den Themen „Kleidung auf einem Flohmarkt kaufen" und „Kleidung aus einem Katalog bestellen" können die TN Gruppen bilden. Sinnvoll ist, dass jede Gruppe nur eines der Themen diskutiert. KL geht herum und hört sich die Gespräche an. Er achtet darauf, dass bei den Meinungsäußerungen das Register stimmt: In informellen Gesprächen gebraucht man eher *ich finde, ich glaube, ich meine, vielleicht etc.* Die offizielleren Versionen *meiner Meinung nach, ich bin der Meinung* etc. treten dagegen häufiger in offiziellen Sprechsituationen auf.

Teil 3

Anhang

Transkriptionen der Hörtexte

Lektion 1

S. 11/2-3

(T = Thomas, R = Reporterin)

T: Hallo, ich bin der Thomas, ich bin 29 Jahre alt, ich bin seit 1½, 1¾ Jahren in dem Beruf des Steuerberaters tätig, ich habe studiert, in München an der Universität, sechs schöne Jahre, es war eine sehr schöne Zeit.

R: Sie sind seit 1¾ Jahren nun in Ihrem Beruf als Steuerberater. Was hat sich denn verändert, wenn Sie das vergleichen: die Zeit des Studiums und jetzt Ihr Berufsleben?

T: Gott sei Dank, ich hab mich nicht verändert, sondern die Zeit, die man zur Verfügung hat, für vieles, was sehr schön und angenehm ist, die ist einfach kürzer geworden.

R: Wie war das während Ihres Studiums?

T: Die Zeit konnte man bedingt durch die vielen Stunden, die auch an der Universität stattfinden, aber in der Regel sehr, sehr frei einteilen, man hat sehr viel geschwänzt, man hat sehr viel blau gemacht, man hat sehr viel Bayern genossen, an dem See gelegen und Bier getrunken.

R: Welche Vorstellungen hatten Sie, wenn Sie an Ihren Beruf gedacht haben und wie wurde es dann, als Sie in Ihrem Berufsleben anfingen?

T: Meine Vorstellung vom Beruf war, dass ich von meinem Beruf einfach erwartet habe, dass ich sehr viel mit anderen Leuten zusammen komme, dass ich sehr viel einfach von Anfang an gleich unternehmen, bewegen kann, dieses hat sich alles reduziert, man muss wirklich ebenfalls im Beruf erst lernen.

R: Und wie sieht es aus, was Ihre Zeiteinteilung betrifft. Wie viel Zeit haben Sie jetzt noch für sich übrig?

T: Viel zu wenig; ich habe für mich persönlich dadurch, dass ich noch einen kleinen Sohn habe und eine Ehefrau, für mich persönlich zu wenig Zeit.

Das Studium war schön für mich, um mich selber auch irgendwo fortbilden zu können auf Gebieten, die mich einfach mal interessiert haben, und das hab ich auch gerne gemacht; aber im Berufsleben jetzt muss man sich dort fortbilden, im Moment, womit man das Geld verdient, und es geht vieles leider unter, das ist Kunst, das ist Geschichte, das ist Musik, das ist vieles Interessante, was aufgegeben wird, im Sinne auch der Familie.

R: Das heißt, haben Sie früher viel gelesen, haben Sie Musik gemacht, sind Sie abends weggegangen mit Ihrer Frau, und das alles können Sie jetzt nicht mehr tun?

T: Ich habe früher relativ viel gelesen, interessante Bücher unter anderem, aber doch auch wieder sehr viele Berichte und Zeitschriften und Zeitungen. Auch dazu kommt man ja heute kaum noch.

Wir sind dann sehr viel unterwegs gewesen, Theater, kulturell einfach unterwegs gewesen, wir habens genossen, wir haben vor allem auch Menschen sehr gerne einfach kennen gelernt, das geht zwar heute auch noch, aber mit einem Kind ist es immer wieder problematischer, da wir doch daran denken, dass dieses Kind auch einen geregelten Schlaf einmal finden sollte.

R: Wie ist denn jetzt Ihre Arbeitszeit?

T: Fließend. Es gibt Nächte, da arbeite ich bis um drei oder vier, und es gibt genauso Tage, wo ich dann am nächsten Tag um acht wieder anfange, ganz normal, es gibt aber auch Tage, wo ich ... normal ist für mich, dass ich abends um 7, ½8, 8 Uhr zu Hause bin.

R: Haben Sie ein Ideal, was Ihren Beruf betrifft, einen Anspruch an sich selber, so und so will ich sein, das will ich schaffen, das will ich machen?

T: Ich habe als Ideal – ist vielleicht fast übertrieben, aber als Vorstel-

lung, – immer meinen eigenen Vater, der auch in diesem Beruf tätig ist und der es geschafft hat, sich für die Firma und für die Familie immer wieder genügend Zeit zu nehmen und drei Kinder letztendlich unter anderem auch groß gezogen hat, der es wirklich geschafft hat, sich dann auch aufzubauen, der sich mit Stolz zurücklehnen kann heute in seinem Chefsessel und sagt: Das habe ich geschafft, das habe ich geleistet.

Arbeitsbuch – Aussprachetraining

S. 19/1

wäre, hätte, käme, Ränder, gäbe, Gläser, zählen;
ä – a: Vertrag, Vorschlag, Tag, Satz, Plan, Name, Land

S. 19/2b

Es fließen Tränen, wenn wir uns trennen.
Wir wohnten in Tälern und aßen von Tellern.
Sie rechnete damit, dass er sich rächte.
Der Präsident wurde von der Presse gelobt.
Wir fuhren mit der Fähre in die Ferne.

S. 19/3a

gähnen, Gäste, Bären, Ehre, ähnlich, klären, fehlen, wären, Schwäche, Federn

Lektion 2

S. 22/2-3

(Sp = Sprecherin, M = Mutter, V = Vater, P = Paula, C = Clemens)

M: Paula, magst du noch Tsatsiki?

P: Nein, danke, ich bin satt.

Sp: Es ist 19 Uhr, Familie Weininger-Braun sitzt beim Abendbrot. Zur Familie gehören die Eltern, das sind Helga Weininger und Götz Braun, und zur Familie gehören die Kinder, Paula, 9 Jahre alt und Clemens, 10 Jahre alt.

Wer von Ihnen ist denn eigentlich dafür zuständig, dass immer das Essen auf dem Tisch steht?

V: Alle, alle, mal bin's ich, mal ist es meine Frau und manchmal helfen sogar die Kinder mit. Die könnten aber öfter mithelfen.

Sp: Clemens, weißt du denn, wie das geht, was gehört alles auf den Tisch?

C: Teller, Gabel, Messer, Gläser, Salat, Brot, Butter, ...

M: Paula, könntest du mir mal bitte die Butter reichen?

Sp: Wer ist denn bei Ihnen fürs Einkaufen zuständig?

V: Na, das Einkaufen macht auch, wer gerade Zeit hat. Das macht der Clemens auch recht gern, vor allem am Samstag geht er zum Bäcker, zum Beispiel. Die Paula geht etwas seltener zum Einkaufen, die traut sich manchmal nicht so recht, hab' ich das Gefühl. Und wir haben's sehr praktisch, wir wohnen in einer kleinen Stadt, da sind die Wege nicht sehr weit, alles ist gleich ums Eck und in wenigen Minuten zu Fuß zu erreichen.

Sp: Wann beginnt denn bei Ihnen hier in der Wohnung der Tag, das heißt, wann stehen Sie morgens auf, wann werden Sie wach?

M: Da bin ich wohl die Erste, ich steh' auf um halb sechs Uhr morgens.

Sp: Das ist ja furchtbar früh, da ist es ja im Winter noch stockdunkel draußen!

M: Allerdings ist das nicht jeden Tag der Fall, sondern sehr unterschiedlich, weil ich im Schichtdienst arbeite.

Sp: Was ist Ihr Beruf?

M: Ich bin Krankenschwester.

Sp: Und wenn Sie morgens um halb sechs schon aufstehen, richten Sie dann auch schon das Frühstück her?

M: Nein, das macht dann mein Mann, die stehen dann später auf. Um sieben Uhr, so ungefähr.

Sp: Herr Braun, sind Sie dann noch da, bevor die Kinder zur Schule gehen?

V: Ich bin noch da, ich bin zur Zeit recht häufig zu Hause, weil ich viel zu Hause arbeite.

Sp: Was ist Ihr Beruf?

V: Ich bin Unternehmensberater, vor allem für umweltrelevante Fragen berate ich Betriebe. Also ich brauch' kein großes Büro, zu Hause muss ich Sachen ausarbeiten und geh' dann in die Firmen und mach den Rest der Arbeit dort.

Sp: Und Sie können Ihre Termine so legen, dass Sie am Morgen für Ihre Kinder da sein können?

V: Meistens geht es. Und wenn es nicht geht – wir hatten auch schon Zeiten, wo wir beide vor den Kindern aus dem Haus mussten – da haben sie ihr Frühstück selber gemacht und sind selbstständig in die Schule gegangen. Das geht schon auch.

Sp: Ist der Weg zur Schule weit?

V: Nein, da ist es auch wieder die kleine Stadt, wo alles sehr gemütlich ist, zur Grundschule sind es wie viele Minuten Paula, zu Fuß?

P: Mmm, so ungefähr zehn Minuten.

V: Na, weniger würd' ich sagen, sogar. Hm?

P: Na ja, wenn man trödelt.

Sp: Du gehst zu Fuß zur Schule?

P: Ja.

C: Ich fahr mit dem Fahrrad, fünf Minuten ungefähr, zum Gymnasium.

Sp: Und die Schule beginnt um acht Uhr?

P, C: Ja. Acht Uhr.

Sp: Für euch beide?

P, C: Ja.

Sp: Wie ist es dann, wenn ihr nach Hause kommt?

P: Unterschiedlich. Mal hab' ich um 11.20 Uhr aus, mal um 12.15 Uhr, mal um eins.

Sp: Und wie ist das bei dir, Clemens?

C: Jeden Tag bis fünf nach eins.

Sp: Und dann, wo esst ihr zu Mittag? Trifft die Familie sich hier am Mittagstisch? Zu Hause?

C: Papa ist meistens da, nur Mama ist manchmal da. Die hat ja öfters Schicht, Frühdienst oder Spätdienst oder so Zwischendienst.

P: Nur wenn sie Nachtdienst hat, sehen wir sie.

Sp: Wer kocht denn das Mittagessen, sind Sie das, Herr Braun?

V: Ja, natürlich mach' ich das. Also, manchmal kommt's auch vor, dass ich auch keine Zeit hab', und da rufen die Kinder dann in der Pizzeria an und bestellen eine Pizza und die holen sie dann und essen sie zu Hause.

Sp: Da sind die Kinder ja ganz schön selbstständig.

V: Ja, also ich glaub' da können wir schon sehr zufrieden sein.

Sp: Was machen Sie denn an den Wochenenden? An den Wochenenden sind ja die meisten Familien beieinander, aber wenn Sie, Frau Weininger, wenn Sie im Krankenhaus arbeiten müssen, passiert das oft auch am Wochenende?

M: Nicht oft, aber einmal im Monat arbeite ich am Wochenende.

Sp: Was tun Sie denn, wenn Sie das Wochenende zusammen haben?

C: Fahrradtouren manchmal, mach' ich also öfters alleine mit meinem Papa. Einmal sind wir in die Nähe von Landshut gefahren, und Biergarten war ich jetzt zweimal. Wald drum rum.

Sp: Und Paula? Fährst du mit, wenn's so ums Radfahren geht?

P: Manchmal, manchmal bleib' ich auch zu Hause und geh' zu Freunden.

Sp: Was machen die Eltern am Wochenende, oder wenn die Kinder im Bett sind?

M: Manchmal gehen wir ins Kino, manchmal sitzen wir einfach zu Hause und sehen fern. Manchmal muss einer von uns oder wir beide abends auch arbeiten. Wir treffen Freunde, mal ist es hier bei uns zu Hause, mal gehen wir zu Freunden.

Sp: Wer entscheidet denn, wofür hier in der Familie Geld ausgegeben wird? Wer bestimmt mit, das und jenes wird angeschafft. Reden alle mit, auch die Kinder? Oder, wo man in Urlaub hinfährt zum Beispiel?

M: Ja, ich denke schon, dass wir da zusammen drüber reden, die Kinder interessiert immer sehr, wie viel was kostet, wie viel zum Beispiel ein Urlaub kostet, eine Flugreise kostet. Sie interessieren sich natürlich auch, wie viel ihre Weihnachts- oder Geburtstagsgeschenke kosten könnten, die sie sich so wünschen. Ja, es wird zum Teil gemeinsam beschlossen.

M: Würdest du den Tisch abräumen, Paula?

P: Na gut.

V: Ich stell' dir mal den Teller rüber. Hier.

Sp: Da gerade von Geld die Rede war, darf ich nicht vergessen zu erwähnen, Paula und Clemens sind ziemlich bescheiden. Sie bekommen in der Woche von ihren Eltern 1,50 DM Taschengeld. Mehr nicht.

Sp: Paula und Clemens haben ein Kinderzimmer für sich. Wo ist denn euer Kinderzimmer?

C: Wenn man zur Tür rein kommt, den Flur entlang und dann links.

P: Also, wir haben ein Hochbett und da schlafen wir beide drin. Also, wenn man zur Tür rein kommt, steht das ganz links.

Sp: Das sind zwei Betten übereinander. Welches ist denn dein Bett?

P: Das obere.

Sp: Da musst du mit der Leiter dann hochklettern.

P: Genau.

Sp: Und in diesem Zimmer stehen zwei Schreibtische. Clemens, wo arbeitest du denn, was ist dein Schreibtisch?

C: Links, der.

Sp: Wie lange sitzt du denn an deinen Schulaufgaben?

C: Mmm, das Höchste war 20 Minuten.

Sp: Was, so wenig? Paula, wie lange brauchst du für deine Hausaufgaben?

P: Manchmal länger. Das Höchste war eine Stunde.

Sp: Was macht ihr denn, wenn ihr fertig seid mit euren Hausaufgaben?

C: Manchmal rufen wir Freunde an, wenn sie da sind. Bücherei gehen, rausgehen, Fußball spielen oder so was. Wenn schönes Wetter ist. Im Winter Schlitten fahren.

P: Also, ich geh' auch manchmal in die Bücherei. Manchmal leg' ich mich ins Bett und lümmel' einfach rum, manchmal darf ich ein bisschen fernsehschauen, manchmal Computer spielen. Dann geh' ich manchmal also auch zu meinen Freunden. Also, wir wohnen in einem Haus, das hat drei Stockwerke und da haben wir auch mehrere Freunde und zu denen geh' ich dann oft.

Sp: Wann müsst ihr am Abend das Licht ausmachen, wann geht ihr ins Bett?

C: Normalerweise um acht Uhr, aber manchmal wird's auch neun. Also, wenn ich – ich hab' auch zweimal in der Woche Fußballtraining, das ist ziemlich spät, da komm' ich erst so um halb acht, acht heim. Da wird's eher halb neun.

Sp: Bald ist es soweit. Gute Nacht wünsche ich euch dann.

C: Gute Nacht

P: Gute Nacht.

Arbeitsbuch – Aussprachetraining

S. 33/2

Wünsche, wüsste, dürfte, müsste, nützen;
Gruß, fuhr, Schule, Natur, Kunst

S. 33/3

Liste, für, gefiel, Glück, Flüge, liegen, Küche, Kissen, Tier, spülen, Wüsten, Gericht

S. 33/4

Franz Fühmann, Günter Kunert, Friedrich Dürrenmatt, Max Frisch, Rainer Maria Rilke, Günter Grass, Siegfried Lenz, die Brüder Grimm, Friedrich Schiller

Lektion 3

S. 34/1–2

(M = Moderator, St = Frau Störli, W = Frau Weber, Sp = Herr Sperling, R = Herr Ruf)

M: Ich begrüße Sie ganz herzlich zu unserer kleinen Gesprächsrunde zum Thema: Feste feiern. Eingeladen habe ich Frau Störli,

St: Guten Tag,

M: Frau Weber,

W: Hallo,

M: Herrn Sperling,

Sp: Grüß Gott,

M: und Herrn Ruf

R: Hi.

M: Wir wollen jetzt ein wenig über Ihre Einstellungen zu Festen, Feiern, Feten usw. sprechen. Vielleicht können Sie sich aber zunächst kurz vorstellen:

St: Also, ich heiße Susanne Störli, komme aus Braunschweig und bin 33 Jahre. Von Beruf bin ich Informatikerin.

Sp: Und mein Name ist Franz Sperling, ich komme aus Passau, bin Architekt, ja und ... ach ja, ich bin 37 Jahre alt. Ich bin verheiratet und habe drei Kinder.

R: Ich bin der Johannes Ruf, bin 19 und Student, ich studiere Jura in Hamburg ...

W: Und ich heiße Hannelore Weber, bin 27, lebe in Frankfurt, bin in einer großen Firma als Sekretärin beschäftigt ...

M: Dann lassen Sie uns jetzt übers Feiern sprechen: Was war denn das schönste Fest, das Sie je gefeiert haben? Frau Weber.

W: Da muss ich mal überlegen, also die Party, die ich zu meinem 25. Geburtstag gemacht habe, also die war wirklich Klasse. Da habe ich 100 Leute eingeladen. Und gefeiert haben wir im Garten meiner Eltern, also so'n richtig schickes Gartenfest. Das Wetter hat auch mitgemacht und alle Freunde haben was zu essen mitgebracht, ein richtiges Wahnsinnsbuffet mit allem Drum und Dran, und dann hatten wir auch Live-Musik, eine ganz tolle Band, Freunde von mir, die konnten alles spielen, so von Walzer bis Techno ... und wir haben einfach getanzt, die ganze Nacht, und am Morgen sind dann die letzten Gäste, also die, die übrig geblieben waren ... dann sind wir noch mit 30 Leuten zum Schwimmen in den Baggersee gegangen ... bei Sonnenaufgang ... ach, romantisch ...

M: Sie haben also einen großen Freundeskreis?

W: Oh ja, einen sehr großen. Und mir sind meine Freunde sehr wichtig, und alle feiern wir gerne ...

M: Und bei Ihnen Herr Sperling, welches Fest haben Sie in besonders guter Erinnerung?

Sp: Gar keins. Ich mag nämlich eigentlich keine Feste. Ich kann das nicht ausstehen, da kommt man mit Menschen zusammen, die einen gar nicht interessieren, man steht dumm rum und unterhält sich über Dinge, die einen eigentlich gar nicht interessieren. Ich hasse diesen Smalltalk, ich hab einfach keine Lust, mich über Automarken, Urlaub auf Mallorca, die letzte Diät oder ähnlich ach so interessante Themen zu unterhalten. Ernsthafte, tiefe Gespräche kann man doch auf Festen und Partys gar nicht führen. Tanzen tue ich auch nicht gern, also, was soll ich da? Ich treffe mich lieber mit ein paar wirklich guten Freunden, wir gehen zusammen

essen oder wir unternehmen was, das macht mir Spaß, aber bitte keine Massenveranstaltungen.

St: Ja, also, solche Massenveranstaltungen mag ich auch nicht. Aber das muss ja nicht heißen, dass man nicht gerne Feste feiert. Also, ich zum Beispiel, ich mag sehr gerne kleine überschaubare Feste zu einem feierlichen Anlass. Zum Beispiel mache ich an meinem Geburtstag immer ein feierliches Essen mit meiner Familie. Mein Freund kommt natürlich auch und meine Eltern, meine Schwestern mit Mann und Kindern. Alle halt. Da koche ich so richtig toll: ein 5-Gänge-Menü mit allen Schikanen.

Sp: Oh Gott, eine Familienfeier, das ist ja noch ätzender ...

St: Ich würde sagen, das kommt auf die Familie an!

M: Und Sie Herr Ruf, mögen Sie Familienfeiern?

R: Wenn ich ganz ehrlich bin: nicht allzu gerne. Also, es ist nicht so, dass es wirklich schlimm für mich ist, aber normalerweise finde ich es einfach langweilig. Ich finde auch so normale Partys langweilig, ich finde, wenn man ein Fest macht, dann soll es schon etwas ganz Besonderes sein. Letztes Jahr war ich auf so einem Fest: Da hat jeder am Anfang einen Zettel gezogen, da stand eine Rolle drauf, die man den ganzen Abend spielen musste: also, ich war zum Beispiel Bill Clinton. Meine Freundin war Sophia Loren und wir haben uns den ganzen Abend prächtig amüsiert. Man muss also den ganzen Abend diese Rolle spielen, darf sich nicht ganz normal unterhalten ... Das ist mal was anderes, da muss man auch phantasievoll und kreativ sein und lernt die anderen Gäste auf ganz unkonventionellem Weg kennen.

Sp: Das wäre ein Alptraum für mich: Ich stell mir vor, ich müsste den ganzen Abend Micky Maus spielen, oh je!

M: Also, Herr Sperling, Sie sind ein echter Partymuffel, oder? Kann man so sagen.

Sp: Ja, und dazu stehe ich.

M: Wie verbringen Sie denn Feiertage wie Weihnachten, Ostern, oder was machen Sie an Ihrem eigenen Geburtstag?

Sp: An meinem Geburtstag verkrieche ich mich und hoffe, dass mich niemand anruft oder sogar noch besucht. Ich mag auch keine Geburtstagsgeschenke, ich freue mich mehr, wenn man mir einfach dann etwas schenkt, wenn man Lust dazu hat, nicht weil man muss, weil nun gerade an diesem Tag mein Geburtstag ist. Leider nimmt niemand Rücksicht auf meine Bedürfnisse: meine Frau schenkt mir was, meine Kinder, meine Freunde. Einmal haben Freunde sogar eine Überraschungsparty für mich gemacht – oje, oje, oje, das war der schrecklichste Geburtstag, den ich je erlebt hatte.

Weihnachten mag ich natürlich auch nicht besonders gern – diese aufgesetzte Feierlichkeit und Gefühlsduselei, der Konsumterror ... Nee, mit mir nicht, nein danke!

W: Also, ich mag Weihnachten eigentlich ganz gern. Ich fahre meistens zu meinen Eltern. Wir machen es uns total gemütlich. Am Heiligen Abend sind wir meistens zu dritt unterm Tannenbaum, und am ersten Weihnachtstag kommt auch mein Bruder, und dann machen wir ein richtig schickes Essen. Also, ich mag das, es ist einfach wunderschön zu Hause, so im kleinen Kreis, und ich freue mich, wenn die ganze Familie sich wenigstens einmal im Jahr trifft. Und da ist Weihnachten bei uns ein guter Anlass.

R: Aber muss es denn immer Weihnachten sein? Warum kann man sich denn nicht einmal einfach so treffen, wenn man Lust hat. Warum muss so was immer so erzwungen sein? Ich finde es einfach furchtbar, dass an Weihnachten immer so eine Scheinharmonie herrscht, das ganze Jahr über streitet man sich, und an Weihnachten tun alle so, als ob sie eine glückliche Familie wären.

St: Na ja, aber das kann man so jetzt aber auch nicht sagen. Also, wir zum Beispiel genießen die Weihnachtstage wirklich. Ich habe, wie gesagt, eine große Familie, und an Weihnachten kommen wir alle zusammen, es ist einfach toll, es macht mir Freude, die leuchtenden Augen von meinen Neffen und Nichten da zu sehen, wenn sie die Geschenke auspacken, und der Baum und ... Ich singe auch gern Weihnachtslieder, ich mache gerne Geschenke, also, ich weiß wirklich nicht, was daran schlecht sein soll ...

M: Wenn Sie heute spontan ein Fest organisieren müssten? Wie sähe das aus? Wen würden Sie einladen? Wie würden Sie Ihre Gäste bewirten?

R: Ich habe schon lange vor, mal eine ganz besondere Party zu machen: Ich möchte alle meine Freunde einladen: und auf dieser Party darf nicht gesprochen werden. Also: eine Schweigeparty, man darf sich nur mit Gesten und Mimik verständigen, natürlich gibt es etwas zu essen, es gibt Musik, es kann getanzt, geflirtet, gespielt werden, aber es darf nicht gesprochen werden – ist doch interessant oder?

Sp: Oh ja, also, das wäre mal 'ne Party, zu der ich kommen würde!

R: Sie sind herzlich eingeladen!

Sp: Danke!

St: Zu meiner Party würden Sie wohl eher nicht kommen. Ich würde vielleicht ein nettes Restaurant mieten, ein schönes Essen bestellen, wir könnten zusammmensitzen und reden ... Einladen würde ich meine engsten Freunde, vielleicht auch ein paar Kollegen.

W: Und ich würde eine Riesenparty machen und alle Leute einladen, die ich kenne, meine Freunde, meine Familie, Kollegen, Nachbarn. Und dann würden wir ein gigantisches Picknick machen, irgendwo auf dem Land, auf einer Wiese, alle würden die herrlichsten Sachen zum Essen und Trinken mitbringen. Und mittags würden wir anfangen, und dann wird das Ganze so bis in die Nacht dauern ... ja, also ich kann sagen, ich liebe es, zu feiern.

M: Das war doch ein schönes Schlusswort. Ich danke Ihnen für Ihre Offenheit und hoffe, dass Sie noch viele fröhliche Feste feiern werden!

S. 40/1 – Gespräch 1

(R = Renate, A = Albert)

R: Bergmann.

A: Hallo Renate, hier ist Albert.

R: Ja, hallo, Albert! Von dir habe ich ja lange nichts gehört.

A: Ich weiß, ja. Aber ich hatte schon wieder so viel zu tun. Prüfungen, Seminare ... Du kennst das ja. Aber ich wollte dich hiermit zu meiner Geburtstagsparty einladen.

R: Mensch, da freu ich mich. Wann ist sie denn? Und wo?

A: In vierzehn Tagen: also, am Samstag, den sechzehnten. Bei mir zu Hause. Abends so um acht Uhr.

R: Samstag, den sechzehnten, Samstag, den sechzehnten ... Lass mich mal nachdenken. Da war doch was ... Ach nein, Quatsch. Klar komm ich da, klar komm ich.

A: Prima, sehr schön. Dann sehen wir uns also in zwei Wochen.

R: Halt, stopp! Soll ich noch was mitbringen? Zum Essen oder zum Trinken?

A: Nein, nein. Oder? Also, wenn es dir gar nichts ausmacht, würde ich mich natürlich freuen, wenn du irgendeine Kleinigkeit zum Essen mitbringen würdest. Einen Salat oder so was.

R: Klar, kann ich machen. Und Albert, würde es dir was ausmachen, wenn ich noch jemand mitbringe? Also, ich ...

A: Nein, natürlich macht mir das nichts aus. Bring ruhig jemand mit. Es kommen sowieso mindestens fünfzig Leute. Kein Problem.

R: Gut, dann bis Samstag.

A: Tschüs.

R: Ciao, bis dann.

S. 40/1,3 – Gespräch 2

(S = Frau Schmidbauer, M = Herr Müller)

S: Schmidbauer.

M: Ja, guten Tag Frau Schmidbauer. Hier spricht Müller.

S: Ach, guten Tag Herr Müller. Das ist aber eine Überraschung.

M: Frau Schmidbauer, ich möchte Sie und Ihren Mann ganz herzlich zu meiner kleinen Geburtstagsparty einladen.

S: Oh, das freut mich aber. Wann und wo findet Ihr Fest denn statt?

M: In vierzehn Tagen. Am Samstag so gegen 20 Uhr. Wir feiern in der Gaststätte „Bunter Hund" in der Schwesterstraße 7.

S: Oh, wir kommen selbstverständlich gerne. Da haben wir noch nichts vor.

M: Sehr schön. Das freut mich.

S: Ja, vielen Dank noch mal für die Einladung. Und auf Wiedersehen.

M: Auf Wiederhören.

Lektion 4

S. 46/1

(M = Moderatorin, Sch = Schüler, Mu = Mutter)

M: Der Lärm in der Schule klingt wie jeden Tag. Aber heute, an diesem wunderbar heißen Sommertag, ist nichts wie sonst. Die Schüler und Schülerinnen kommen später als sonst, sie werden früher als sonst wieder gehen. Und: Das Einzige, was sie heute in der Schule erwartet, sind die Zeugnisse. Manche haben dabei ein ungutes Gefühl.

Sch 1: ... weil ich durchgefallen bin ...

M: Das weißt du jetzt schon, wo du das Zeugnis noch gar nicht in der Hand hast?

Sch 1: Ja. Doch, das weiß ich ziemlich genau. Schon länger. Und ich will nur schnell weg von hier, eigentlich. Und jetzt, wo ich mein Zeugnis hab', und verschwind' ganz schnell wieder.

M: Das ist kein tolles Gefühl.

Sch 1: Nee, das Gefühl ist nicht so toll. Aber damit muss man leben.

M: Tja, er muss nun damit leben, dass er das ganze Schuljahr noch einmal absitzen muss. Mit demselben Lehrstoff. Umgeben von neuen Gesichtern in einer fremden Klasse. Anderen geht es ...

Sch 1: Prima. Ich denk' mir da nix. Das ist jedes Jahr das Gleiche. Also, bei mir ändert sich da nie viel.

M: Wie waren denn deine Zeugnisse bisher immer?

Sch 1: Sehr gut. Ohne Probleme. Deswegen ist es für mich nichts, wovor ich zittern müsste. Im Gegensatz zu anderen Leuten, wo die da schon Wochen vorher halt Angst davor haben.

Sch 2: Mir geht's jetzt momentan ganz gut. Also, in 12/1 da ging's nicht so. Hatte nicht so viele Punkte gesammelt. Aber jetzt, heute bin ich etwas beruhigter wie ... wie vor 'nem halben Jahr. Das heißt, dass ich also in jedem Fach halt entweder fünf Punkte oder über fünf Punkten lieg'. Also in der Kollegstufe halt. Ich hoffe halt, dass ich halt ein gutes Abitur dann hinleg', nächstes Jahr. Und ich freue mich jetzt darauf schon. In 'nem halben Jahr oder 'nem Jahr ... in acht Monaten ist es dann soweit. Und ... ja, ich hoffe, ich werde ein gutes Abitur haben.

M: Ist es dann heute ein Tag, wo du so ein bisschen aufgeregt bist?

Sch 2: Ja, ein bisschen schon. Weil, es geht ja halt alles in die Abiturnote ... Also in 'n Durchschnitt.

M: Und dann sind sie alle in den Klassenzimmern verschwunden. Es ist wieder still, wie immer. Vor dem Schultor warten unterdessen einige Mütter.

Mu: Ich warte auf meine Tochter. Am Zeugnistag wünscht sich fast jedes Kind, dass sie mit dem Zeugnis abgeholt werden. Das ist heute ein sehr wichtiger Tag für sie.

M: Also, ihre Tochter hat Sie gebeten, dass Sie sie hier jetzt abholen, weil Zeugnistag ist.

Mu: Ja, so ist es.

M: Endlich ist es soweit. Mit dem wichtigen Blatt Papier, dem Zeugnis in der Hand, verlassen alle die Schule. Wie geht's dir jetzt, mit deinem Zeugnis in der Hand?

Sch 2: Ach ja, es hätte schon besser sein können. Ich hätte schon mehr schaffen können. War vielleicht zu faul.

M: Lass mal gucken. Oh, du hast in Mathe mangelhaft.

Sch 3: Ja, das ist nicht so schlimm, finde ich, ehrlich gesagt. Das kann man verkraften. In Mathe war ich noch nie so ein Genie.

M: Aber ihr kommt beide in die nächste Klasse?

Sch 2: Ja.

Sch 3: Ja.

M: Und wie sieht euer Zeugnis aus?

Sch 4: Ja, schlechte Mittelklasse. Aber passt schon.

Sch 5: Ja, meins schaut ganz gut aus eigentlich. Außer Geschichte. Aber sonst ist alles super.

M: Welche Punktzahl hast du erreicht?

Sch 5: In Geschichte hab ich fünf Punkte ...

M: Das ist nicht viel.

Sch 5: Das ist nicht viel. Aber in Musik hab ich dafür 13 Punkte. Das ist ... und Mathe auch 13 Punkte.

M: Bist du zufrieden mit deinem Zeugnis?

Sch 5: Sehr zufrieden, ja.

M: Was machst du heute noch den Rest des Tages?

Sch: Feiern.

M: Wie denn?

Sch: Ach, essen gehen. Ins Kino.

Sch: Ich geh mit ein paar Freunden Eis essen.

Sch: Feiern, loslegen, was auch immer. Jetzt sind ja sechs Wochen Ferien. Jetzt kann man ja machen, was man will.

S. 46/2

(M = Moderatorin, S = Sabrina)

M: Und bevor auch Sabrina in die Ferien geht, treffe ich sie zu Hause. Sabrina ist 16 und das Jahreszeugnis der Georg-Büchner-Realschule hat ihr die Tür in die letzte Klasse geöffnet. Mit ihren Noten ist sie zufrieden. Nicht aber mit dem Kommentar, den die Lehrerin unten aufs Blatt geschrieben hat:

S: Also, Sabrina, eine zurückhaltende Schülerin, beteiligte sich zufriedenstellend am Unterricht. Im zweiten Halbjahr zeigte sie einen Leistungsabfall. Ihr Verhalten war recht erfreulich.

M: Ist das für dich ein erfreuliches Zeugnis?

S: Ja, also, das Zeugnis ist schon erfreulich, aber mit dem Leistungsabfall, das fand ich nicht so gut. Und dass ich mich nur zufriedenstellend am Unterricht beteiligt hab, weil es ist eigentlich eine nicht so gute Beurteilung. Weil, ich hab eigentlich schon ganz gut immer mitgemacht.

M: Jetzt bist du enttäuscht darüber, was die Klassleiterin da an Beurkundung unter das Zeugnis geschrieben hat. Kannst du da was machen dagegen?

S: Nee, also machen dagegen kann ich nix. Ich muss halt versuchen, nächstes Jahr dann noch mehr mitzuarbeiten.

M: Was bedeutet denn für dich dieses Zeugnis?

S: Ja, für mich bedeutet dieses Zeugnis, dass ich sehe, wie ich stehe momentan. Und dass ich sehe, wo ich mich noch anstrengen muss. Und ja, dass ich weiß halt, dass ich nächstes Jahr dann besser mitarbeiten muss. Weil ich mich ja dann mit dem Halbjahreszeugnis vorstellen gehen muss.

M: Wo musst du dich vorstellen, mit dem Halbjahreszeugnis?

S: Dort, wo ich dann arbeiten will. Dass ich dann da schon mal Bewerbungen wegschicke.

M: Das heißt, dieses Zeugnis ist wichtig für dich, damit du in die nächste Klasse kommst.

S: Genau, das stimmt.

M: Und das nächste Zeugnis, was du in einem halben Jahr bekommen wirst, das ist wichtig, dass du dich damit schon mal bei einer Arbeitsstelle bewerben kannst.

S: Stimmt genau. Und deswegen ist es auch wichtig da die Beurteilung.

M: Was wünschst du dir, was da drunter stehen soll?

S: Ja, dass mein Verhalten vollste Anerkennung hat, schon.

M: Jetzt hast du das Zeugnis in der Hand. Ist das für dich auch wie eine Belohnung für all die Stunden, die du gelernt hast?

S: Ja, auf jeden Fall. Weil man halt dann das Resultat sieht. Was man geleistet hat. Das steht praktisch dann auf Papier. Und dann, ... ja, Selbstbestätigung.

M: Welches Gefühl hast du denn, wenn du das jetzt in der Hand hast?

S: Ein gutes Gefühl. Dass man halt weiß, das Schuljahr ist zu Ende. Und man lässt alles hinter sich. Ein gutes Gefühl.

M: Und auch wirklich so was wie: „Es lohnt sich zu arbeiten, zu lernen, Stunden über den Büchern zu sitzen?"

S: Ja, auf jeden Fall. Weil ... man mag ja mal im Leben was erreichen, und da gehört ein gutes Zeugnis dazu.

S. 52/2

(I = Interviewerin, Ch = Christopher)

Ch: Ja, hallo, ich bin der Christopher Küch. Ich komme aus Halle. Ich lebe mit meinem Vater alleine, da meine Eltern geschieden sind. Ich gehe auf das Christian-Wolf-Gymnasium in Halle.

I: Welche Klasse?

Ch: Ich gehe jetzt in die achte Klasse.

I: Wie alt bist du?

Ch: Ich bin 14 Jahre alt.

I: Du bist also Schüler. Und was für eine Schule besuchst du denn?

Ch: Ich besuche ein Gymnasium.

I: Wer hat denn für dich entschieden, dass du in diese Schule, in dieses Gymnasium gehst?

Ch: Das hat meine Mutter entschieden. Am Ende der Grundschule, also in der vierten Klasse, hat meine Mutter entschieden, weil ich so ein gutes Zeugnis hatte, dass ich auf ein Gymnasium komme.

I: Wie alt warst du da?

Ch: Da war ich genau zehn Jahre alt.

I: Findest du, dass das Gymnasium die richtige Schule für dich ist? Du bist ja jetzt schon ein paar Jahre dort.

Ch: Am Anfang in der fünften Klasse habe ich schon gedacht, dass es die richtige Schule für mich ist. Aber jetzt, nachdem ich sitzen geblieben bin, wäre ich lieber auf eine Realschule gegangen.

I: Ist es dir jetzt zu schwer auf dem Gymnasium?

Ch: Ja, ja schon. Die Lehrer stellen viel zu viele Ansprüche auf dem Gymnasium. Und auf der Realschule ist es nicht so. Die stellen nicht so viele Ansprüche, verlangen nicht so viel von den Schülern, so viele Hausaufgaben. Das ist alles gut für mich. Ich bin ein sehr fauler Schüler, wie ich selbst zugebe. Ich lerne nicht so gern. Ich mache zwar meine Hausaufgaben immer, aber Lernen ist nicht so mein Ding.

I: Was heißt denn das, sitzen bleiben?

Ch: Sitzen bleiben, das heißt, dass man in der Klasse versagt hat, das heißt, man das Klassenziel der Klasse nicht erreicht hat und damit halt durchfällt.

I: Ja, und was passiert jetzt?

Ch: Jetzt muss ich diese Klasse noch mal wiederholen und halt sehen, dass ich ordentlich durchkomme.

I: Ja, wie ist das passiert, dass du sitzen geblieben bist?

Ch: Ja, ich bin in meinen Problemfächern sitzen geblieben, wo ich noch nie so richtig gut war. Mein Lehrer hat mir kaum eine Chance gegeben, nach dem Halbjahr, nachdem er schon gewusst hat, dass ich eine Fünf hatte, hat er mir keine Chance gegeben, mich von der Fünf runterzubringen. Und so bin ich halt in drei Fächern durchgefallen.

I: Und was sind das für Fächer?

Ch: Das ist Mathe, Physik und Geographie.

I: Aha, und was hast du jetzt genau für Noten in diesen Fächern?

Ch: Ich habe in allen drei Fächern eine Fünf.

I: Und, wann hast du denn erfahren, dass du sitzen bleibst?

Ch: In der letzten Woche sozusagen habe ich es mitgekriegt. Da habe ich einen Zettel gekriegt vom Lehrer, wo die Fächer drauf standen, in denen ich sitzen bleibe.

I: Ach so, du hast es gar nicht im Zeugnis erfahren, sondern vorher schon, auf einem Zettel?

Ch: Ja, genau, auf einem Zettel, der von dem Klassenlehrer an die Eltern geschrieben wird, damit auch die Eltern erfahren, wie die Kinder eben sitzen bleiben.

I: Findest du es eigentlich richtig, dass man, wenn man also schlechte Noten in mehreren Fächern hat, das ganze Schuljahr wiederholen muss?

Ch: Ja, doch, finde ich schon. Es gibt ja auch Schüler aus meiner Klasse, die hatten eine Fünf. Aber die waren in den anderen Hauptfächern, waren die gut und da konnten sie einen Notenausgleich machen. Ich konnte aber keinen Notenausgleich machen, weil ich in drei Hauptfächern eine Fünf hatte. Da hätte ich ja nichts ausgleichen können.

I: Gibt es denn auch Fächer in der Schule, die du gern machst?

Ch: Ja, das ist Sport, Kunst und Musik, das sind eigentlich die Fächer, in denen ich gut bin, die ich auch gerne mache, eigentlich.

I: Ja, und was hat denn dann dein Vater gesagt, als er diesen Brief bekommen hat?

Ch: Mein Vater war sehr ärgerlich. Er hätte sich natürlich gewünscht, dass ich das Klassenziel erreiche und weiterkomme. Na ja, er hat jetzt gesagt, ich soll mich anstrengen, und das werde ich jetzt auch machen.

I: Und die anderen Klassenkameraden von dir, haben die das auch mitbekommen, dass du sitzen bleibst?

Ch: Ja, die haben das auch mitbekommen. Aber es war nicht so schlimm. Andere sechs Kinder sind auch sitzen geblieben aus meiner Klasse.

I: Sechs andere, also sieben insgesamt.

Ch: Ja.

I: Spielt es also für deine Zukunft jetzt eine große Rolle, dass du sitzen geblieben bist, oder nicht so?

Ch: Meine Eltern und Verwandten haben mir eigentlich gesagt, dass es nicht so schlimm ist und auch keine große Rolle spielt, solange ich halt nicht noch mal sitzen bleibe. Albert Einstein ist auch mal sitzen geblieben.

I: Hast du eigentlich eine Idee, was du später mal werden möchtest?

Ch: Ich würde gern mit Computern zu tun haben. Also Bürowesen. Und ich hoffe, dass ich das schaffe, da ich mit Computern eigentlich gute Erfahrungen habe, hoffe ich schon, dass ich es schaffe.

I: Hast du schon mit Computern in der Schule gearbeitet?

Ch: Ja, ich habe einen Kurs angefangen, einen Informatikkurs für Anfänger. Aber nach einem halben Jahr bin ich da raus und bin in einen Profikurs rein. Naja, und da war es interessant. Man hat Neues dazugelernt, über Computer. Und ich hoffe doch, dass ich so einen Job kriegen würde, wo ich mit Computern eben zu tun habe.

Arbeitsbuch – Aussprachetraining

S. 59/5

Grundschule, Federmäppchen, Lineal, Mitarbeit, Klassenarbeit, lernen, Erdkunde

Lektion 5

S. 58/2–3

(M = Moderatorin, K = Kellner, G = Gast, B = Barmann, Ba = Barbara, P = Paula)

M: Wir schauen uns um in einem Münchner Café. Im Café Ruffini.

K: So, bitte schön. Guten Appetit.

M: Sind Sie häufiger hier zu Gast?

G: Eigentlich nur, wenn wir uns treffen zusammen, das ist ... Wie oft treffen wir uns hier? Alle 3, 4 Monate.

M: Und dann kommen Sie hier ins Café Ruffini?

G: Ja, ja.

M: Warum gerade hier?

G: Weil's hier eine schöne Atmosphäre ist, weil man hier mit Kind ganz gut sitzen kann. Weil die Getränke gut schmecken.

M: Die Getränke sind natürlich ganz wichtig in einem Café. Und da bietet das Café Ruffini – das seinen Namen von der Ruffinistraße hat, wo es an der Ecke liegt – bei den Getränken bietet das Café seinen Gästen eine große Auswahl. Fragen wir doch mal den Mann an der Bar. Welche Getränke gibt es hier bei Ihnen?

B: Mit was soll ich anfangen? Kaffee, Tee, Orangensaft, Apfelsaft, Pflaumensaft, Weine, verschiedenste, weiß – rot – alle aus Italien.

M: Warum gerade Weine aus Italien?

B: Weil wir da die Kontakte dazu haben. Wir haben auch die Verbindungen, die Kontakte zu den Weinbauern, zu den Gütern. Also, das geht schon seit Anfang. Das ist so wie eine Leidenschaft oder ein Faible für italienische Weine. Kombiniert mit dem Essen, mit Nudelgerichten und italienischem Flair, ein bisschen auch so mit Cappuccino und Milchkaffee, Espresso.

M: Derart eingestimmt, haben wir große Lust, uns einmal die Küche des Cafés anzuschauen, jenen geheimnisvollen Ort, der einem normalen Gast verschlossen ist. Und auch dort, in der Küche, ist Betrieb. Barbara steht am Herd.

Ba: Ich hol' die Rote-Bete aus dem Kochwasser und kühl' sie dann ab und schäl' sie.

M: Was machen Sie daraus?

Ba: Eine Rote-Bete-Suppe.

M: Und weil Barbara damit so beschäftigt ist, erklärt uns Paula, ebenfalls Köchin, was im Ruffini so alles serviert wird.

P: Wir servieren internationale Speisen – Speisen aus der ganzen Welt. Zum Beispiel gibt's manchmal Hühnersuppe aus Thailand, Lammbraten aus Arabien, Schweinebraten aus Bayern, und aus Italien Nudelgerichte – Gnocchi, Spaghetti, alles Mögliche.

M: Was kochen Sie denn am liebsten?

P: Ich koch' am liebsten Lammbraten, zum Beispiel mit verschiedenen Gewürzen, entweder mit mediterranen Gewürzen oder auch auf arabische Art mit Feigen, Datteln, Nüssen.

M: Was macht Ihnen so viel Spaß, gerade den Lammbraten zu kochen?

P: Es ist handwerklich interessant, man muss die Knochen rauslösen aus der Lammkeule und man kann es füllen und dann kann man verschieden abschmecken. Ja, das ist ein schönes Gericht.

Bestellung: Einmal Penne, Salsa Rosa, zweimal Schweinebraten, drei Salat.

P: Ist in Ordnung.

M: Jetzt muss Köchin Paula erst mal die Bestellung ihres Kollegen erledigen. Kochen ist übrigens Paulas Traumjob. Dabei hat sie Soziologie studiert. Doch das schien ihr nach einigen Praktika und dem Abschluss Magister zu eintönig. Die Küche erwählte sie zu ihrem Arbeitsplatz, weil sie Langeweile in der Arbeit fürchtet und weil ...

P: Weil man in der Küche immer wieder was anderes machen kann, man kann was Neues ausprobieren. Wir haben hier auch niemanden, der uns vorschreibt, was wir kochen, das heißt, man kann sehr kreativ kochen. Und es macht Spaß.

M: Kreativ kochen, heißt das, dass Sie auch immer wieder neue Gerichte auf Ihre Speisekarte setzen?

P: Das wechselt eigentlich jeden Tag. Es gibt bestimmte Standardgerichte, die es immer wieder gibt und die es immer wieder geben muss, weil die Gäste danach fragen. Und dann, es gibt immer wieder was Neues, was wir uns ausdenken oder was wir aus den Ferien mitbringen an Rezepten.

M: Deshalb auch die internationale Küche, weil Sie viele Rezepte und Ideen aus dem Ausland mitbringen.

P: Wir reisen alle gern und bringen viel mit immer. Möglich ist es deswegen, weil wir ein selbst verwalteter Betrieb sind. Wir haben keinen Chef, der uns vorschreibt, was wir tun müssen. Und so können wir immer selbst entscheiden, was wir machen wollen.

M: Wie geht das denn, ohne Chef zu arbeiten? Irgendjemand muss doch entscheiden und sagen, das und das wird gemacht.

P: Das machen wir alle gemeinsam auf verschiedenen Besprechungen – Teambesprechungen und Sitzungen, da wird entschieden, was gemacht wird.

M: Fragen wir noch einmal die Gäste, was sie denn noch mögen am Ruffini?

G: Die ganze Atmosphäre, finde ich, ist schön hier, auch vom Ambiente und vom Publikum, das hier verkehrt, gefällt's mir gut.

M: Was ist das für ein Publikum hier und wie ist das Ambiente?

G: Ganz grob würd' ich sagen „alternativ", na, wie man so halt ... was man unter alternativ versteht.

G: Ja, es ist also freundliche natürliche Menschen hier. Eigentlich in jeder Altersgruppe.

G: Ja, das ist einfach die Lebenseinstellung. Wahrscheinlich, dass man sich nachmittags mal was Gutes gönnt, sich hier rein setzt und das genießt. Das ist nicht so hektisch, also, es sind hier keine Businessleute, keine Juppies.

M: Und die Leute vom Café Ruffini gönnen sich und ihren Gästen noch etwas ganz Besonderes: Mehrmals im Jahr werden bekannte und unbekannte Schriftsteller zu Lesungen eingeladen. Kabarettisten geben hier Vorstellungen, Künstler stellen auf Vernissagen ihre Bilder aus, und mehrmals im Jahr gibt es Abende mit Jazzmusik. Bei italienischem Wein, versteht sich.

Arbeitsbuch – Aussprachetraining

S. 71/2

wahr, Bistro, Bissen, Wald, bitter, Wiese, wann, binden, braten, Bier, Wein, Bäcker, Welt, Wild, Berg

Lektion 6

Arbeitsbuch – Aussprachetraining

S. 83/2

Pflug, Flüge, Pflaume, Flamme, Pfote, Koffer, Affe

Lektion 7

S. 81/3

Also, auf dem Foto sehe ich verschiedene Menschen. Vorne zwei junge Männer. Ich schätze mal ihr Alter so auf Mitte zwanzig. Der Mann vorne im Bild hat helle, lange Haare und er trägt sie so zu einem Pferdeschwanz gebunden. Er hat eine randlose Brille. Dahinter, der andere ist etwas verdeckt, also, wahrscheinlich hat er einen Kurzhaarschnitt. Beide sind sportlich gekleidet, mit T-Shirts. Der vordere hat eine Regenjacke oder so was an. Die beiden könnten Studenten sein, oder Sportler vielleicht. Jedenfalls ziehen sie an einer Menschenmenge vorbei. Sie winken ihnen zu, und es könnten Deutsche sein, oder Europäer, Schweden oder Amerikaner. Hinten die Menschen sind nicht so sehr modern gekleidet. Es könnten Menschen in einer kleineren Stadt sein. Vielleicht sind es Leute aus einem Club oder Verein, die heimkommen. Vielleicht haben sie einen Sieg errungen oder so etwas. Auf jeden Fall wird ihnen zugelacht und zugewunken. Also, es ist sicher irgendein schönes Ereignis, das sie da vorüberführt.

S. 85/2–3

(M = Moderatorin, J = Jürgens, H = Hofstetter, Mei = Meissner, B = Baumann)

M: In unserem Magazin „Unterwegs" geben wir Ihnen heute wieder einige Hörertipps, die Ihnen vielleicht bei der Planung Ihrer nächsten Urlaubsreise helfen. Frau Jürgens, Sie kommen gerade von einer Clubreise zurück.

J: Ja, also wir haben uns in diesem Jahr zum ersten Mal für eine Clubreise entschieden. Wir waren mit der ganzen Familie in Griechenland, auf der Insel Kos. Also, wir waren vorher eigentlich ein bisschen skeptisch. Diese Animationsprogramme, mit denen ja alle Clubs werben, haben wir uns irgendwie ein bisschen blöd vorgestellt. Aber, als wir es dann tatsächlich ausprobiert haben, waren wir echt positiv überrascht.

Das Sportangebot war zum Beispiel ausgezeichnet. Man konnte viele verschiedene Sportarten lernen, zum Beispiel Windsurfen, Segeln, Golf oder Bogenschießen. Und dann gab's natürlich auch die ganz normalen Sachen, vor allem Gymnastik in allen Variationen. Und das große Plus: Alles war im Preis inklusive. Man musste also weder für die Trainerstunden noch für das Ausleihen der Sportgeräte etwas bezahlen.

M: Von Land und Leuten bekommt man bei so einer Clubreise kaum etwas mit. Dafür sind die meisten viel zu beschäftigt mit den Clubaktivitäten. Manche suchen aber gerade die Möglichkeit, das Land und seine Menschen näher kennen zu lernen. Eine gute Mischung fand Herr Hofstetter aus Bamberg:

H: Ja, wir waren dieses Jahr in Ägypten, und zwar in einem kleinen Ort am Roten Meer. Dort konnte man wunderbar Badeurlaub machen. Und vor allem sehr gut tauchen. Kann ich nur empfehlen. Außerdem gab es die Möglichkeit zu Exkursionen, zum Beispiel zu den Pyramiden, ja, und den historischen Orten am Nil. Oder zum Einkaufsbummel in die Millionenstadt Kairo. Also, ich muss sagen, ich fand es einen großen Vorteil, dass man Erholungsurlaub und Bildungsreise so einfach miteinander verbinden konnte. Allerdings muss ich auch sagen, die Exkursionen mit dem Bus, also, die waren ja echt etwas abenteuerlich.

M: Viele Menschen wollen aber von Pauschalreisen, die man lange Zeit im Voraus plant, nichts wissen. Die reisen lieber auf eigene Faust. Dazu Frau Meissner aus München:

Mei: Also, Gruppenreisen sind für mich etwas Schreckliches. Ich möchte lieber selber entscheiden, was ich im Urlaub mache. Wichtig ist mir vor allem, möglichst viel von Land und Leuten zu sehen. Deshalb nehmen meine Freundin und ich uns eigentlich immer ein bestimmtes Gebiet vor, dieses Jahr war es zum Beispiel Südengland. Dann fahren wir mit dem Auto einfach drauflos. Wo es uns gut gefällt, bleiben wir ein oder sogar zwei Tage. Dann geht es weiter. Wir buchen nichts im Voraus, sondern suchen uns jeden Abend eine Unterkunft in einer Frühstückspension vor Ort. Da kann man sich noch in letzter Minute entscheiden, wenn man etwas Reizvolles sieht. Das kann allerdings manchmal etwas stressig werden, wenn man Pech hat und alles ausgebucht ist. Aber nach unserer Erfahrung gibt es meistens keine Probleme.

M: Eine wichtige Entscheidung betrifft das Transportmittel. Setzt man sich nun ins Auto, oder in den Zug. Vielleicht sogar die Kombination Auto und Reisezug. Oder nimmt man einfach das schnellste und teuerste aller Verkehrsmittel. Das Flugzeug. Dazu Herr Baumann aus Nürnberg:

B: Ja, also, wir fahren schon seit Jahren nach Sardinien. Dorthin kommt man entweder mit dem Auto und dann der Fähre oder aber mit dem Flugzeug. Seit wir zu dritt reisen, also mit unserem kleinen Sohn, müssen wir natürlich jede Menge Gepäck mitnehmen. Deshalb fahren wir in letzter Zeit meist mit dem Auto und nehmen dann von Livorno aus die Fähre rüber nach Sardinien. Das ist zwar ganz schön anstrengend – die Autofahrt dauert immerhin so acht bis neun Stunden – dafür haben wir aber dann den ganzen Urlaub über ein Auto zur Verfügung. Wir sind letztes Jahr einmal mit dem Flugzeug gereist. Das geht zwar schneller, ist aber, alles in allem, doch wesentlich teurer.

M: Wir hoffen, Sie haben einige Anregungen bekommen für Ihre nächste Urlaubsreise und würden uns freuen, wenn Sie auch am nächsten Sonntag wieder einschalten.

Arbeitsbuch – Aussprachetraining

S. 95/2

Reise, Platz, zelten, Kasse, Mützen, Spaß, stolz, besetzen, Seen, Wiese, Warze, klasse, saß, Sessel, Netze, Tasse

Lektion 8

S. 94/2

(I = Interviewerin, D = Daniel)

I: Daniel, Sie spielen ein im Grunde recht ungewöhnliches Instrument, die Tuba. Wie sind Sie denn ausgerechnet auf dieses Instrument verfallen?

D: Also, die Tuba wurde mir das erste Mal so richtig intensiv bewusst und zugetragen in den USA. Vorher habe ich nur Tenorhorn gespielt. Und das Tenorhorn ist ja ein recht volkstümliches, also für die Volksmusik sehr spezifisches Instrument, und die Tuba war damals notwendig, weil wir nicht genug Tubisten hatten. Und in den USA sagte man mir dann: „Warum spielst du nicht Tuba?" Hab' ich mir gedacht, o. k., spiel ich halt Tuba. Die Tuba, kann ich jetzt sagen, ist ein sehr, sehr faszinierendes Instrument und auch sehr wichtig, vor allem in Orchestern und es macht mir einen Riesenspaß.

I: Ja, sind Sie als Musiker nach Amerika gegangen oder zum Studieren, wie war denn das? Erzählen Sie doch mal!

D: Ich war dort seinerzeit als Austauschschüler, aber irgendwie hat es sich dann so ergeben, dass ich als Musiker im Endeffekt drüben war, weil mein Stundenplan daraus bestand, dass ich vier Stunden täglich Musik machen musste, wollte und dann von Jazzband über Orchester bis hin zu Chor einfach alles ausprobiert habe und dann auch bei zahlreichen Wettbewerben und Konzerten mitgespielt habe. Dann hat sich das irgendwie so daraus ergeben und, wie gesagt, der Spaß stand da an erster Stelle, den ich hatte.

I: Daniel, wie war denn das so mit Ihrem Musizieren, wie hat denn das begonnen? So, was war denn Ihr allererstes Instrument?

D: Na ja, da war die klassische Blockflöte, die kriegt ja fast jedes Kind zu Weihnachten, und die hatte auch ich im Alter von acht Jahren bekommen und dann mit zehn hab ich angefangen, Tenorhorn zu spielen, und dann mich weiterentwickelt. Und irgendwann kam dann der Wunsch auf, auch noch Schlagzeug zu spielen. Das hab' ich auch noch gemacht, bin aber dann irgendwann wieder zu den Blasinstrumenten zurückgekommen und hab' dann mit – ich glaub' 16 war ich, ja 16 – ungefähr vor vier, fünf Jahren hab ich dann begonnen, Tuba zu spielen.

I: Also ein richtiger Vollblutmusiker – kann ich das so sagen?

D: Ja, kann man so sagen, so bezeichnen zumindest auch die Leute mich. Ob ich mich selber so bezeichnen würde – ich weiß es nicht, das ist 'ne andere Frage. Auf jeden Fall gehört Musik unbedingt, zwingend, zu meinem Leben und ist mit das Wichtigste, und es erfüllt mich, meinen ganzen Tag, mein ganzes Leben und es kommt auch ganz gut bei meinen Freunden und Bekannten an.

I: Jetzt müssten wir mal drüber sprechen, welche Art von Musik Sie eigentlich mit diesen vielen Instrumenten machen, vor allem natürlich auch mit der Tuba?

D: Ja, mit der Tuba spiel' ich vor allen Dingen zur Zeit noch klassische Musik, die Orchesterwerke so ab 1850 – da ist die Tuba stets mit eingebaut und mithineinkomponiert. Na ja, und darüber hinaus versuche ich immer mehr, die Jazz- und Popularmusik mithineinzubringen, was mir hoffentlich in meinem kommenden Studium gelingen wird, hoffentlich, ja, aber ich denk' schon, es wird so sein, dass ich beides machen kann, dass ich in Sinfonieorchestern, Blasorchestern oder auch in Jazz- und Popularensemblen spielen kann, das heißt, es ist eine Variation, ich möchte nämlich so breitspurig wie möglich fahren, also so viele Spuren, wie möglich abdecken, ohne mich dabei zu verzetteln oder mich zu verausgaben. Wenn es möglich ist und es so sein soll, dann wird's auch so sein. Mir macht beides auf jeden Fall Spaß und vor allem ist beides auch gleich wichtig für mich, um einen Ausgleich zu finden, und man lernt ja auch von dem einen für das andere, es klingt etwas widersprüchlich, aber es ist so.

I: Das klingt jetzt eigentlich schon nach einem ausgewachsenen Musikerleben, aber Sie werden das Ganze jetzt noch offiziell studieren, Sie werden an einer Musikhochschule ein Studium beginnen.

Wie wird man denn überhaupt Musikstudent, muss man eine Aufnahmeprüfung machen? Wie qualifizert man sich denn dafür?

D: Na ja, die Idee dazu, die kam mir auch wieder in den USA, weil ich hab' gesehen, dass die Musik notwendig ist für mich und dass ich damit auch vielleicht recht gut verdienen kann und meinen Lebensunterhalt bestreiten kann. Obwohl Geld nicht unbedingt die absolute Hauptsache darstellt, aber vor allem muss natürlich erst mal, um auch eine gute, qualifizierte Ausbildung zu erhalten, eine Aufnahmeprüfung bestanden werden. Ich hatte damals einen Professor kennen gelernt, bei dem hatte ich auch Unterricht. Und dann bin ich an das Landeskonservatorium gegangen, hab' mich angemeldet für die Aufnahmeprüfung, die Möglichkeit erhalten, sie zu machen, und sie mit ein bisschen Glück bestanden.

I: Also, es ist überhaupt nicht sicher, dass, wenn man Musik studieren möchte, man auch an einer Hochschule zugelassen wird?

D: Ja, ja, das ist richtig, es ist sogar ziemlich schwer, es gibt sehr, sehr viele hoch begabte Musiker, qualifizierte Leute, die trotzdem die Aufnahmeprüfung nicht bekommen haben – ich kenne die Gründe nicht, das ist bei jedem anders – oder durchgefallen sind, weil die sind sehr streng dort, und ich hatte halt das Glück.

I: Daniel, ich verstehe, Sie wollen Profimusiker werden. Welche Zukunftsaussichten hat man denn da? Haben Sie da schon mal sich Gedanken gemacht?

D: Na klar, wer macht sich da keine Gedanken drüber, über die Zukunft. Und wie's dann letztendlich sein wird, das muss man abwarten. Was ich jetzt erst mal machen will, ist über die Runden kommen, irgendwie. Natürlich am besten mit Musik, d. h. ich will mein Geld damit verdienen, was ich für den Lebensunterhalt brauche, und dann in allen Bereichen, in allen möglichen Bereichen, mitspielen. Also versuchen, in ein Orchester reinzukommen, was zur Zeit sehr schwer ist, weil es viele Musiker gibt. Aber mit der Tuba hat man allerdings wieder größere Chancen, weil es weniger Tubisten gibt und vor allem weniger studierte Tubisten, und sonst will ich alles noch machen, was irgendwie zum Leben gehört und was notwendig ist. Was ich an Musik machen kann, was sich mir anbietet und was dann im Endeffekt laufen wird, kann ich natürlich noch nicht sagen. Aber, ob es jetzt in Combos ist, in irgendeinem Ensemble, im Orchester oder, dass ich Unterricht geben muss, um Geld zu verdienen, das warte ich einfach ab.

I: Ja, wahrscheinlich bleibt einem da keine andere Wahl. Es klingt jedenfalls schon sehr breit, was Sie da alles gemacht haben und was Sie vorhaben, und anscheinend fangen Sie auch jetzt schon zu Beginn des Studiums an, die Weichen für die Zukunft zu stellen. Und ich denk' mir, da kommt's wahrscheinlich jetzt auch schon mal auf die richtigen Kontakte an.

D: Ja, unbedingt, also Kontakte sind mit das Wichtigste. Weichen stellen, sagten Sie, ja, das muss man natürlich so früh wie möglich versuchen zu tun, indem man sehr viel Praxiserfahrung sammelt, viel Spielerfahrung bekommt, dann begegnet man natürlich auch vielen Menschen. Und wenn man sich ausprobiert und mit verschiedenen Leuten konfrontiert wird, dann wiederum ergeben sich daraus Möglichkeiten, die einem weiterhelfen können. Weil Musik sehr, sehr viel mit Beziehungen zu tun hat. Musik wird ja mit Menschen gemacht und nicht nur von Maschinen. Und wenn man mit einem Menschen spielt und mit einem Menschen klarkommt, mit dem man spielt, dann wird sich das auch natürlich hörbar äußern, im Produkt.

Arbeitsbuch – Aussprachetraining

S. 105/4

Noten, Knarren, nicken, noch, Knüller, nie, Nacken, Knebel

Lektion 9

S. 113/3
(K = Kundin, L = Ludwig)
K: Grüß Gott.
L: Grüß Gott. Kann ich Ihnen was helfen?
K: Ja, also, ich habe eine Nepal-Reise vor. Also, ich möchte nach Nepal, eine Trekking-Tour machen, und bräuchte einen Wanderschuh oder einen Trekking-Schuh. Was können Sie mir da empfehlen?
L: Ja, entscheidend wäre jetzt ...

S. 113/4
(M = Moderatorin, L = Ludwig)
M: Eine Kundin im Münchner Geschäft für Bergsteiger. Geschäftsinhaber und Fachmann Sigi Ludwig wird ihr helfen zu finden, was sie braucht fürs Bergsteigen. Sigi Ludwig ist staatlich geprüfter Berg- und Skiführer. In den Bergen, genauer in Garmisch, ist er aufgewachsen. Sein Großvater nahm ihn schon mit in die Berge. Kein anderer Beruf kam für ihn in Frage. Sigis Laden hat mehrere Räume. Sie sind vollgestopft mit Jacken, Schlafsäcken, Schuhen, Treckking-Zelten und allen möglichen Utensilien zum Ersteigen hoher Gipfel – sommers wie winters. Große Farbfotos an den Wänden zeigen jene Gipfel, die Sigi Ludwig schon bestiegen hat: Zuletzt, vor wenigen Wochen erst, kam er aus Lateinamerika zurück. Dort hatte er den Mors Karan in Peru bestiegen, in der Cordeliera Blanca. 6768 Meter hoch. Sigi ist 43 Jahre alt und damit liegt er ganz gut in der Altersskala, denn auf Berge steigen, das tun junge Leute genauso gut wie ältere.
L: Es kommen rein im Klettersportbereich, also Felsklettern, Sportklettern, viele junge Leute, es kommen im reinen Wander-Trekking-Bereich die Leute im normalen Mittelalter so zwischen 35 und 45. Und im Winter speziell für Skitourenlauf, da gibt es eine Sparte Leute von 20 bis 65.
M: Gibt es im Bergsport auch Modeerscheinungen?
L: Mittlerweile ja, wenn man so 10, 12 Jahre zurückdenkt, waren viele Leute einheitlich gekleidet, zu erkennen am karierten Hemd, an der Bundhose, an den roten Strümpfen, fast so eine Einheitsgruppe, so hat man sich identifiziert. Heute kommen viele andere Dinge dazu, wie Farben, Passformen. Das Ganze wird bunter, lustiger und ist trotzdem funktionell.
M: Kommt natürlich noch der Preis dazu. Wer richtig gut gerüstet, sagen wir, das Matterhorn oder den Mont Blanc erklimmen will, der muss schon 2000 Mark hinblättern. Und selbst die tollste und teuerste Ausrüstung ist keine Garantie für unfallfreies Bergsteigen. Die Menschen machen immer wieder Fehler, typische Fehler.
L: Ja, die gängigsten und typischen Fehler sind in erster Linie mal, dass sich die Leute maßlos überschätzen. Dass mittlerweile Bergsteigen, Trekking-Reisen, Klettern eine Zeiterscheinung ist, die zum Freizeitsport gehört wie Tennisspielen, Radlfahren, Mountainbiken und was auch immer. Und viele haben die Einstellung, dass sie sagen, o. k., jetzt habe ich das eine mal gemacht, jetzt probiere ich das andere auch mal. Und jetzt gehe ich auch mal zum Bergsteigen. Dass Bergsteigen natürlich eine Sache ist, in die man hineinwachsen muss, in die man Verständnis haben muss für Natur, für Wetter, für Jahreszeiten, das kann man nicht lernen, indem man sagt, das probier ich jetzt mal einen Sommer.
M: Einer, auf dessen Umsicht und Können Sigi Ludwig ganz große Stücke hält, ist der berühmte Bergsteiger Reinhold Messner.
L: Also, ich halte persönlich sehr viel von ihm. Zum einen, weil ich eben diese Leistungen, die er über Jahre vollbracht hat, auch einschätzen kann. Er ist ... war sicher in allen Epochen, wo er was gemacht hat, war er Vorbild. Er ist ja in dem Bereich ein Mann, der das Extreme sucht, zum Teil eben auch mit viel Glück und mit guten Taten das Extreme eben verwirklicht.
M: Und jetzt will ich doch mal hören, ob Sigi Ludwig uns, die wir nicht das Gipfelerlebnis kennen, ob Sigi L. uns rüberbringt, wie das sich denn so anfühlt, wenn man endlich da so ganz hoch oben angekommen ist.

L: Im ersten Moment ist es so, wie wenn irgendwas von mir runterfällt. Es ist einfach so eine Schwerelosigkeit, so eine Leichtigkeit. So ein, ich sag jetzt mal, tiefes Luftholen, Rucksack wegstellen und sagen: Baff, des war es jetzt.
M: Euphorie?
L: Ja, Freude, natürlich klar, Euphorie. Auch irgendwo Dankbarkeit, das kommt mit dazu, weil es ist nicht immer selbstverständlich. Es gehört viel Glück dazu. Auch eine gute Mannschaft, die einen begleitet. Leute, die auch Verständnis haben, für solche Sachen. Es ist unheimlich schwierig zu beschreiben, weil es kommt ja in dem Moment unheimlich viel einfach zusammen. Aber es ist ein unheimliches Glücksgefühl.

Arbeitsbuch – Aussprachetraining

S. 117/3
Studentin, lieben, rennen, liegen, sprecht, mir, Kollegen, dir, betten, springen, Lieder

Lektion 10

S. 122/2–3
Einem reichen Mann wurde seine Frau krank. Kurz bevor ihr Ende kam, sagte sie zu ihrem einzigen Töchterchen: „Liebes Kind, bleib fromm und gut, so wird dir der liebe Gott immer helfen, und ich will vom Himmel auf dich herabblicken." Dann machte sie die Augen zu und starb. Das Mädchen ging jeden Tag zum Grab der Mutter, weinte und blieb fromm. Nachdem einige Zeit vergangen war, nahm sich der Mann eine andere Frau. Diese Frau brachte zwei Töchter mit ins Haus, die schön und weiß von Angesicht waren, aber böse und schwarz von Herzen. Für das arme Mädchen begann eine schreckliche Zeit. Die Stiefschwestern nahmen ihr ihre schönen Kleider weg, zogen ihr ein graues altes Lumpenkleid an, ließen sie von morgens bis abends schwer arbeiten und lachten sie aus. Abends musste sie neben dem Herd in der Asche liegen. Und weil sie deshalb immer staubig und schmutzig aussah, wurde sie Aschenputtel genannt.
Eines Tagen fragte der Vater seine beiden Stieftöchter und seine Tochter, was er ihnen vom Markt mitbringen sollte. Die Stiefschwestern wollten schöne Kleider, Perlen und Edelsteine, Aschenputtel aber wünschte sich einen Zweig von einem Baum. Der Vater brachte allen dreien die gewünschten Dinge mit, und Aschenputtel pflanzte den Zweig auf dem Grab der Mutter. Ihre Tränen tropften darauf, und so wuchs der Zweig an und wurde ein schöner Baum. Jedes Mal, wenn Aschenputtel zum Grab ging und weinte, zeigte sich ein weißer Vogel in den Zweigen. Und wenn Aschenputtel einen Wunsch aussprach, warf ihr das Vögelchen herab, was sie sich gewünscht hatte.
Eines Tages wollte der König ein zwei Tage dauerndes Fest geben. Alle schönen Mädchen im Lande wurden eingeladen, damit sich sein Sohn eine Braut aussuchen konnte. Die Stiefschwestern waren voller Freude, weil auch sie kommen sollten, und befahlen Aschenputtel: „Kämm uns die Haare und putz uns die Schuh. Wir gehen zum Fest auf des Königs Schloss." Aschenputtel gehorchte, weinte aber und bat die Stiefmutter mitgehen zu dürfen.
„Du, Aschenputtel", sagte die Stiefmutter, „bist voll Staub und Schmutz und willst zum Fest gehen? Du hast keine Kleider und Schuhe und willst tanzen?" Als aber Aschenputtel nicht aufhörte zu bitten, sagte sie endlich: „Ich habe dir eine Schüssel Linsen in die Asche geschüttet. Wenn du sie in einer Stunde herausgelesen hast, darfst du mitgehen."
Aschenputtel ging in den Garten und rief: „Ihr Täubchen, all ihr Vögelchen unter dem Himmel, kommt und helft mir, die Linsen aus der Asche zu lesen. Die guten ins Töpfchen, die schlechten ins Kröpfchen."
Da kamen zum Küchenfenster zwei weiße Täubchen herein und danach alle Vögelchen unter dem Himmel. Und die nickten mit den Köpfchen und fingen an pik, pik, pik und taten alle guten Linsen in die Schüssel.

Die schlechten fraßen sie. Nach einer halben Stunde waren sie schon fertig und die Vögel flogen hinaus. Das Mädchen brachte die Schüssel der Stiefmutter, freute sich und glaubte, sie dürfte nun mit zum Fest gehen. Aber die Stiefmutter sagte: „Nein, Aschenputtel, du hast keine Kleider und kannst nicht tanzen. Du wirst nur ausgelacht und wir müssten uns deiner schämen."

Dann drehte sie Aschenputtel den Rücken zu und eilte mit ihren zwei hochnäsigen Töchtern davon.

Als Aschenputtel nun allein war, ging sie zum Grab ihrer Mutter und rief: „Bäumchen, rüttel und schüttel dich, wirf Gold und Silber über mich."

Da warf das Vögelchen ein goldenes und silbernes Kleid herunter und mit Silber und Seide bestickte Pantoffeln. Eilig zog Aschenputtel das Kleid an und ging zum Fest. Ihre Stiefschwestern und die Stiefmutter erkannten sie nicht und meinten, es müsse eine fremde Königstochter sein. So schön sah sie in ihrem Kleid aus.

Der Köngssohn kam Aschenputtel entgegen, nahm es bei der Hand und tanzte mit ihr. Und wenn ein anderer kam, um sie aufzufordern, sagte er: „Das ist meine Tänzerin."

Aschenputtel tanzte, bis es Abend war. Dann wollte sie nach Hause gehen. Da sagte der Königssohn: „Ich begleite dich." Denn er wollte sehen, zu wem das schöne Mädchen gehörte.

Aschenputtel lief aber davon in das Taubenhaus. Als Aschenputtels Vater kam, sagte ihm der Königssohn, das Mädchen habe sich im Taubenhaus versteckt. Der Alte dachte: „Sollte es Aschenputtel sein?" Und er schlug das Taubenhaus mit einer Axt entzwei, aber es war niemand drin.

Als sie ins Haus kamen, lag Aschenputtel wie immer in der Asche. Sie war nämlich schnell hinten aus dem Taubenhaus herausgesprungen und hatte die schönen Kleider ausgezogen und aufs Grab gelegt. Das Vögelchen hatte sie daraufhin wieder weggenommen. Und dann hatte sie sich in ihrem grauen Lumpenkleid in der Küche in die Asche gelegt.

Am zweiten Tag, als die Eltern und Stiefschwestern fort waren, ging Aschenputtel wieder zum Grab ihrer Mutter und sagte: „Bäumchen, rüttel dich und schüttel dich, wirf Gold und Silber über mich."

Da warf ihm das Vögelchen ein ganz wunderbares und prächtiges Kleid herab, wie es Aschenputtel nie zuvor gesehen hatte, und goldene Schuh. Als sie zum Fest kam, staunten alle über das wunderschöne Mädchen. Der Königssohn tanzte ganz allein mit Aschenputtel, und wenn jemand mit ihr tanzen wollte, sagte er: „Das ist meine Tänzerin."

Als es nun Abend war, wollte Aschenputtel fort, und der Königssohn wollte sie begleiten. Aber sie entkam so schnell, dass er nicht folgen konnte. Der Königssohn hatte aber einen Trick gebraucht und die ganze Treppe mit klebrigem Pech bestreichen lassen. Und als Aschenputtel hinabsprang, blieb ihr linker Schuh hängen. Der Königssohn hob ihn auf.

Am nächsten Tag ging er damit zu dem Vater und sagte: „Diejenige, die in den goldenen Schuh passt, soll meine Frau werden und keine andere." Da freuten sich die beiden Schwestern, denn sie hatten schöne Füße. Die älteste ging mit dem Schuh in ihr Zimmer und wollte ihn anprobieren. Aber sie konnte mit der großen Zehe nicht hineinkommen. Da gab ihr die Mutter ein Messer und sagte: „Schneid die Zehe ab. Wenn du Königin bist, brauchst du nicht mehr zu Fuß gehen." Das Mädchen tat es, zwängte den Fuß in den Schuh, verbiss sich den Schmerz und ging hinaus zum Königssohn. Der nahm sie als seine Braut aufs Pferd und ritt mit ihr fort.

Als sie am Grab vorbeikamen, riefen zwei Täubchen: „Rucke di gu, rucke die gu, Blut ist im Schuh. Der Schuh ist zu klein, die richtige Braut sitzt noch daheim."

Der Königssohn blickte auf den Fuß des Mädchens und sah, wie das Blut herauskam. Er brachte die falsche Braut wieder nach Hause und sagte, die andere Schwester solle den Schuh anziehen. Diese ging mit dem Schuh in ihr Zimmer, kam mit den Zehen in den Schuh, aber die Ferse war zu groß. Auf Anraten der Mutter schnitt sie sich die Ferse ab, aber auch diesmal deckten die Täubchen die Lüge auf.

Der Königssohn kam auch mit der zweiten Schwester zurück und sagte: „Das ist auch nicht die Richtige, habt ihr keine andere Tochter?" „Nein", antwortete der Mann, „nur von meiner verstorbenen Frau ist noch ein kleines, hässliches Aschenputtel da. Das kann unmöglich die Braut sein." Der Königssohn sagte, er solle sie heraufschicken. Aschenputtel steckte den Fuß in den goldenen Schuh und er passte wie angegossen. Als sie dem Königssohn ins Gesicht sah, erkannte er das schöne Mädchen, das mit ihm getanzt hatte. Und er rief: „Das ist die richtige Braut."

Die Stiefmutter und die beiden Schwestern erschraken und wurden bleich. Als der Prinz mit Aschenputtel durchs Tor fuhr, da riefen die Tauben: „Rucke di gu, rucke die gu, kein Blut ist im Schuh. Der Schuh ist nicht zu klein, die richtige Braut, die führt er heim."

Noch am selben Tag wurde die Hochzeit mit großer Pracht gefeiert. Das Volk jubelte, und der König freute sich, Aschenputtel als Schwiegertochter zu bekommen. Er sorgte auch dafür, dass die Stiefmutter und die Stiefschwestern ihre gerechte Strafe bekamen.

Aschenputtel und der Prinz aber lebten glücklich und zufrieden bis zu ihrem Ende.

S. 123/2

(A = Andreas, S = Sandra, V = Verkäuferin)

A: Also ich brauch dringend mal wieder eine neue Jacke. Können wir uns nicht kurz in diesem Laden umsehen, vielleicht haben die ja was für mich.

S: Das ist eine gute Idee, deine alte Jacke finde ich auch nicht mehr schön.

A: Hier, schau doch mal, wie findest du die braune Lederjacke da?

S: Ja, die sieht recht flott aus, aber die wird nicht ganz billig sein. Sieh doch mal nach, ob da ein Preisschild ist.

A: 759,– DM. Das ist leider nicht drin.

S: Wie wär's mit der dunkelgrünen da hinten, probier die doch mal an.

A: Ja, gar nicht so schlecht. Wie passt die mir?

S: Die steht dir prima. Aber sie könnte noch etwas größer sein. Die Ärmel sind 'n bisschen kurz.

A: Entschuldigung, hätten Sie die Jacke noch in einer größeren Größe. Vielleicht 52?

V: Also, wenn hier keine mehr hängt, wird wohl noch eine im Lager sein. Moment bitte, ich sehe mal nach. ––– Ja, hier haben wir noch eine in Größe 52.

S: Also, die passt wie angegossen. Die würde ich nehmen.

A: Das ist sogar ein Sonderangebot für 199.– DM. Die kaufe ich.

V: Sie können da vorne an der Kasse bezahlen.

S. 127/1a

1. Frau: Schau doch mal, die da hinten, die gefallen mir besonders gut. Die würden auch super zu meinem neuen Hosenanzug passen.

2. Frau: Welche meinst du denn? Die dunkelgrünen da zum Schnüren?

1. Frau: Nein, die nicht, ich meine die schwarzen mit der dicken Sohle und der Spange an der Seite.

2. Frau: Ja, stimmt, die würden dir bestimmt gut stehen. Gehen wir doch mal rein.

S.127/1b

Mann: Das ist ja lustig, ich wollte mir schon lange mal einen flippigen Hut kaufen, ich meine so ein älteres Modell und jetzt hat der hier eine ganze Sammlung.

Frau: Ich hab' auch schon einen entdeckt, wie findest du denn den schwarzen Zylinder? Ist der nicht stark?

Mann: Ach, ich weiß nicht, der ist mir zu auffällig,
ich glaube, ich hätte lieber den braunen Filzhut da mit dem
Hutband.
Frau: Na, probier ihn doch einfach mal auf. Oh ja,
sieht klasse aus.

S. 127/1c
Mann 1: Wie findest du denn die Jacken, sind

eigentlich gar nicht so schlecht für den Preis.
Mann 2: Also, die dunkelblaue mit dem
Reißverschluss und die hellbraune Lederjacke
mit Pelzkragen gehen ja,
aber die dunkelbraune mit dem Reißverschluss
und den aufgesetzten Taschen ist ziemlich langweilig, die
würde ich mir bestimmt nicht kaufen.
Mann 1: Na ja, was Besonderes ist sie nicht, da hast du Recht.

Lösungsschlüssel zu den Aufgaben im Kursbuch

Lektion 1 – Arbeit und Freizeit

Sprechen 1

S. 10/1 (Lösungsvorschläge): **Person links:** Taubenzüchter, Umweltschützer; **Person Mitte:** meditierender Mönch, Boxer, Guru, Bettler, Bademeister; **Person rechts:** Geschäftsfrau, Schriftstellerin, Sekretärin, Rechtsanwältin

S. 10/2 Die Aspekte der Reihe nach sind: Beruf/Tätigkeit; Was würde ich gern ändern? Arbeitszeit/Freizeit; Wie gefällt mir meine Arbeit?

Hören 1

S. 11/2 Alter: 29; Ausbildung: Studium der Betriebswirtschaft; Beruf: Steuerberater

S. 11/3 a) r (richtig); b) f (falsch); c) r; d) f; e) f; f) r; g) f; h) r; i) f; j) r; k) f; l) r; m) r; n) r; o) f; p) f; q) r

Lesen 1

S. 12/2 Text 1: Arbeit: Lust statt Frust! Text 2: Freizeit: Frust statt Lust! Text 3: Mehr Freizeit für alle!

S. 13/3 **Wilhelm W.:** Rentenalter: Männer 65 – Frauen 60; **Peter R.:** Durchschnittliche wöchentliche Arbeitszeit heute: 35 Stunden – früher: 84 Stunden; **Charlotte S.:** Urlaub: 30 Tage im Jahr

S. 13/GR 5 a) eine irreale Möglichkeit;

b) Text 1: Was **wäre**, wenn ich auf meine Freunde **gehört hätte**? – Dann **wäre** ich Chefsekretärin **geblieben** und **hätte** die Fünftagewoche und 30 Tage Urlaub im Jahr. – Ach, **würden** die Leute doch endlich **aufhören**, ständig nur herumzumaulen und Forderungen zu stellen!

Text 2: Da **wäre** ich in finanzielle Schwierigkeiten **gekommen**. – Ich habe mir ausgemalt, was ich alles **tun würde**, wenn ich mal den ganzen Tag nur Freizeit **hätte**.

Text 3: Ich **würde** mir **wünschen**, dass alles besser verteilt **wäre**. Dann **hätten** alle weniger Arbeit und mehr Freizeit. – Wenn das heute noch so **wäre**, dann **hätten** wir dreimal so viele Arbeitslose. – Wenn wir sie uns jetzt **entreißen ließen**, **würden** wir uns vielleicht alle bald auf dem Arbeitsamt wieder **sehen**.

c) *wäre – sein, hätte – haben*; Man bildet den Konjunktiv II der Gegenwart normalerweise mit der Umschreibung *würden* + Infinitiv.

d) gehört hätte, wäre geblieben, wäre gekommen

e) Den Konjunktiv II der Vergangenheit bildet man aus der Konjunktiv II-Form der Verben *haben* und *sein* + Partizip II.

S. 13/GR 6 a) Ach, würden die Leute doch endlich aufhören, ständig nur herumzumaulen und Forderungen zu stellen.

Hören 2

S. 14/1 b) Das Lied stammt aus den 60-er Jahren.

S. 14/3 a) spazieren gehen, ausschlafen, etwas lesen, das Studium sein lassen, nicht immer so angepasst sein, tun, was andere ärgert

b) dann hätten alle einen herrlichen Vormittag, dann würde niemand studieren, aber sonst würde nichts passieren, die Welt geht nicht unter, alle müssten mehr Rücksicht nehmen

S. 14/3 c) aus Österreich

S. 14/5 a) siehe 3a)

Sprechen 2

S. 15/GR 2 a) Könnten Sie vielleicht …?; Würden Sie …?; Es wäre sehr freundlich, wenn …; Dürfte ich Sie für nächste Woche … einladen?; Wäre es möglich, dass ….

b) im Konjunktiv II

Lesen 2

S. 16/2 um einen ironischen Text

S. 17/3 **Kurt:** *Vormittag:* Mountain-Bike fahren (80 km zu einem Bergsee), 800 Höhenmeter den Berg hochrennen, freeclimben, den Paragliding-Schirm auspacken und runtersegeln, in den See springen, ans andere Ufer kraulen und zurück, auf dem Mountain-Bike zurück nach Hause. *Nachmittag:* Muskeltraining im Fitness-Folterkeller; *Abend:* zwei Stunden Squash im neuen Sport-Erlebnis-Center

Anita: *Vormittag:* Sonntagsmatinee des VZK (Verein für zeitgenössische Kammermusik e.V.), Ausstellungseröffnung in der Staatsgalerie; *Nachmittag:* Vortrag über subjektivistischen Objektivismus, Single-Selbsterfahrungsgruppe; *Abend:* Dokumentarfilm-Retrospektive im Maxi-Kino

Eberhard: *Vormittag:* Brunchen im Eden-Hotel; *Nachmittag:* Kaffee und Cremetorte im Café Schulz, Cognac und Havanna-Zigarre; *Abend:* Abendessen: Flusskrebse im Restaurant „Forelle", dorthin mit dem Taxi

S. 17/GR 7 a) eine Absicht

b) Schon eine davon würde genügen, **um** ein Hängebauchschwein langfristig aus dem Gleichgewicht zu bringen. – Wir könnten doch zu Fuß zum Restaurant, **um** einen Verdauungsspaziergang zu machen.

c) Schon eine davon würde genügen, **damit** man ein Hängebauchschwein langfristig aus dem Gleichgewicht **bringt**. – Wir könnten doch zu Fuß zum Restaurant, **damit** wir einen Verdauungsspaziergang **machen**.

d) Es sei denn, ich hätte Lust darauf, sofort aus dem Bett zu springen, **damit** uns die Sonntagsmatinee des VZK nicht entgeht. – Weil Hauptsatz und Nebensatz verschiedene Subjekte haben: Hauptsatz-Subjekt: ich, Nebensatz-Subjekt: die Sonntagsmatinee

Wortschatz – Freizeit und Vergnügen

S. 18/2 Handwerk/Handarbeit: kochen (evtl.: auch Kreatives), im Garten arbeiten, ein Regal bauen, häkeln, den Dachboden ausbauen

Kreatives: fotografieren, malen, Gitarre spielen (auch Kultur), zeichnen

Sport: Federball spielen, eine Radtour machen, tanzen, Bergsteigen, wandern, spazieren gehen, Bungee springen, Ruderboot fahren

Kultur: lesen (auch Medien), ins Museum gehen, Karten spielen, ins Restaurant gehen, ein Konzert besuchen, eine Fremdsprache lernen, ins Kino gehen, Musik hören, Zeitung lesen (auch Medien), in die Oper gehen

Medien: im Internet surfen, fernsehen, Computerspiele machen, Zeitung lesen, einen Computerkurs machen

Es sind manchmal auch noch andere Zuordnungen möglich.

S. 18/3 **Bild links:** Energie haben, tatendurstig, aktiv

Bild rechts: auf der faulen Haut liegen, gemütlich, träge, faulenzen, sich ausruhen, alle Viere von sich strecken, sich entspannen

S. 18/4 a) Briefmarken, Bierdeckel, Zuckerstücke, Autogramme, Münzen, Bilder

c) ins Konzert gehen, Fußball spielen, sich mit Freunden treffen, schwimmen, in die Disco gehen, lesen, singen, in eine Ausstellung gehen, baden gehen, Rad fahren, Radio hören, segeln

Lektion 2 – Familie

S. 21/1 + 2 Links außen: 10 Jahre, 5. Klasse, Lieblingsessen: Pizza, Sternzeichen: Steinbock; Links hinten: 38 Jahre, Umweltberater, Biologiestudium, Hobbys: Lesen, Computer und Fahrradfahren, Lieblingsschriftsteller: Thomas Mann; Rechts hinten: 40 Jahre, Krankenpflegerin,

Hobbys: Kino und Freunde treffen, Lieblingsfilm: Gandhi, Sternzeichen: Wassermann

Hören

S. 22/2 ja – ja – nein – ja – nein – ja – ja – nein – ja – ja – nein

S. 22/3 a) Sie sitzt beim Abendessen; b) unterschiedlich; c) beim Essen machen helfen und einkaufen

e) der Vater und die Kinder stehen auf; f) 7.50, die Kinder gehen zur Schule; g) die Schule beginnt; h) Die Kinder kommen nach Hause und essen zu Mittag.

j) Paula; k) die Eltern Helga und Götz; l) die Kinder Paula und Clemens m) Es ist ein Stockbett, d.h. ein Bett steht auf dem anderen. n) oben; o) Clemens maximal eine Viertelstunde – Paula maximal eine Stunde; p) Freunde besuchen, in die Bücherei gehen, herumlümmeln (faulenzen), fernsehen, Fußball spielen, Computer spielen, im Winter: Schlitten fahren; q) zwischen acht und halb neun Uhr

Wortschatz – Menschliche Beziehungen

S. 23/2 Gesicht links: jemanden gern haben, sich zu jemandem hingezogen fühlen, für jemanden viel empfinden, jemanden sympathisch finden, für jemanden durchs Feuer gehen, jemanden gut leiden können

Gesicht Mitte: sich nichts aus jemand machen, sich für jemand nicht interessieren

Gesicht rechts: jemand geht einem auf die Nerven, jemanden nicht ausstehen können, jemanden nicht leiden können, jemandem die kalte Schulter zeigen

S. 23/3 Gesicht links: herzlich, freundlich, leidenschaftlich, innig, sympathisch, nett

Gesicht Mitte: gleichgültig, indifferent, leidenschaftslos

Gesicht rechts: abgekühlt, unangenehm, eisig, frostig, distanziert

S. 23/4 a) und b) (Lösungsvorschläge) zwischen Mutter und Kind: Muttergefühle (+), Sorge (+, –), Liebe (+), Abhängigkeit (+, –), Vertrauen (+), ...

Zwischen Vater und Kind: Liebe (+), Vertrauen (+), Bewunderung (+), Autorität (+, –)

Zwischen Geschwistern: Eifersucht (–), Vertrauen (+), Konkurrenz (+, –), Neid (–), Solidarität (+)

Zwischen Freunden: Vertrauen (+), Bewunderung (+), Spaß (+), Rücksicht (+)

Zwischen Lehrer und Schüler: Abhängigkeit (–), Bewunderung (+), Autorität (–), Respekt (+)

Zwischen Ehepartnern: Liebe (–), Eifersucht (–), Vertrauen (+), Wärme (+), Sorge (+), Rücksicht (+)

Zwischen Kollegen: Vertrauen (+), Konkurrenz (–), Neid (–), Solidarität (+), Misstrauen (–)

Sprechen 1

S. 24/1 a) Sie informiert darüber, wie junge Erwachsene zwischen 18 und 25 in Deutschland leben.

b) die meisten jungen Leute leben bei ihren Eltern

c) einige leben mit Ehepartner, einige allein, manche in nichtehelichen Lebensgemeinschaften, in Wohngemeinschaften oder als Alleinerziehende

S. 24/2 a) Die meisten, fast zwei Drittel, ein gutes Drittel, die meisten, circa 12%, knapp 2%, eine Minderheit von 1,3%; b) Die meisten = die Mehrheit; fast zwei Drittel = mehr als die Hälfte; ein gutes Drittel = 35-40%; circa 12% = ungefähr 12%; knapp 2% = etwas weniger als 2%; eine Minderheit von 1,3% = die wenigsten

Lesen 1

S. 26/1 Thema: Frauen als Mütter und im Beruf, ist das vereinbar?

S. 26/2 a) 4; b) 2; c) 6; d) 3; e) 7; f) 1; g) 5

S. 27/3 a) 2 Junge Frauen sollten sich nach einigen Jahren Berufspraxis überlegen, ob sie Kinder wollen. 3 Manchmal ist es möglich, mit Kindern im Job weiterzuarbeiten. 4 Frauen könnten sich auch für Beruf und Kinder entscheiden. 5 Ehrgeizige Frauen müssen ihre Karriere zielstrebig planen.

S. 27/GR 4 a) Ich weiß gar nicht, was ich **will**? (Frage f); Und wenn Frauen beides **möchten**? (Frage b); Dann **könnte** ihr Lebenskonzept heißen: Beruf und Familie. (Z. 23–24); Mein Mann sagt, ich **soll** bei den Kindern bleiben, ... (Z. 31/32); **Kann** ich mich heute noch auf den Mann als Versorger fürs Leben verlassen? (Z. 43/44); Deshalb **sollte** jede Frau in der Lage sein, ... (Z. 50/51); Dann **kann** sie immer noch überlegen: **Will** ich überhaupt Kinder? (Z. 56-58); Wann **kann** eine Frau absehen, ... (Frage a); Das **kann** sie tatsächlich frühestens nach fünf Jahren Berufspraxis sagen, ... (Z. 60/61); Meiner Meinung nach **darf** sie die Entscheidung, wann sie ein Kind haben **will**, nicht dauernd vor sich herschieben. (Z. 72–74); Wer in jungen Jahren Mutter wird, **könnte** sich ab 30, 35 voll auf die Karriere konzentrieren. (Z. 90–92); Wie **kann** eine Frau ihre Chance im Beruf genauso wahrnehmen wie die Männer? (Frage e); Wenn sie beruflich genauso erfolgreich sein **will** wie die männliche Konkurrenz, **muss** sie ebenso zielstrebig vorgehen. Sie **darf** also nicht alles auf sich zukommen lassen. (Z. 98–103)

b) 2 wollen, möchte; 3 sollen, sollte; 4 müssen; 5 (nicht) dürfen; 6 sollen

S. 27/GR 5 a) Wollen Sie bis 60 berufstätig sein? b) Sie müssen eine vernünftige Ausbildung und eine möglichst gute Qualifikation haben. c) Man sollte im Beruf möglichst das machen, woran man Freude hat. d) Wer in jungen Jahren Mutter wird, könnte sich ab 30, 35 voll auf die Karriere konzentrieren.

Sprechen 3

S. 29/3 2 Gabi Glas und Fritz Glas, – Kinder: Glas; 3 Gabi Fenster und Fritz Glas, – Kinder: Fenster oder Glas; 4 Gabi Fenster-Glas und Fritz Glas, – Kinder: Glas; 5 Gabi Glas-Fenster und Fritz Glas, – Kinder: Glas; 6 Gabi Fenster und Fritz Glas-Fenster, – Kinder: Fenster; 7 Gabi Fenster und Fritz Fenster-Glas, – Kinder: Fenster

Lesen 2

S. 30/2 Informationen für Familien zu den wichtigsten Hilfen des Staates

S. 30/3 2-B; 3-/; 4-A; 5-/; 6-D; 7-/

S. 31/GR 5 a) und b) sich abwechseln (Akk.); sich schwer tun (Akk.); sich befinden (Akk.); sich kümmern um (Akk.); sich wenden an (Akk.)

S. 31/GR 6 Ihr habt einander seit Tagen nicht mehr gesehen. 4. Sie lieben einander seit vielen Jahren.

Lektion 3 – Feste

S. 33/1 Geburtstag; das erkennt man an der Geburtstagstorte mit den Kerzen

Hören

S. 34/1 a) Frau Störli: Informatikerin, Braunschweig; Herr Sperling: 37, Architekt, Passau; Herr Ruf: 19, Student (Jura), Hamburg; Frau Weber: 27, Sekretärin, Frankfurt

S. 34/2 a) Frau Weber – Herr Ruf – Frau Störli – Herr Sperling; b) Frau Störli – Herr Sperling – Herr Ruf – Frau Weber; c) falsch; d) richtig; e) richtig; f) falsch; g) ... nicht gesprochen wird; h) ... in einem Restaurant feiern; i) ... ein Picknick im Grünen organisieren

Wortschatz – Feste und Bräuche

S. 35/2 Januar: Neujahr, Dreikönigstag; **Februar:** Karneval; **März/**

April: Ostern; **Mai/Juni:** Pfingsten; **Dezember:** Nikolaus, Advent, Weihnachten, Silvester

S. 35/3 a) Bildreihe oben (von links): der Osterhase – die Süßigkeiten – das Nikolausgeschenk – die Plätzchen – das Christkind; Bildreihe Mitte: die Raketen – die Maske – die Ostereier – der Weihnachtsbaum – der Sekt – die Heiligen Drei Könige; Bildreihe unten: die Weihnachtsgans – Knecht Ruprecht – der Pfingstochse – der Weihnachtsmann – der Adventskranz; b) Karneval: Maske; Dreikönigstag: Die Heiligen Drei Könige; Ostern: Osterhase, Ostereier; Pfingsten: Pfingstochse; Advent: Plätzchen, Adventskranz; Nikolaus: Nikolausgeschenk, Süßigkeiten, Knecht Ruprecht; Weihnachten: Christkind, Weihnachtsbaum, Weihnachtsgans, Weihnachtsmann; Silvester: Raketen, Sekt

c) Karneval: sich verkleiden, spät ins Bett gehen, das Zimmer schmücken, mit Freunden feiern; Ostern: viel essen; Advent: jeden Tag eine Kerze anzünden; Weihnachten: mit der Familie feiern, spät ins Bett gehen, das Zimmer schmücken, viel essen, Lieder singen; Silvester: spät ins Bett gehen, Blei gießen, mit Freunden feiern

Lesen 1

S. 36/1 a) Foto oben links: Sonnwendfeier; Foto unten rechts: Nikolaus; b) A: Nikolaus; B: Sonnwendfeier; C: Silvester; D: Ostern; E: Weihnachten

S. 36/2 a) Hauptinformationen: **Meldung A:** Nikoläuse – Kindern – krankenhausreif geschlagen; Selbstverteidigungskurse; psychologische Schulung; **Meldung B:** Unterallinger See – Hubschrauber der Bundesluftwaffe; drei Sonnwendfeuer – mit Landesignalen verwechselt; Irrtum – zu spät; Fluggerät – versank; Insassen – retten; Sachschaden – 200 000 Mark; **Meldung C:** Vögel – Hauptleidtragenden -Silvesterknallerei; Vogelschutzbund – Firma Böllernit – Pressekonferenz – tierfreundliches Silvesterfeuerwerk; extrem leise Knaller und Raketen – Farbenpracht – auf dem Boden; **Meldung D:** Osterfest – verstecken – Mitarbeiter Tierpark Hellabrunn – süße Überraschungen – Zoo; junge Tierfreunde – kleine Geschenke; Direktion – gesucht – keinesfalls Tiergehegen; **Meldung E:** Berufsfeuerwehr; dreihundert Einsätze – Münchner Stadtgebiet – rund um die Uhr; meisten Fällen – Feuer – unter Kontrolle; Zwei Einfamilienhäuser – mehrere Etagenwohnungen – brannten ... aus; Hauptursache – wachsende Zahl – Christbaumbrände – Nostalgiewelle – Trend ... Wachskerze

S. 37/2 b) **Meldung A: Was?** Jahrestreffen des ADN; **Warum?** wachsende Gewaltbereitschaft bei Kindern und Jugendlichen; **Meldung B: Wer?** Hubschrauberpiloten der Bundesluftwaffe; **Wo?** Unterallinger See; **Wann?** Sonnwendnacht; **Was?** Piloten landeten im See, Hubschrauber versank, Insassen gerettet, Sachschaden: 200 000 Mark; **Warum?** Sonnwendfeuer mit Landesignalen verwechselt; **Meldung C: Wer?** VSD, Firma Böllernit; **Wo?** Baden-Baden; **Was?** Pressekonferenz: tierfreundliches Silvesterfeuerwerk; **Warum?** Tiere leiden unter der Knallerei; **Meldung D: Wer?** Mitarbeiter Tierpark Hellabrunn; **Wo?** München; **Wann?** Ostern; **Was?** Süßigkeiten für Kinder im Zoo versteckt; **Warum?** – **Meldung E: Wer?** Berufsfeuerwehr; **Wo?** München; **Wann?** Weihnachtsabend; **Was?** 300 Einsätze im Münchner Stadtgebiet; **Warum?** mehr Christbaumbrände wegen Trend zur Wachskerze

S. 37/3 Wahr sind die Meldungen D und E.

S. 37/GR 4 gleichzeitig: ... bemerkte der Pilot seinen Irrtum erst, als er bereits zu spät war; Während das Fluggerät (...) versank, konnten sich die Insassen ... (Text B); ... ihre Farbenpracht nicht entfalten, während sie fliegen (Text C); Immer wenn das Osterfest naht, verstecken Mitarbeiter ... (Text D); Seit der Trend zurück zur Wachskerze geht, brennt es natürlich wieder öfter. (Text E); nicht gleichzeitig: ... ihre Farbenpracht nicht entfalten, (...) sondern erst nachdem sie wieder auf dem Boden aufgeschlagen sind. (Text C)

S. 37/GR 5 a) eine einmalige Handlung in der Vergangenheit; b) eine wiederholte Handlung in der Gegenwart; c) Immer wenn das Osterfest nahte, versteckten Mitarbeiter Überraschungen.

S. 37/GR 6 einmalige Handlung – Vergangenheit: *als*; wiederholte Handlung – Vergangenheit: *wenn*; Gegenwart: *wenn*

S. 37/GR 7 bevor – seit – während – nachdem

Lesen 2

S. 39/2 a) touristische Informationen; b) Reiseführer

S. 39/3 Beispiele: Woran erinnert das Oktoberfest? Wann beginnt das Oktoberfest? Wann öffnen die Bierzelte?

S. 39/GR 4 b) *in* + Dat.; *um* + Akk.; *gegen* + Akk.; c) Beispiele: nach dem Essen gehen wir ins Kino. Während meines Urlaubs habe ich einen netten Mann kennen gelernt.

Sprechen 2

S. 40/1 a) Einladung zu einer Geburtstagsfeier; b) gute Freunde: Gespräch 1; Geschäftsfreunde: Gespräch 2; c) Freunde: du-Anrede, informeller Gesprächscharakter; Geschäftsfreunde: Sie-Anrede, formeller Gesprächscharakter, mehr Distanz zwischen Gesprächspartnern

S. 40/3 a) **Einladung:** Ich möchte Sie ... ganz herzlich zu ... einladen. **Frage nach Ort und Zeitpunkt:** Wann und wo findet Ihr Fest denn statt? **Zeit- und Ortsangabe:** In ... Tagen, am ..., so gegen ... Uhr. Wir feiern in ... **Beendigung des Gesprächs:** Vielen Dank nochmal für die Einladung und auf Wiedersehen. Auf Wiederhören.

Schreiben

S. 41/1 a) **Einladung 2:** Silvester-Party; **Einladung 3:** Geburtstagsfeier; b) **Einladung 1: Wo?** Standesamt Mariahilfplatz + Hotel Bayerischer Hof. **Wann?** 21. September. **Wie?** Trauung und Feier; **Einladung 2: Wo?** In der Wunderbar. **Wann?** 31. 12., 21 Uhr. **Wie?** Private Single-Party, Live-Musik; **Einladung 3: Wann?** 30. Mai, 20 Uhr. **Wie?** Private Geburtstagsfeier mit Tanz, Essen, Trinken

Lesen 3

S. 42/1 c) Person 1: positiv; Person 2: negativ; Person 3: sehr positiv

S. 42/GR 2 Person 1: den ganzen Abend über – während des ganzen Abends; **Person 2:** von Kindheit an – seit der Kindheit; innerhalb einer Minute – in ganz kurzer Zeit; das ganze Jahr über – während des ganzen Jahres; für ein paar Tage – ein paar Tage lang; während des Faschings – in der Faschingszeit; außerhalb (der Faschingszeit) – nicht in der Faschingszeit; **Person 3:** für ein paar Wochen – ein paar Wochen lang; vom elften November an – beginnt am elften November; in den letzten vierzehn Tagen – während der letzten vierzehn Tage; seit Jahren – vor Jahren hat es begonnen

Lesen 4

S. 43/3 a) eine Frau, die Weinzierl noch nicht kennt, die er gleich treffen wird, die er per Anzeige kontaktiert hat; b) Versicherungskaufmann; c) vermutlich eine Bekanntschafts-/Heiratsanzeige; d) davor, dass er „ihr" nicht gefällt; d) freie Antwort; vermutlich: Karnevals-/Faschingsfest; e) zögerlich, ängstlich, unsicher, nicht selbstbewusst

Lektion 4 – Schule

Hören 1

S. 46/1 a) vor einer Schule; b) im Sommer; wahrscheinlich vormittags; c) nicht gut; weil sein Zeugnis schlecht ist, muss er die Klasse wiederholen; d) prima; sie hat keine Angst vor dem Zeugnis; e) gut; f) ein Gymnasium; g) sie ist in der Kollegstufe und will Abitur machen; h) mit Punkten; i) Mütter; j) Schüler 1: mittelmäßig, Schüler 2: schlecht, Schüler 3: mittelmäßig, Schüler 4: gut; k) Mathematik, l) eine Party, essen gehen, ins Kino gehen

S. 46/2 a) bei Sabrina zu Hause; b) um ihr Zeugnis, speziell ihre Beurteilung bzw. den Kommentar im Zeugnis

S. 46/3 a) im Zeugnis unten; b) der/die Klassenlehrer(in); c) um einen Gesamteindruck ihrer Beteiligung am Unterricht während des Schuljahres; d) nicht angenehm, weil er eine Kritik enthält; e) sie schätzt ihre Mitarbeit selbst positiver ein als der Kommentar; f) sie will sich in Zukunft mehr am Unterricht beteiligen, sie möchte eine bessere Beurteilung für die spätere Bewerbung um eine Arbeitsstelle; g) dass der/die Klassenleiter/in im nächsten Zeugnis eine positivere Beurteilung schreibt.

Wortschatz – Schule

S. 47/4 die Deutschstunde, die Deutschlehrerin; das Erdkundeheft, die Erdkundelehrerin, die Erdkundestunde, der Erdkundeunterricht; das Grammatikheft, die Grammatikstunde, der Grammatikunterricht; das Klassenheft, die Klassenlehrerin, die Klassenarbeit; das Schreibheft, die Schreibarbeit, der Stundenplan

S. 47/5 das Klassenzimmer – der Unterricht findet dort statt; der Musikunterricht – dort wird gesungen, musiziert, Musik gemacht; der Zeichensaal – dort malen, zeichnen und werken die Schülerinnen und Schüler; der Schulhof – dort toben sie sich in der Pause aus, versammeln sich, z. B. vor einem Ausflug, spielen, gehen spazieren usw.; die Turnhalle – dort findet der Sportunterricht statt; die Bücherei – dort können sich die Schülerinnen und Schüler Bücher ausleihen

Sprechen

S. 48/1 a) diskutieren; b) z. B. dass man höflich bleibt, dass man beim Thema bleibt; c) z. B. indem man überzeugende Argumente nennt

S. 48/2 a) Meinung: Also, ich bin absolut für die Schuluniform. usw.; b) Beispiele: Schon die Kinder legen meiner Meinung nach viel zu viel Wert auf ihre Kleidung. usw.; c) Gründe: In vielen Ländern der Welt hat man gute Erfahrungen damit gemacht. usw.

S. 48/3 ich bin absolut für ...; Sie wissen doch so gut wie ich ...; Die Situation ist doch heutzutage so: ...; meiner Ansicht nach; Dazu kommt ein weiteres Problem; Ich bin der Meinung, ...; ... hat Vorteile; Positiv für ... ist ...; Der Vorteil für ...

Lesen 1

S. 49/1 das Schulsystem im Bundesland Bayern

S. 49/2 neutrale Informationen

S. 49/3 Absatz 1: das ganze Schaubild; Absatz 2: mittlerer „Strang" in der Abbildung; Absatz 3: linker „Strang" in der Abbildung; Absatz 4: rechter „Strang" in der Abbildung

S. 49/4 Hauptschule führt in die Berufsausbildung; Realschule/Wirtschaftsschule ist am besten für Schüler mit theoretischer und praktischer Begabung und führt zu Berufsausbildung oder Fachoberschule. Das Gymnasium eignet sich am besten für Schüler mit einer Bereitschaft zur Auseinandersetzung mit theoretischen Problemstellungen und führt in erster Linie zum Universitätsstudium.

S. 49/5 c) Dass die Schüler mit verschiedenen Schulabschlüssen unterschiedliche berufliche Chancen haben.

Lesen 2

S. 50/1 aus einer Tageszeitung oder Zeitschrift

S. 50/3 vierte Grundschulklasse; Jürgen und Max aus einfachen Verhältnissen; Notendurchschnitt; zu wenig lernbereit und zu unreif; Mutter von Jürgen – Gymnasium – komme, was wolle; Vater von Max – Landwirt – Hauptschule – was Richtiges lernen; Max – Schreinerlehre – Verkäufer – Maler; Misserfolge; Gespräche schwierig; (Stephan) Studium – Journalistenschule; Jürgen – Studium – Schauspielschule – Paris; glücklich; Wendemarke; gleich; sortiert

S. 50/4 b) Jürgen – weil die Mutter es so wollte; c) Max – weil der Vater fand, dass sein Sohn später eine Lehre machen und auf dem Hof mit-

arbeiten sollte; d) Max – Hauptschulabschluss; Jürgen – Abitur; e) Jürgen – zweimal Studium abgebrochen, Schauspielschule; Max – Schreinerlehre, Verkäufer, Maler; Stephan – abgebrochenes Studium, Journalistenschule

S. 51/5 a) die Eltern hatten selber keine gute Ausbildung und ein geringes Einkommen; b) trotz besseren Lebens hat er es nicht besser als Max getroffen, es gibt also keinen Grund zum Neid; c) Die sozialen Gegensätze, die in der Schule ihren Anfang nehmen, verschärfen sich.

S. 51/6 auf den Kampf sozialer Klassen bzw. auf Schulklassen

S. 51/GR 8 **unregelmäßige Verben**: laufen, standen, ging, kamen, fand, gehen, komme, sprach, getroffen, verlor, abbrechen, sahen, geworfen, wurden, abgebrochen, vergaß, gibt; **regelmäßige Verben**: sagen, festmachen, reichte, teilte mit, wolle, sollten, lernen, mitarbeiten, trennten, erkundigte, betonte, fühlte, beendet, sortiert; **Mischformen**: waren, dachte, haben, gebracht, seien, musste, weiß

S. 51/GR 9 a) Plusquamperfekt; b) Perfekt; c) Präteritum

S. 51/GR 10 haben, sein, haben, sein

Hören

S. 52/1 c) in keinem; d) Mathematik, Physik, Geographie; e) Note 5 = ungenügend

S. 52/2 Alter: 14, Schule: Gymnasium, Klasse: 8, Eltern: geschieden; **richtig**: b); d); f); h); k); o); **falsch**: a); c); e); g); i); j); l); m); n)

Schreiben

S. 53/2 a) eine Schülerin an eine Freundin; b) informell: *Liebe ..., deine ...*

Lesen 3

S. 54/1 Synonyme für folgenden Sachverhalt: In Deutschland müssen Schülerinnen bzw. Schüler, die das Klassenziel nicht erreicht haben, eine Klasse wiederholen.

S. 54/2 Die eines Schülers, dessen Zeugnis die Beurteilung „nicht versetzt" enthält.

S. 54/3 **ja**: a); c); e); **nein**: b); d); f); g); h); i)

S. 54/GR 5 (begabt), genommen, verschwunden, (verstört), (verwirrten), zerbrechen, zerstäubt

S. 55/GR 6 verdursten (= aus Durst sterben), zerreißen (= kaputtreißen), vergehen (z. B. ein Schmerz verschwindet), zerschlagen (z. B. einen Ring von Kriminellen zerstören)

S. 55/GR 7 anblicken, anstarren, auftürmen, hervorarbeiten, nachsehen, vorwerfen, zurufen

S. 55/GR 8 a) **Struktur 1**: er stand immer da; rief er mir zu; mein Vater blickte mich an; brach in schallendes Gelächter aus; **Struktur 2**: konnte sich keine Wut hervorarbeiten; sie konnten mir nichts mehr vorwerfen; b) **Struktur 1**: Hauptsatz; **Struktur 2**: Nebensatz: während meine Eltern abwechselnd ihn und mich erstaunt anstarrten.

S. 54/9 a) hatte Schwestern, Stiefbrüder, (wahrscheinlich) wohlhabende Eltern, Vater war Fabrikant, verheiratet, eine Tochter, geschieden; b) Bremen, Berlin, London, Böhmen/Prag, Schweden/Stockholm; c) Ausbildung als Künstler, Berufstätigkeit als Journalist/Schriftsteller

Lektion 5 – Essen und Trinken

Hören 1

S. 58/2 Barmann – welche kalten und warmen Getränke es gibt, Weine aus Italien, Direkteinkauf der Weine; Köchin Paula – Gerichte auf der Speisekarte, ihr Lieblingsgericht, nach Soziologiestudium Arbeit im Café Ruffini, nicht langweilig, alle entscheiden gemeinsam, Teambesprechungen, kein Chef; zwei Gäste: – warum ihnen das Café Ruffini gefällt

S. 58/3 Abschnitt 1: a) falsch, b) falsch, c) richtig, d) richtig,
Abschnitt 2: e) Paula und ihre Kollegin Barbara, f) Hühnersuppe aus
Thailand, Schweinebraten aus Bayern, Lammbraten aus Arabien, Nudel-
gerichte aus Italien, g) Lammbraten
Abschnitt 3: h) Die Köchin Paula hat ihr Soziologiestudium beendet,
wollte aber nicht in dem Bereich arbeiten. i) Entscheidungen im Café Ruf-
fini: Keiner hat mehr zu sagen als die anderen, alle entscheiden gemein-
sam.
Abschnitt 4: Die beiden Gäste mögen am Ruffini: die Atmosphäre, die
Nachmittagsstunden im Café. Das Ruffini bietet außer Speisen und
Getränken: Bilderausstellungen, Lesungen von Schriftstellern, Jazzmusik live, Kabarettvorstellungen

Lesen 1

S. 59 Familie Wohlfahrt – D, Karla Rettich – E, Herr Dickinger – /, Daniel
und Linda – C, Frau Lindinger – B, Jens und Herbert – F, Anne, Daniel
und Susi – A

Wortschatz – Essen und Trinken

S. 60/2 a) und b) **Speisen:** die Bratwurst, die Bratkartoffeln, das Erdbeereis, die Fischsuppe, das Fischfilet, der Gurkensalat, die Hühnerkeulen, die Hühnersuppe, die Nudelsuppe, der Nudelsalat, der Obstsalat
Getränke: der Apfelwein, der Bohnenkaffee, die Dosenmilch, das Dosen-
bier, die Frischmilch, der Kräutertee, der Kräuterlikör, das Mineralwas-
ser, der Tafelwein, das Tafelwasser, der Weißwein
c) Vorspeisen: die Fischsuppe, die Hühnersuppe, die Nudelsuppe
Hauptgerichte: die Bratwurst, das Fischfilet, die Hühnerkeulen
Beilagen: die Bandnudeln, die Bratkartoffeln, der Gurkensalat, der Nudel-
salat
Nachtisch: das Erdbeereis, der Obstsalat
S. 60/3 **süß:** Eis, Pudding; **sauer:** Zitrone, Apfel, Orange; **salzig:** Oliven,
Erdnüsse, Kartoffelchips; **bitter:** Grapefruit, Limonen; **scharf:** Peperoni,
Pfeffer, Curry; **fruchtig:** Erdbeeren, Pfirsiche, Kirschen, Wein; **würzig:**
Käse, Wurst

Lesen 2

S. 62/2 b) Zeile 49: Ambiente; Zeile 54: Service; Zeile 57: Besonderer
Tipp
S. 63/3 Schweinebraten – sehr positiv: in jeder Hinsicht gute Noten;
Entenbrust – negativ: machte eine glatte Bauchlandung, der einzige
Minuspunkt; Hühnerkeulen – sehr positiv: wunderbar saftig, ein Gedicht,
harmonierten ausgezeichnet; Fischfilet – sehr positiv: auf den Punkt
gebraten, ließ geschmacklich keine Wünsche offen; gebratene Pilze auf
Blattspinat mit Bratkartoffeln – sehr positiv: vom Besten; Himbeer-
pfannkuchen mit Vanilleeis – sehr positiv: von ausgesuchter Qualität;
gemischtes Eis mit frischen Beeren – sehr positiv: ein Genuss; Kaffee –
sehr positiv: ausgezeichnet

Sprechen 2

S. 64/3 a) **Bar:** spät abends hingehen, alkoholische Getränke (Cocktails,
Whisky, Cognac, ...) trinken, Musik hören, schummrige Beleuchtung, ...
Restaurant: Speisen und Getränke auswählen, essen und trinken, sich
bedienen lassen, sich unterhalten, ...
Bistro: eine Kleinigkeit essen, einen Kaffee oder Aperitif trinken, Zeitung
lesen, ...
Diskothek: laute Musik hören, tanzen, sich unterhalten, etwas trinken,
sehen und gesehen werden, jemanden kennen lernen, sich amüsieren, ...
Café: angenehme Atmosphäre, Kaffee trinken und Kuchen essen, etwas
trinken, Zeitung lesen, Leute beobachten, sich unterhalten, ...
b) **essen:** Kneipe, Restaurant, Bistro, Café; **trinken:** überall; **sitzen:** überall (außer in der Diskothek vielleicht); **stehen:** Kneipe, Bar, Bistro, Diskothek; **lachen:** überall; **tanzen:** Diskothek, evtl. Bar; **Künstler auftreten sehen:** Diskothek, evtl. Bar und Café; **Musik hören:** Kneipe, Bar, Diskothek, evtl. Bistro und Café; **Zeitung lesen:** Kneipe, Bistro, Café

Lesen 3

S. 65/1 A – 5; B – 2; C – 1; D – 3; E – 4
S. 65/GR 3 B – 2: der Teetrinker – Gelingt es ihm, ... seinen Wunsch ...,
C – 1: hat die Zukunft schon begonnen – ab sofort; D – 3: ein herbst-
liches Festmenü – Zwischen den Gängen; E – 4: ein rollendes Edelre-
staurant – dort ..., während der blaue Zug ...
S. 65/GR 4 b) Nomen – Umschreibung/Synonym: ein herbstliches Fest-
menü – Zwischen den **Gängen**; c) Nomen – temporales Adverb: hat **die
Zukunft** schon begonnen – **ab sofort**; d) Nomen – lokales Adverb: ein
rollendes **Edelrestaurant** – **dort**; e) Nomen – Pronomen: **der Teetrinker**
– Gelingt es **ihm**, ... **seinen** Wunsch ..., ... **er**

Hören 2

S. 66/2 a) Mehl, Salz, Ei, Muskat, Milch, Öl oder Fett; b) heiß; c) gleich-
mäßig auf dem Boden der Pfanne; d) 3-4 Minuten; e) mit Marmelade,
gekochtem Obst, Quark- oder Schokocreme, Käse
S. 66/GR 4 Passiv Präsens im Hauptsatz: Salz und Mehl **werden** in eine
Schüssel **gegeben**, Dann **wird** das Ei und etwas Milch **dazugegossen** und
das Ganze zu einem glatten, dicken Teig **geschlagen**, Für jeden Pfannkuchen **wird** etwas Öl oder Fett **heiß gemacht**, ..., **wird** er vorsichtig
gewendet oder **hochgeworfen**
Passiv Präsenz im Nebensatz: ..., bevor der Teig **hineingegossen wird**,
Passiv mit Modalverb im Hauptsatz: Dann **muss** die Pfanne so **gedreht
werden**; Am Ende **kann** der Pfannkuchen je nach Geschmack **gefüllt
werden**
Passiv mit Modalverb im Nebensatz: ..., ob der Pfannkuchen schon
gewendet werden kann
S. 66/GR 5 a) werden – Partizip II, b) Endposition, c) worden, d) Partizip II-Form – Infinitv

Schreiben

S. 67/1c Bilder: Linke Reihe: Mitte – 4 (würzen), unten – 2 (schälen);
rechte Reihe: oben – 5 (auf kleiner Flamme kochen), Mitte – 3 (vermi-
schen, hineinrühren), unten – 1 (im Ofen backen)

Lektion 6 – Film

Lesen 1

S. 69/1 a) Marlene Dietrich
S. 70/2 Bedeutung für die Filmgeschichte = 3, Inhalt = 2, Daten zum
Film = 1
S. 70/3 a) in einer deutschen Kleinstadt; b) Professor/Englischlehrer,
Varietékünstlerin/Sängerin; c) im Nachtlokal „Der blaue Engel", weil
Rath seine Schüler erwischen will; d) es steuert auf eine Katastrophe zu;
e) Rath wird wahnsinnig und stirbt
S. 71/GR 4 kausal: weil, Aus diesem Grund, denn, deshalb, nämlich;
konzessiv: trotzdem, obwohl; **andere:** dass, doch, um ... zu, so, als, da-
raufhin
S. 71/GR 5 z. B. Aus diesem Grund geht er selbst in das Nachtlokal. ...
weil er mit Lola herumziehen will. ... verzichtet er auf seine Stelle als
Englischlehrer.
S. 71/GR 6 c) da, obwohl, weil = Hauptsatz + Nebensatz; denn, aber =
Hauptsatz + Hauptsatz
S. 71/GR 7 a) Dieser Film war für Marlene Dietrich sehr wichtig, **denn**
er war der Anfang ihres Welterfolgs, ... **weil** er der Anfang ihres Welterfolgs war. Dieser Film war der Anfang von Marlene Dietrichs Welt-
erfolg. **Deshalb** war er für sie sehr wichtig.
b) *Der blaue Engel* ist einer der besten deutschen Filme. **Deshalb** empfehle ich dir, ihn mal anzuschauen. Ich empfehle dir, den *blauen Engel*
mal anzuschauen, **denn** er ist einer der besten deutschen Filme. ..., **weil**
er einer der besten deutschen Filme ist.

S. 71/GR 8 a) Ich mag eigentlich keine Schwarz-Weiß-Filme. **Trotzdem** interessiert mich der *blaue Engel*. Mich interessiert der *blaue Engel*, **obwohl** ich eigentlich keine Schwarz-Weiß-Filme mag.
b) Der Professor verliebt sich in Lola, **obwohl** ihm ihre Welt suspekt bleibt. Lolas Welt bleibt dem Professor suspekt. **Trotzdem** verliebt er sich in sie.

Wortschatz – Film

S. 73/3 Kameramann, Regisseur
S. 73/4 a) der Kameramann; b) der Maskenbildner; c) die Produzentin; d) die Regisseurin; f) die Drehbuchautorin
S. 73/5 die Komödie – z. B. *witzig, lustig*; der Kriminalfilm – z. B. *spannend*; der Liebesfilm – z. B. *romantisch, zart*; die Literaturverfilmung – z. B. *überzeugend, originalgetreu*; der Stummfilm – z. B. *typisch, interessant*; der Zeichentrickfilm – z. B. *witzig, unterhaltsam*.

Lesen 2

S. 74/1 b) Jugendzeit; c) Rolle in *Der blaue Engel*; d) 1930 nach Amerika; e) Tochter entführt; f) weltweit bekannte Diva; g) amerikanische Soldaten; h) zweite Karriere; i) eigene Show; j) Alter
S. 74/3 Text A Temperament, Umgang mit Kollegen, Sprache, Text B Frauenrolle, Text C Verhältnis zum Regisseur, Perfektionismus, Text D Beliebtheit
S. 75/GR 5 a) Marlene Dietrich war eine Frau, der man keine Vorschriften machen konnte. b) Marlene Dietrich war eine Frau, deren temperamentvolle Art bekannt war. c) Sie war eine Frau, die in ihrem Beruf perfekt sein wollte. d) Der Pianist war ein schüchterner Mensch, den sie nicht freundlich behandelte. e) Lubitsch war ein Regisseur, mit dem sie gern zusammenarbeitete.
S. 75/GR 6 nur nicht im *Dativ Plural* und im *Genitiv*; Verb/Adjektiv + *Präposition*; Relativpronomen: *wo, wen, was* usw.; Relativpronomen auf einen *ganzen Satz* bezieht
S. 75/GR 7 b) von denen; c) dem; d) was; e) womit

Sprechen 2

S. 76/1 a) Foto 1: Professor Rath und Lola; Foto 2: Professor Rath und seine Schüler; Foto 3: Lola und andere Varietékünstlerinnen; Foto 4: Rath als Clown, eine Dame vom Varieté, der Theaterdirektor
b) Foto 1: hinter der Bühne; Foto 2: im Gymnasium; Foto 3: auf der Bühne des Nachtlokals *Der blaue Engel;* Foto 4: im Nachtlokal, hinter der Bühne
c) Foto 1: den Flirt, das erste Kennenlernen von Lola und Rath; Foto 2: Raths Schüler machen sich mit einer Karikatur an der Tafel über ihn und seine Besuche im Nachtlokal lustig; Foto 3: Lolas Auftritte und ihre Reize; Foto 4: der Auftritt des Professors als Clown und die Wirkung, die das auf ihn hat

Schreiben

S. 77/1 positiv: anhänglich, selbstsicher, begehrenswert, weich; **negativ**: überfüllt, amoralisch, männermordend, kühl, stahlhart; **Kommentar**: Einzelne Adjektive können auch gegenteilig interpretiert werden, je nach Standpunkt.

Hören

S. 78/3 Blumen – Mädchen – Männer – Soldaten – Gräber – Blumen
S. 78/4 Jeweils zwei Zeilen sind in jeder Strophe anders, die anderen bleiben gleich. Das Lied ist sehr repetitiv. Die Begriffe sind im Gedicht kreisförmig angeordnet.
S. 78/5 Es geht um Krieg, Tod, Vergänglichkeit ...

Lektion 7 – Reisen

Lesen 1

S. 82/1 b) aus einer Zeitung
S. 83/3 Absatz 2: E; Absatz 3: F; Absatz 4: I; Absatz 5: D; Absatz 6: J; Absatz 7: C; Absatz 8: H; die Aussagen B und G passen nicht
S. 83/4 a) DDR: Westgrenze, Land der Unbeweglichkeit, Ostthüringische Zeitung; BRD: Banken, Reisebüros, Mittelklassewagen; **Welt**: Reiseberichte, Fotos, Cowboys, Schafzüchter, Holzfäller, Kellner; b) Text, Zeile 45, 54–59; c) positiv, vgl. Zeile 76–91
S. 83/GR 5 **Woher/aus**: einem Land der Unbeweglichkeit (heraus), aller Herren Länder, Südeuropa, Saalfeld/DDR, dem australischen Alice Springs; **Woher/von**: Adelaide; **Wo/in/im**: Thüringen, der Ostthüringer Zeitung, Nachbarort, der Bundesrepublik, der Welt, in der Ex-DDR, Borneos Dschungel, 52 bis 59 Ländern, Deutschland; **Wo/an**: jeder Ecke, ihnen
Wo/auf: dem Saalfelder Marktplatz, einer ganzen Seite; Wohin/nach: Saalfeld/BRD, Hause, Sydney; **Wohin/auf**: ihre Räder

Wortschatz – Reisen

S. 84/2 Verkehrsmittel – **auf der Straße**: das Fahrrad, das Motorrad, der Reisebus; **zu Wasser**: das Kreuzfahrtschiff, das Schiff, der Kahn, der Luxusliner, die Fähre; **in der Luft**: das Flugzeug, das Raumschiff, der Ballon; **auf Schienen**: der Zug, die Bahn, die Eisenbahn, die S-Bahn, die Straßenbahn, die U-Bahn;
Übernachtung – **preiswert**: das Gästehaus, das Motel, das Zelt, der Campingplatz, die Pension, die Privatunterkunft; **teuer**: das Wohnmobil, der Wohnwagen.
S. 84/3 a) die Expedition; b) die Dienstreise; c) die Exkursion/der Ausflug; d) die Abenteuerreise; e) die Nostalgiereise; f) die Bildungsreise/Studienreise
S. 84/4 anreisen = z. B. mit dem Privatauto anreisen; einreisen = z. B. Ohne Pass dürfen sie nicht einreisen; verreisen = z. B. Mein Mann muss schon wieder verreisen.
S. 84/5 Andere Länder, andere Sitten. = In verschiedenen Ländern werden Dinge anders gemacht. Warum denn in die Ferne schweifen, wenn das Gute liegt so nah. = Man soll sich mehr mit den Dingen in seiner Umgebung beschäftigen. Wenn einer eine Reise tut, dann kann er was erzählen. = Reisen liefert neue Eindrücke, Anregungen. Wer rastet, der rostet. = Man soll sich nicht zur Ruhe setzen, sonst baut man körperlich und geistig ab.

Hören

S. 85/2 a) Griechenland/Kos; b) Sport; c) Ägypten/Rotes Meer; d) Bildung und Erholung; e) Südengland; f) Individualreise/Rundreise; g) Sardinien; h) mit Auto und Schiff
S. 85/3 Hofstetter: *Vorteile:* gut tauchen, Exkursionen, Erholungsurlaub und Bildungsurlaub so einfach miteinander verbinden; *Nachteile:* Exkursionen mit dem Bus abenteuerlich; Meissner: *Vorteile:* möglichst viel von Land und Leuten zu sehen; sich noch in letzter Minute entscheiden, wenn man etwas Reizvolles sieht; *Nachteile:* stressig, wenn man Pech hat und alles ausgebucht ist; Baumann: *Vorteile:* kann jede Menge Gepäck mitnehmen; haben den ganzen Urlaub über ein Auto zur Verfügung; *Nachteile:* anstrengend, die Autofahrt dauert acht bis neun Stunden

Sprechen 1

S. 86/2 a) Am Flughafen – E, C; Am Bahnhof – C, E; Im Flugzeug – D; Im Clubhotel – A, B; Am Flughafen bei der Gepäckausgabe – E.
S. 87/3 z. B.: Der Reiseunternehmer Hartmut Müller glaubt, dass die ersten Touristen im Jahr 2020 Urlaub im All machen können. – Er rechnet damit, dass es eine große Nachfrage nach Reisen in den Weltraum gibt. – Die Reiseveranstalter sind auch sicher, dass schon in naher

Zukunft Reisen in den Weltraum möglich sein werden. – Es gibt bereits Pläne für ein Weltraumhotel. – Müller zeigte bereits ein Dia von dem geplanten Hotel. – Es wird ein großes Angebot an Sport- und Freizeitmöglichkeiten geben. – Allerdings werden sich nur wenige die teuren Reisen leisten können.

S. 87/4 Reisen: Sahara, Schlauchboot, Atlantik, Mount Everest, Abenteuer, Reiseagentur, Touristen, Trip, Weltraumhotel, Pauschalabenteuer, Extremurlauber, Reiseveranstalter, einchecken, Pauschalreise, Weltraumtouristen, Rucksacktouristen, Ferien, Luxusherberge, Gäste; **Weltraum:** Sphären, All, Himmelstürmer, Mond, Weltraumflughafen, Weltraumtouristen, Erdumlaufbahn, kosmisch, Schwerkraft; **Wirtschaft:** Geschäftsführer, High-Tech-Industrie, Symposium, Fachleute, Kosten, boomen, Analysen, Marktforscher, Potential, Angebot, Preis

Schreiben

S. 88/1 a) über die Möglichkeit, ab 2015 bzw. 2025 Urlaub im All zu verbringen; b) beim TUI Reisebüro

S. 88/4 … Möglichkeit eines Weltraumurlaubs erfahren. Für meine Terminplanung müsste ich bereits jetzt wissen, wie lange die Weltraumreise dauern soll. Außerdem brauche ich Informationen darüber, ob eine Gemeinschaftsunterkunft für Touristen geplant ist oder ob es individuelle Zimmer gibt. Falls Ersteres der Fall ist, kommt eine solche Reise für mich nicht in Frage. Da ich Diabetikern bin, ist für mich außerdem wichtig zu wissen, ob es bestimmte gesundheitliche Voraussetzungen für die Teilnahme gibt. Ich wäre Ihnen dankbar, wenn Sie mir das Erlebnisprogramm „Events" an die oben genannte Adresse schicken könnten. Ich gehe davon aus, dass ich darin alle weiteren Informationen über Termine, Reisedauer und Preise sowie Buchungsformalitäten finde. Vielen Dank …

Lesen 3

S. 90/1 Beschreibungen
S. 90/3 1 = 6, 2 = 8, 3 = fehlt, 4 = fehlt, 6 = 2
S. 91/GR 5 Imperativ: *Text 1:* 1. Legen Sie schwere Sachen (Schuhe, Jeans etc.) immer nach unten, Empfindliches, das leicht Falten bekommt, nach oben. 3. Packen Sie Ihre Reisegarderobe in dünne Plastikhüllen … 5. Schreiben Sie sich vor dem Packen auf, was Sie alles mitnehmen wollen. 6. Wählen Sie die richtige Gepäckgröße für die Reise. *Text 2:* Stimmen Sie Ihre Kleider auf die Art Ihres Urlaubs ab. Packen Sie diese auf keinen Fall zwischen die Kleidung, sondern besser an den Rand des Koffers. **Infinitiv:** 2. Lücken mit Strümpfen oder Unterwäsche füllen. 4. Stricksachen am besten zusammenrollen. **Unpersönlich:** Jetzt muss nur noch der Koffer gepackt werden, … Die nervtötende Frage: „Habe ich auch wirklich alles eingepackt?" löst man mit einer Liste, die man vor der Abreise anlegt. … ist schwerer zu schleppen. Wer nur baden oder faul am Strand liegen will, braucht nicht mehr als Badesachen und Freizeitkleidung. Dazwischen legt man Handtücher, T-Shirts oder Pullis.
S. 91/GR 6 a) Reduziere das Gepäck durch die richtige Auswahl. Reduziert das Gepäck … Man reduziert das Gepäck durch die richtige Auswahl. Sie sollten das Gepäck durch die richtige Auswahl reduzieren.
b) Pack eine auf wenige Farben abgestimmte Garderobe ein. Packt … ein. Man packt … ein. Sie sollten … einpacken.
c) Wähl(e) reisefreundliche Textilien aus. Wählt reisefreundliche Textilien aus. Man wählt reisefreundliche Textilien aus. Sie sollten … auswählen.
d) Stopf(e) Socken in die Zwischenräume. Stopft Socken … in die Zwischenräume. Man stopft Socken … in die Zwischenräume. Sie sollten Socken in die Zwischenräume stopfen.
S. 91/GR 7 a) Infinitiv; b) Plural; c) keine; d) -e; e) Indikativ; f) der 2. Person Indikativ.
S. 91/8 Herren: der Rasierschaum, die Rasierklinge; **Damen:** die Lockenwickler, die Reinigungsmilch; **beide:** das Deo-Spray, das Haarspray, der Deo-Roller, der Föhn, der Kamm, das Parfüm, der Rasierapparat, die Handcreme, die Seife, die Zahnbürste, die Zahnpasta

Lektion 8 – Musik

S. 93/a eine Tuba

Hören

S. 94/2 Abschnitt 1: a) in den USA; b) Musik machen; **Abschnitt 2:** c) Blockflöte, Tenorhorn, Schlagzeug, Tuba; d) 1. klassische Musik; 2. Jazz- und Popularmusik; e) es ihm Spaß macht und man von einem Stil für einen anderen profitieren kann; **Abschnitt 3:** f) eine Aufnahmeprüfung besteht; **Abschnitt 4:** g) es nicht so viele ausgebildete Tubisten gibt; h) in einem Orchester, in einer Combo oder einem Ensemble spielen, Musikunterricht geben; i) gute Beziehungen

Wortschatz – Musik

S. 95/1b Saiteninstrumente: Cello, Harfe, Kontrabass, Gitarre; **Blasinstrumente:** Saxophon, Trompete, Klarinette, Dudelsack, Tuba, Querflöte; **Schlaginstrumente:** Schlagzeug, Pauke; **Tasteninstrumente:** Akkordeon, Klavier
S. 95/2 a) (Kästchen von links nach rechts und von oben nach unten): 6 Lautsprecher, 2 CD-Spieler, 4 Cassettenrekorder, 1 Radio, 3 Verstärker, 5 Kopfhörer
b) 1. schalten … ein, 2. legen … ein, 3. nehmen … auf, 4. spulen … zurück
S. 95/3b Musik und Tanz aus Argentinien; … – Tango; Dazu kann man wunderbar im Dreivierteltakt … – Walzer; Bei dieser Musik wird oft frei improvisiert; … – Jazz; Ein Musikstil, der regional unterschiedlich ist; … – Volksmusik; Junge Leute tanzen darauf häufig in Diskotheken; … – Techno

Lesen 1

S. 96/2 Bei dem Musiker handelt es sich um Wolfgang Amadeus Mozart.
b) Spätsommerabend des Jahres 1791; c) die neue Oper „Die Zauberflöte"
S. 96/3 a) 1791 ist das Jahr, in dem „Die Zauberflöte" entsteht und uraufgeführt wird und Mozart stirbt. Um das Jahr 1764 unternahm Mozart mit seinen Eltern Konzerttourneen durch Europa. b) Wie Mozart nicht lange vor seinem Tod Bilder aus seiner Vergangenheit vor sich sieht. c) Wolferl, Bub oder „kleines Wundertier"
S. 97/4 a) Mozart reiste mit seiner Familie in einer Kutsche, auf deren Dach ein Klavier transportiert wurde, quer durch Westeuropa und spielte in den Salons von München, Mannheim, Brüssel, Paris und London.
b) Er wird als Winzling beschrieben, dessen Finger fast keine Quinte greifen können, der aber dennoch das Klavier wie fast keiner beherrscht. Er spielt Violine und improvisiert auf der Orgel, dass man's für Zauberei halten möchte und hat die Kaiserin in Wien verzaubert.
S. 97/GR 5 a) Zeile 24/25: nicht mehr nur, Zeile 50: nie, Zeile 55: nichts, Zeile 58: fast keine, Zeile 60: kaum einer, Zeile 75: nirgendwo; b) etwas, irgendetwas – nichts; immer, einmal – nie; c) Dennoch beherrscht er das Klavier wie fast keiner.

Lesen 2

S. 99/3 2) Mutter ist Musiklehrerin. 3) Die erste Geige war aus einer Zigarrenkiste, einem Lineal und einem Radiergummi gemacht. 4) vier Stunden täglich; 5) Tonbandaufnahmen einschicken mit Bestätigung, dass selbst gespielt, und Empfehlung von mindestens zwei Lehrern; 6) klassische Musik; 7) Yehudi Menuhin, Igor Oistrach; 8) Schule, wenn möglich, beenden, evtl. Karriere in einem großen Konzerthaus wie der Carnegie Hall
S. 99/GR 6 Verb + Präposition + Akkusativ: sich erinnern an, kommen auf
Verb + Präposition + Dativ: suchen nach, teilnehmen an, sich fernhalten von, gratulieren zu, studieren bei, befreien von
S. 99/GR 7 Präposition + Nomen: Seit wann studierst du **an der** Musikhochschule? … habe ich dann allerdings auf einer Kindergeige

schon Kinderlieder gespielt. Wer hatte denn die Idee, **am** Yehudi-Menuhin-Wettbewerb teilzunehmen? Wir halten uns **von** der anderen Musik eher fern. Da gratuliert er mir **zu** meinem ersten großen Preis. ... habe ich mich **von** der Schule befreien lassen.
Präposition + Nebensatz oder Infinitivsatz: Dann hast du als Dreijährige **damit** angefangen, Geige zu spielen? Ich erinnere mich noch gut **daran,** wie ich einen Tag nach meinem neunten Geburtstag in die Hochschule pilgerte, um einer Jury vorzuspielen. Wann kamst du denn **darauf,** professionelle Musikerin zu werden?
S. 99/GR 8 a) da-; b) dar-

Schreiben

S. 100/2 a) Gertrud Bayer schreibt an die Redaktion der Süddeutschen Zeitung. b) Sehr geehrte Damen und Herren; c) auf den Zeitungsartikel mit dem Titel: „Ausgezeichnete Kinderarbeit"; d) Mit freundlichen Grüßen; e) voller Gefühle, emotional

Lesen 3

S. 103/3 2. Gitarre; 3. 3–10 Minuten; 4. tief; 5. Dudelsäcke, Banjos und Harfen; 6. Lieder mit Cowboys, Politikern oder Texte über Ferien; 7. Kinder; 8. Fahrstuhl oder Supermarkt
S. 103/4 a) ja, b) ja, c) ja, d) nein, e) nein, f) ja
S. 103/GR 5 + 6 a) Infinitiv + zu; b) + 6) ... damit es gelingt, möglichst viele Menschen **zu erfreuen** (Z. 13–15) = damit man möglichst viele Menschen **erfreuen kann**; ...; wie lang ein Lied **zu sein** hat, damit es gefällt (Z. 29/30) ... = Wie lang ein Lied **sein soll**, damit es gefällt; ... ist in der Tat verdächtig, ein Hit **zu werden**. (Z. 58/59) = **könnte** in der Tat ein Hit **werden**; ... mit dem Millionen **zu verdienen** sind (Z. 59/60) = mit dem man Millionen **verdienen kann**.

Lektion 9 – Sport

S. 105/1 a) in den Bergen, auf einem Felsen; b) leger, kurzärmliges (Freizeit-)Hemd, Jeans, Bergschuhe, Halskette, Armbanduhr
S. 105/2 Er hat alle 14 Achttausender bestiegen, ist zu Fuß durch die Antarktis, Grönland, Tibet und die Wüste Takla Makan gewandert. Über diese Aktivitäten wurde von den Medien berichtet.

Lesen 1

S. 106/1 a) – 6; b) – 5; c) – fehlt; d) – 3; e) – 1; f) – 4; g) – 2; h) – fehlt
S. 106/2 a) Vater, Mutter, älterer Bruder; b) einen Tag, von fünf Uhr morgens an; d) kalte Morgenluft, Sonnenschein; e) 1000 Meter ging es hinunter

Wortschatz 1 – Sport

S. 107/1 Verben: hinuntergehen, hinuntersteigen; **Nomen:** Rucksack, Seil, Klettertour, Gipfelkreuz, Gipfel, Bergsteiger, Klettererfolg
S. 107/3 a) **spielen:** Eishockey, Fußball, Golf, Handball, Tennis, Tischtennis, Volleyball; **machen:** Gymnastik, Judo, Karate, Leichtathletik; b) – d) **Bergsteigen** – der Bergsteiger / die Bergsteigerin – im Gebirge – die Bergstiefel/-schuhe; **Eishockey** – der Eishockeyspieler / die Eishockeyspielerin – im Stadion – in der Halle – der Puck, der Schläger; **Fußball** – der Fußballer/Fußballspieler / die Fußballspielerin – auf dem Platz, im Stadion – der Ball; **Golf** – der Golfspieler/Golfer / die Golfspielerin – auf dem Platz – der Ball, der Schläger; **Gymnastik** – der Turner / die Turnerin – in der Halle – der Anzug; **Handball** – der Handballspieler/Handballer / die Handballspielerin – in der Halle – der Ball; **Joggen** – der Jogger / die Joggerin – im Freien – die Schuhe; **Judo** – der Judokämpfer/Judoka / die Judokämpferin – in der Halle – der Anzug; **Karate** – der Karatekämpfer / die Karatekämpferin – in der Halle – der Anzug; **Laufen** – der Läufer / die Läuferin – im Freien – die Schuhe; **Leicht-** athletik – der Leichtathlet / die Leichtathletin – im Freien – die Schuhe; **Reiten** – der Reiter / die Reiterin – im Freien, in der Halle – die Kappe, die Hose, die Stiefel; **Schwimmen** – der Schwimmer / die Schwimmerin – im Freien, in der Halle – der Anzug, die Hose; **Surfen** – der Surfer / die Surferin – auf dem Wasser – das Brett; **Tennis** – der Tennisspieler / die Tennisspielerin – in der Halle – im Freien, der Ball, der Schläger; **Tischtennis** – der Tischtennisspieler / die Tischtennisspielerin – in der Halle, im Freien – der Ball, der Schläger; **Turnen** – der Turner / die Turnerin – in der Halle – der Anzug; **Volleyball** – der Volleyballspieler/Volleyballer / die Volleyballspielerin – in der Halle – der Ball; **Wandern** – der Wanderer – im Freien – die Schuhe/Stiefel; **Windsurfen** – der Windsurfer / die Windsurferin – im Freien – das Brett;
e) ohne die Verben *spielen* oder *machen*: Bergsteigen, Joggen, Laufen, Schwimmen, Surfen, Wandern, Turnen, Windsurfen; sie sind aus dem Infinitiv eines Verbs gebildet.

Lesen 2

S. 108/1 Text A: eine Journalistin, Text B: Messners Partnerin
S. 108/GR 2 Komparativ: härter, besseren, schwieriger; **Superlativ:** Schnellster
S. 108/GR 3 a) -er; b) -(e)st-; c) Umlaut; d) -e; e) -e
S. 108/GR 4 die höchste Bergspitze, das höchste Niveau; die höchsten Berge/Bergspitzen/Niveaus; der Berg/die Bergspitze/das Niveau ist am höchsten; Die Berge/Die Bergspitzen/Die Niveaus sind am höchsten.

Wortschatz – Landschaften und Klima

S. 109/1 a) Urwald/Dschungel, Wüste, Bergland/Gebirge
c) **Urwald/Dschungel:** heiß, feucht, tropisch, Regen, Feuchtigkeit, Hitze, Insekten; **Wüste:** heiß, trocken, Sand, Wind, Sturm, Hitze, Trockenheit
S. 109/2 das Meer – das Salz, das Wasser; der Berg – der Gipfel, die Spitze; das Eis – der Schnee, die Kälte; die Wiese – die Blumen, das Gras; die Wüste – der Sand, die Hitze; der Urwald – die Bäume
S. 109/3 heiß – kalt; trocken – feucht, nass; gebirgig – flach; schmal – breit; leicht – schwer; groß – klein; ruhig – laut; glühend – eisig; gemäßigt – extrem; lang – kurz
S. 109/4 der Urwald ist heiß, feucht oder extrem feucht; die Wüste ist trocken, glühend heiß, extrem heiß; das Gebirge ist kalt, trocken, ggf. ruhig, extrem hoch
S. 109/5 der kleinste Kontinent = Australien; das flächenmäßig größte Land = Russland; der größte Binnensee = Baikalsee; der höchste Wasserfall = Angel Fall in Venezuela; die größte deutsche Stadt = Berlin; die zwei größten und längsten Flüsse = Rhein und Donau; der höchste Berg in Deutschland = die Zugspitze; der größte See = der Bodensee; das bevölkerungsreichste Bundesland = Nordrhein-Westfalen

Lesen 3

S. 110/1 Beide haben den Mount Everest bestiegen.
S. 110/2 um eine Zeittafel
S. 111/4 a) seit 1711; b) aus Japan; c) Sherpa; d) Ersteigung ohne Verwendung von künstlichem Sauerstoff; e) 8848 Meter; f) Edmund Hilary; g) nach Sir George Everest; Leiter der indischen Landvermessung
S. 111/GR 5 die erste Landkarte; zur ersten Everest-Expedition; zweite britische Expedition; erste und zweite Schweizer Expedition: zum ersten Mal; erste Ersteigung; im Rahmen der zehnten britischen Everest-Expedition; als erste Frau; erste Ersteigung; im Rahmen der ersten österreichischen Everest-Expedition; als erster deutscher Bergsteiger

Hören

S. 113/2 ein Sportgeschäft, Sportkleidung
S. 113/3 a) in einem Sportgeschäft/Bergsteigergeschäft; b) Kundin, Verkäufer/Besitzer; c) um den Kauf eines Schuhs für eine Trekking-Tour in Nepal; d) süddeutsch

S. 113/4 **Abschnitt 1:** stammt aus Garmisch; Alter: 43 Jahre; Laden liegt in München; Größe: mehrere Räume; Waren: Jacken, Schlafsäcke, Schuhe, Trekking-Zelte und alle möglichen Utensilien; **Abschnitt 2:** Menschen, die gern bergsteigen, sind zwischen 35 und 45 Jahre alt; Menschen, die gerne Skitouren machen, sind zwischen 20 und 65 Jahre alt; **Abschnitt 3:** richtig = f); g); h); i); **Abschnitt 4:** j); **Abschnitt 5:** leicht, euphorisch, dankbar, glücklich

Sprechen 2

S. 114/4 a) Bergunfälle; b) Viele Menschen überschätzen sich, sind ungeduldig und in ihrem Verhalten nicht den Bergen bzw. dem Wetter dort angepasst.

Lektion 10

S. 117 d) Karl Lagerfeld

Lesen 1

S. 119/3 b) seine Produkte – genial; c) Abstammung und Herkunft; d) Entdeckung der Mode; e) erster großer Erfolg als Designer; f) seine ersten Arbeitgeber; g) Schaffung eines neuen leichten Stils; h) Kontraste zur „einfachen Linie"; i) Gründe für den Erfolg
S. 119/GR 4 Adjektive und Partizipien
S. 119/ GR 5 **Nomen + Adjektiv:** skandinavischen Industriellen; westfälischer Frau; besondere Neigung; gehobenem Lebensstil; frühesten Jugenderinnerungen; internationalen Wettbewerb; siegreichen Entwurf; nächste Verbindung; jungen Haus; nächste Dekade; besonderer Leichtigkeit; einfache, moderne, weibliche Linie; künstlerischer Direktor; ungewöhnlichen Vielseitigkeit; großen Bestreben; eigene Firma; **Nomen + Partizip I:** hochstehende Kragen; diamantglitzernde Gitarren; sprudelnde Wasserhähne; **Nomen + Partizip II:** geknöpfte Handschuhe; aufgestickte Gitarren
S. 119/GR 6 a) + *d* + b) + Adjektivendung

Wortschatz – Projekt: Modenschau

S. 120/2 a) **linke Person:** schwarzer Pullover, braune Jacke, schwarzer Rock, schwarze Schuhe mit hohem Absatz; **rechte Person:** grauer Pullover, schwarzer, knielanger Rock, schwarze Sandalen

Lesen 2

S. 121/1 a) Lexikon; b) kurze, klare Sachinformationen; Stichpunkte; Abkürzungen
S. 121/2 a) Mode; b) weil es zwei unterschiedliche Bedeutungen des Wortes „Mode" gibt
S. 121/3 die Art, wie man sich kleidet: 2; Frage: Wie entsteht Mode?: 1; Geschichte der Mode: 2; Modeindustrie und Stoffe: 2; plötzliches Auftreten und Verschwinden: 1; nicht nur auf Kleidung bezogen: 1; der Modeschöpfer macht den Stil: 2; Bedeutung der Mode für das Individuum: 1
S. 121/4 M. = Mode; Jh. = Jahrhundert; Dtl. = Deutschland; allg. = allgemein; bes. = besonders; v. a. = vor allem; z. T. = zum Teil

Hören 1

S. 122/1 Aschenputtel, Cinderella
S. 122/2 Reihe oben (von links): 8 – 6 – 2 -1; Reihe unten (von links): 5 – 4 – 7 – 3
S. 122/3 von links: a) viertes Bild oben, drittes Bild oben, zweites Bild unten; c) zweites Bild unten; viertes Bild unten; e) erstes Bild unten; g) zweites Bild oben, drittes Bild unten, erstes Bild oben
S. 122/4 Das Gute setzt sich letztendlich immer durch.

Sprechen

S. 123/2 a) Jacke; b) teuer; c) 52; d) kaufen
S. 123/GR 4 eine Vermutung
S. 123/ GR 5 *Die wird dir zu kurz sein.* – Die ist vermutlich zu kurz. Ich bin fast sicher, dass sie zu kurz ist. *Der wird Ihnen bestimmt gefallen.* Der gefällt Ihnen sicherlich. Ich bin sicher, dass er Ihnen gefällt.

Lesen 3

S. 124/3 A: 30er-Jahre; C: 60er-Jahre; D: 90er-Jahre; E: 80er-Jahre; F: 70er-Jahre
S. 124/4 A: nüchtern, einfarbig, Röcke länger, körperbetonte Gesamtform, Hut;
C: Minirock, Strumpfhose;
D: lässiger, bequemer Stil;
E: Zwiebellook, hauteng Hosenanzüge; F: bodenlange Gewänder, Patchworkmuster, Schuhe mit Plateausohlen
S. 125/5 B: 70er-Jahre; C: 90er-Jahre; D: 30er-Jahre; E: 80er-Jahre; F: 60er-Jahre
S. 125/6 B: farbige Kleider, Jeans an Hüften und Oberschenkeln anliegend und ab dem Knie weiter werdend;
C: weiche Stoffe, Hemden über der Hose;
D: doppelreihiger Anzug mit Schulterpolstern, weit geschnittene Hosenbeine mit Aufschlag, Hut;
E: klassischer Anzug, buntes Hemd;
F: Lederjacke, Rollkragenpullover

Schreiben

S. 126/1 Betreff: a; Anrede: b; Worum geht es?: c; Was ist der Grund?: c; Was will ich?: b; Was soll passieren?: c; Gruß: b

Hören 2

S. 127/1 a) 3; b) 3; c) 2

Lösungsschlüssel zu den Aufgaben im Arbeitsbuch

Lektion 1

S. 9/2 b) (Lösungsbeispiele) (1) Viel Wert lege ich auf Zufriedenheit. Ich möchte zufrieden sein mit meinem Beruf, weil ich dort viel Zeit verbringe. (2) Nicht so wichtig ist für mich die Herausforderung, weil es schon genug Stress gibt. (3) Überhaupt nicht wichtig ist mir das Prestige, weil mir die anderen Leute egal sind.

S. 10/3 a) auf eigene Rechnung arbeiten, rund um die Uhr arbeiten, der/die Angestellte, die Firma
die Fünftagewoche, Spaß an der Arbeit haben, die Chefin, der/die Selbstständige

S. 10/3 c) (2) in Rente gehen, die Rente, im Ruhestand sein (3) der/die Arbeitslose, Arbeit haben, Überstunden machen, produzieren, die 35-Stunden-Woche, der Lohnausgleich, das Arbeitsamt

S. 11/4 Firma, Familienleben, Alltag, Idylle, Rente, Hausmann, Ruhestand, Chaos

S. 11/5 a) ihr würdet brauchen – du wüsstest – wir sollten – du dürftest – sie würden geben / gäben – ich wäre – wir würden treffen / träfen – er müsste – ich würde gehen / ginge – du würdest bringen – ihr könntet – sie würden lesen – ich würde schlafen / schliefe – sie würde erzählen

S. 11/5 b) ich hätte gespielt – wir wären gefahren – ihr wäret geblieben – wir hätten gewusst – er hätte gekannt – ich wäre ausgegangen – sie hätte gesagt – ich hätte gewollt – ihr hättet gesehen – er hätte gelesen – wir hätten geschrieben – ich hätte gehabt – sie hätte gearbeitet – er wäre gegangen – ihr hättet gemacht

S. 12/6 (Lösungsbeispiele) a) Wenn ich nicht mehr arbeiten müsste, würde ich eine Weltreise machen. b) Wenn ich drei Monate Urlaub machen würde, würde ich nach Australien fliegen. c) Wenn ich Deutschlehrer wäre, würde ich keine Grammatik machen! d) Wenn ich einen Film machen könnte, würde ich ein Buch von Ken Follet verfilmen. e) Wenn ich einen Abend mit Claudia Schiffer verbringen würde, würde ich ihr einen Heiratsantrag machen. f) Wenn ich eine berühmte Person in unseren Deutschkurs einladen könnte, würde ich Arnold Schwarzenegger einladen.

S. 12/8 b) gelernt hättest; c) aufgestanden wäret; d) angerufen hättest; e) gefragt hättest

S. 12/9 a) (1) Wenn ich gestern nicht zu spät gekommen wäre, hätte ich Susanne (noch) getroffen. (2) Wenn Oma nicht ohne Schal Motorrad gefahren wäre, hätte sie (jetzt) keine Halsschmerzen. (3) Wenn ich einen Regenschirm mitgenommen hätte, wäre ich gestern nicht nass geworden. (4) Wenn ich mehr gelernt hätte, hätte ich die Prüfung bestanden. (5) Wenn ich nicht so wild getanzt hätte, hätte ich mir gestern den Fuß nicht so weh getan. (6) Wenn ich nicht mit dem Videorecorder gespielt hätte, hätte ich gestern nicht die Cassette von Silvias Hochzeit gelöscht.

S. 13/10 a) Wenn er doch nicht immer müde und überarbeitet wäre! Wäre er doch nicht immer ...; b) Wenn er doch nicht nächtelang im Büro bliebe! Bliebe er doch nicht ...; c) Wenn er doch mehr mit Freunden unternähme/unternehmen würde! Unternähme er ... / Würde er doch ... unternehmen! d) Wenn er doch wenigstens Golf in seiner Freizeit spielen würde! Würde er ... spielen! e) Wenn er sich doch mehr Zeit für seine Kinder nähme/nehmen würde! Nähme er sich ... Würde er sich ... nehmen! f) Wenn wir doch mal wieder ins Kino gehen würden / gingen! Gingen wir ... Würden wir ... gehen! g) Wenn ich doch nicht immer allein zu Hause wäre! Wäre ich ...; h) Wenn wir doch mal wieder miteinander reden würden! Würden wir ... reden!

S. 14/12 (Lösungsbeispiele) (2) Wenn ich Sie wäre, würde ich mit dem Chef sprechen! (3) Ich denke, es wäre gut, der Kollegin Arbeit abzugeben! (4) Vielleicht sollten Sie ihre Arbeit besser einteilen! (5) Ich würde um eine Gehaltserhöhung bitten. (6) Sie könnten auch mal etwas Sport treiben! (7) Sie müssten mal mit einem Psychologen sprechen!

S. 14/13 Kreisler, Er studierte..., wo er... ; Nach seiner...; Er wurde ..., die mit ...

S. 14/14 a) Würden/Könnten Sie mir bitte eine Tasse Kaffee bringen? Wären Sie so nett, ... zu bringen? b) Würden/Könnten Sie bitte das Fenster aufmachen? Wären Sie so nett, ... aufzumachen? c) Würden/Könnten Sie bitte gleich das Fax an die Firma abschicken? Wären Sie so nett, ... abzuschicken? d) Würden/ Könnten Sie bitte den Termin verschieben? Wären Sie so nett, ... zu verschieben? e) Würden/Könnten Sie bitte das Reisebüro anrufen und einen Flug nach Frankfurt buchen? Wären Sie so nett, ... anzurufen ... zu buchen? f) Würden/Könnten Sie bitte einen Tisch für 20 Uhr reservieren? Wären Sie so nett, ... zu reservieren?

S. 15/16 a) ist ... Fremdwort; b) unschlagbar; c) bin reif für; d) geschleppt; e) aus dem Gleichgewicht gebracht; f) brüderlich

S. 15/17 (1) Neben-; (2) um zu; (3) damit; (4) damit

S. 15/18 b (2) Ich gehe in die Kneipe, um neue Leute kennen zu lernen. ... damit ich ... kennen lerne. (3) Ich bin in Frankfurt, um besser Deutsch zu lernen. ... damit ich ... lerne. (4) Ich brauche das Auto, um Kathrin vom Bahnhof abzuholen. (5) Ich gehe ins Reisebüro, um einen Urlaub in Spanien zu buchen. (6) Ich mache eine Diät, um fünf Kilo abzunehmen. ... damit ich ... abnehme. (7) Ich lese so viel, um mich weiterzubilden. ... damit ich ... weiterbilde. (8) Ich treibe so viel Sport, um fit zu bleiben. ... damit ich ... bleibe.

S. 16/19 a) Sie geht für ein Jahr als Au-pair-Mädchen nach Deutschland, um die deutsche Kultur kennen zu lernen. b) Ich gehe heute früh ins Bett, um morgen früh fit zu sein. c) Ich hole ihn von der Universität ab, damit er nicht zu Fuß gehen muss. d) Ich drehe das Radio leiser, um ihn nicht zu wecken. e) Er macht viele Überstunden, damit ihm sein Chef eine Gehaltserhöhung gibt. f) Susanne hat mich angerufen, damit ich ihr morgen das Buch mitbringe. g) Sie jobbt viel in den Semesterferien, um Geld für eine Fernreise zu verdienen. h) Ihre Eltern geben ihr Geld, damit sie einen Sprachkurs besuchen kann.

S. 16/20 (Lösungsbeispiel) surfen – Rad fahren – lesen – Tennis spielen – tanzen – segeln – Eis essen – sich unterhalten – Auto fahren – Karten spielen – Gitarre spielen – schwimmen – Vögel beobachten – Bodybuilding machen – klettern – häkeln – ins Theater gehen

S. 17/21 Deutschclubs, Anzeige, kennen lernen, aus verschiedenen Ländern, aktiv/sportlich, Interessen/Hobbys, (einen Brief) schreiben, freuen, langweilig, schreiben/berichten/sprechen, Antwort

S. 18/22 Wo finde ich: a) im Arbeitsbuch; b) im Inhaltsverzeichnis, Kursbuch (Reisen); c) Arbeitsbuch, vor den Aufgaben zu einer Lektion; d) Kursbuch, am Ende jeder Lektion; Wie viele: a) 10; b) 4 (Hören, Lesen, Sprechen, Schreiben); c) 28; d) 5; In welcher Lektion üben wir: a) 7, 10; b) 3; c) 8, 9; In welcher Lektion lernen wir: a) 8; b) 1; Wie sieht ...: a) AB; b) GR

S. 19/1 hätte, käme, Ränder, gäbe, Gläser, zählen, Vorschlag, Tag, Satz, Plan, Name, Land

S. 19/2b trennen, Tälern, Tellern, rechnete, rächte, Präsident, Presse, Fähre, Ferne

S. 19/3 a) Gäste, Bären, Ehre, ähnlich, klären, fehlen, wären, Schwäche, Federn; b) lang

Lektion 2

S. 22/2 b) Mmm, das höchste ... ; c) Manchmal länger ... ; d) Manchmal rufen ... ; e) Normalerweise ...

S. 22/3 a) falsch (f); b) f; c) richtig (r); d) f; e) f; f) f; g) r

S. 23/4 (1) f – über; (2) r; (3) f – von den; (4) f – wenn; (5) r; (6) f – kennen zu lernen; (7) r; (8) f – dieses; (9) r; (10) r; (11) f – nicht; (12) f – hätte

S. 24/5 Respekt, Autorität, Haushalt, Karriere

S. 24/6 b) Respekt vor; c) Rücksicht auf; d) Eifersucht auf; e) Neid auf; f) Spaß an

S. 25/9 a) (Lösungsbeispiel) „traditionelle" Kleinfamilie: Vater Alleinverdiener, Mutter Hausfrau, zwei Kinder; b) 6, 9, 3, 7, 5, 4, 1, 8

S. 26/10 b) Nichte; c) Schwester; d) Bruder; e) Onkel; Tochter

S. 26/12 ich: muss, musste / kann, konnte / darf, durfte / möchte, wollte / soll, sollte

du: musst, musstest / kannst, konntest / darfst, durftest / möchtest, wolltest / sollst, solltest

er/sie/es: muss, musste / kann, konnte / darf, durfte / möchte, wollte / soll, sollte

wir: müssen, mussten / können, konnten / dürfen, durften / möchten, wollten / sollen, sollten

ihr: müsst, musstet / könnt, konntet / dürft, durftet / möchtet, wolltet / sollt, solltet

sie/Sie: müssen, mussten / können, konnten / dürfen, durften / möchten, wollten / sollen, sollten

S. 26/13 b) kann/darf; c) muss; d) möchten/wollen; e) muss; f) möchte/will – muss; g) muss; h) darfst/sollst; i) soll; j) darf/möchte/will; k) könnt – muss; l) können; m) darf

S. 27/14 muss, möchte, kann, kann, muss, muss, kann, muss, kann

S. 27/15 a) Ich konnte meinen kranken Sohn nicht allein lassen. b) Ich konnte ihm das nicht sagen. c) ... das wollte ich nicht. d) Ich wollte dich anrufen, aber ich konnte keine Telefonzelle finden. e) Ich musste im Bett liegen. f) Ich konnte mich nicht konzentrieren. g) Ich mochte ihn wirklich gern.

S. 28/16 a) (1) soll; (2) wollen; (3) möchten; (4) soll; (5) können; b) mussten, wollte, konnte

S. 28/17 Auch Männer können ... Aber wenige Männer möchten ... Die meisten wollen ... Auf jeden Fall sollten ... Dann muss die Frau nicht automatisch ..., sondern sie kann ...

S. 29/18 (2) Nomen, Sing., Nom.; (3) Perfekt, 3. Pers. Sing.; (4) Präposition; (5) Personalpronomen, 1. Pers. Plur. Dat.; (6) Modalverb, 3. Pers. Sing.; (7) Nomen, Sing., Nom.; (8) Infinitiv, trennb. Verb; (9) Konnektor, kausal; (10) best. Artikel, fem.; (11) Nomen, Sing., Akk.; (12) Adjektiv; (13) Präsens, 3. Pers. Sing.

S. 31/20 a) das Ehepaar, der Mutterschutz, das Arbeitsamt, das Erziehungsjahr, die Tagesmutter, die Teilzeitarbeit, der Elternteil b) (Lösungsbeispiele) (1) Zwei Leute, die verheiratet sind. (2) Ein Gesetz, das die Mutter schützt. (3) Eine Institution, die Arbeit vermittelt. (4) Ein Jahr, das man für die Erziehung der Kinder frei hat. (5) Eine Frau, die sich am Tag um die Kinder kümmert. (6) Eine Arbeit, die nicht den ganzen Tag in Anspruch nimmt. (7) Vater oder Mutter

S. 31/21 b) dir; c) mir; d) dich; e) dir; f) sich; g) dir; h) sich; i) mir; j) sich; k) uns; l) dich; m) mir; n) dich; o) mich; p) dir; q) mir; r) sich; s) mich

S. 32/22 b) Er hat sich eine tolle Geschichte ausgedacht. c) Ich traue mir das nicht zu. d) Gib dir keine Mühe. Es lohnt sich nicht. e) Sie macht sich nichts aus Kleidung. f) Er zeigte sich von seiner besten Seite. g) Kannst du dir das vorstellen? Unglaublich. h) Das lasse ich mir nicht länger gefallen.

S. 32/23 a) ja; b) ja; c) nein; d) nein; e) ja; f) nein; g) nein; h) nein; i) ja

S. 33/1 c) Wüste, Küste

S. 33/2 wüsste, dürfte, müsste, nützen, fuhr, Schule, Natur, Kunst

S. 33/3 für, gefiel, Glück, Flüge, liegen, Küche, Kissen, Tier, spülen, Wüsten, Gericht

S. 33/5 Günter Kunert, Friedrich Dürrenmatt, Max Frisch, Rainer Maria Rilke, Günter Grass

Siegfried Lenz, die Brüder Grimm, Friedrich Schiller

Lektion 3

S. 36/1 Fest, Party, Geburtstag, eingeladen, gefeiert, Buffet, getanzt, Gäste, Freundeskreis, Freunde

S. 36/2 2B, 3A, 4E, 5C, 6H, 7F, 8G, 9I

S. 37/3 (Weihnachten) Frohes Fest! (Brautpaar) Herzlichen Glückwunsch zur Hochzeit!/Ich wünsche Ihnen alles Gute./Viel Glück! (Sektflasche und Glas) Ein gutes neues Jahr!/ Ein glückliches neues Jahr!/ Prost Neujahr!/... alles Gute! (Tanzendes Paar) Amüsier dich gut!/Viel Spaß!/Viel Vergnügen! (Geschenk) Herzlichen Glückwunsch zu...!/(Ich wünsche dir/Ihnen) alles Gute! (Osterhase) Fröhliche Ostern!

S. 37/4 Wo? – in der Dahner Landhausstraße; Was? – den 103. Geburtstag; Wie? – zufrieden und gesundheitlich wohlauf; Wodurch so alt (Warum)? – kein Stress, täglich ein Gläschen Wein, nicht mehr rauchen; Was macht er noch? – Zeitung lesen, Musik hören; Wie lebt er? – von der Familie umsorgt, hat 20 Urenkel; Wie feiert er? – im Kreise seiner Geschwister und den Familien seiner Kinder

S. 38/6 b) als; c) wenn; d) als; e) als; f) wenn; g) als; h) wenn; i) als; j) wenn; k) wenn

S. 38/7 b) Wenn ich im Sommer meine Großeltern besuche, freuen sie sich jedes Mal. c) Als ich jünger war, bin ich viel in die Disco gegangen. d) Als ich das erste Mal verliebt war, konnte ich nichts essen. e) Als Nicola ihren 25. Geburtstag feierte, lernte sie Ralf kennen. f) Wenn wir in Urlaub fahren, bringen wir jedes Mal viele Souvenirs mit. h) Als alle Gäste schon gegangen waren, blieb Daniel immer noch sitzen. / Wenn alle Gäste gehen, bleibt Daniel immer noch sitzen. (Gewohnheit)

S. 38/8 b) nachdem; c) bevor; d) wenn; e) bevor; f) seitdem; g) sobald; h) bis

S. 39/9 (Lösungsbeispiele) a) ... kocht Marion das Essen. b) ... fing es plötzlich an zu gewittern. c) ... du mit der Arbeit fertig bist. d) ... laden wir die Meyers nicht wieder ein. e) ... spreche ich schon recht gut Deutsch. f) ... kaufe ich mir ein neues Auto. g) ... er einen Banküberfall gemacht hatte. h) ... nehme ich bestimmt meine Kreditkarte mit. i) ... wir im letzten Sommer Tintenfisch gegessen haben? j) ... muss ich mein Studium abgeschlossen haben.

S. 39/10 a) (2) Lars; (3) Sardana; (4) Laura, Sardana; (5) Heta; (6) Medhat; (7) Lars; (8) Laura; (9) Heta, Sardana

S. 40/11 a) ... um; b) am, c) im; d) am; e) im; f) in; g) gegen; h) am, im; i) am; j) nach; k) am; l) während; m) gegen, um; n) in; o) um; p) am

S. 40/12 Vergangenheit: vorhin, früher, damals, früher, neulich, gerade, bisher, **Gegenwart:** jetzt/nun, gerade, **Zukunft:** bald, nachher, sofort/gleich, später

S. 40/13 b) gerade/vorhin; c) gerade; d) später; e) sofort/gleich/später/nachher; f) neulich; g) sofort/gleich; h) früher/damals

S. 41/14 meistens, oft/häufig, öfters, manchmal/ab und zu, selten, fast nie

S. 41/15 Geburtstag, feiern, Fest, eingeladen, mitbringen, gern, wünscht, findet ... statt

S. 42/16 (1) f – lieber Jan; (2) r; (3) r; (4) r; (5) f – eurem; (6) f – wie das ist; (7) r; (8) r; (9) f – auf; (10) r; (11) f – Gesundheit; (12) f – für; (13) f – auf dem

S. 42/17 b) (2) gerne; (3) absagen; (4) vor; (5) Pech; (6) traurig; (7) besuchen; (8) viel Spaß bei eurer Party

S. 43/18 b) vor; c) über; d) in; e) zwischen; f) seit; g) –; h) übers; i) bis; j) vor; k) vom ... bis zum; l) in; m) aus; n) um; o) während; p) innerhalb; q) für

S. 44/19 b) ab/von ... an; c) für; d) in; e) für; f) innerhalb; g) seit; h) vor; i) von ... an; j) über; k) seit; l) Außerhalb; m) vor

S. 45/1 Schachteln, lachten, Wacht, Mitternacht, entfacht, geschlachtet, geschmachtet, Achtung,

dachten, Wachteln, Spachteln, Schachteln, Verdacht, hinmacht, angebracht, sacht, acht

S. 45/2 CH, ch, ch, CH, ch, CH, ch, CH, ch, ch, ch, ch, CH

S. 45/3 ch, CH, ch

Lektion 4

S. 48/1 Zeugnis, Klasse, Noten, Kommentar, Unterricht, Halbjahr, Verhalten, Beurteilung, Klassenleiterin

S. 48/2 a) das Pausenbrot, das Pausenzimmer; die Abituraufgabe, das Abiturzeugnis; das Lehrerbuch, die Lehrerkonferenz, das Lehrerzimmer; die Klassenaufgabe, das Klassenbuch, das Klassenzimmer; die Hausaufgabe; das Notenbuch, die Notenkonferenz, das Notenheft b) das Pausenbrot essen, die Hausaufgabe geben, die Lehrerkonferenz abhalten, die Hausaufgabe machen

S. 49/3 a) es geht hier um Folgendes; b) Ich bin der Meinung, dass ..., Ich bin (absolut) für ..., meiner Meinung/Ansicht nach ..., Ich glaube/denke, dass ...; c) Ich stimme Ihnen zu, das finde ich auch, Ich teile Ihre Meinung, dass ..., Ich bin auch der Meinung, dass ...; d) abschließend möchte ich sagen/betonen, dass ...; e) In der Zeitung liest man ..., In ... hat man gute Erfahrungen damit gemacht; f) Ich muss Ihnen leider widersprechen, das sehe ich anders

S. 50/4 b) PRO (1) etwas dazu sagen; (2) für diese Einrichtung/Sache; (3) Erfahrungen; (4) Meinung nach; (5) der Fall/möglich; (6) wissen; (7) ich; (8) kommt ein weiteres Problem; (9) deshalb/aus diesem Grund; CONTRA (1) (absolut) widersprechen; (2) ganz anders; (3) der Meinung/Ansicht; (4) um Folgendes; (5) denke/glaube/bin der Ansicht/Meinung

S. 50/5 a) Grundschule; b) Hauptschule; c) Berufsschule; d) Realschule – Fachoberschule; e) Gymnasium

S. 51/6 (2) Klasse; (3) Sprachkurs; (4) Lernen; (5) Hochschule; (6) Berufsausbildung; (7) Stunde; (8) Schulhof; (9) Unterricht; (10) Schüler; (11) Prüfung

S. 52/8 a) (Lösungsbeispiel) Modell – Gymnasium, Wiener Künstler Hundertwasser, Schüler-Traumschule (bunt, grün, rund), Schulleiter-Kontakt-Künstler, Hundertwasser-Entwurf (bizarre Fassaden, ovale Fenster, kleine Türme, vergoldete Dächer mit Pflanzen), Weltausstellung – Hannover-2000

S. 53/9 unregelmäßig: gehen-ging-gegangen, laufen-lief-gelaufen, stehen-stand-gestanden, finden-fand-gefunden, sprechen-sprach-gesprochen, verlieren-verlor-verloren, kommen-kam-gekommen, bleiben-blieb-geblieben, vergessen-vergaß-vergessen, abbrechen-brach ... ab-abgebrochen, geben-gab-gegeben, werden-wurde-geworden, schlafen-schlief-geschlafen; regelmäßig: trennen-trennte-getrennt, erkundigen-erkundigte-erkundigt, fühlen-fühlte-gefühlt, mitteilen-teilte ... mit -mitgeteilt, reden-redete-geredet, lachen-lachte-gelacht; Mischform: bringen-brachte-gebracht, kennen-kannte-gekannt, wissen-wusste-gewusst, mögen-mochte-gemocht, nennen-nannte-genannt

S. 53/10 b) Präteritum; c) Präteritum; d) Plusquamperfekt

S. 53/11 a) (2) starb; (3) ging, vergaß; (3) kaufte ... ein, machte; (4) ließ; (5) wurde; (6) kamen; (7) wurde; (8) wurde, bekam; (9) arbeitete; (10) erlebten, verließen, heirateten; (11) klagte; (12) brachten; (13) machte; (14) trat ... ein, bekam; (15) kauften; (16) lebten; (17) hörte ... auf; (18) wurde; (19) heiratete; (20) lernte ... kennen, verliebte sich; (21) war; (22) begann; (23) schaffte; (24) kam

S. 54/12 a) kochte, aß, sang, las, kam, schrieb

S. 55/13 a) Der Lehrer hat die Klassenarbeit zurückgegeben. b) Die Schüler sind in der Pause im Klassenzimmer geblieben. c) Sabine ist im Schwimmbad vom Drei-Meter-Brett gesprungen. d) Meine Eltern haben sich über das Zeugnis gefreut. e) Er ist im Unterricht eingeschlafen. f) Ich habe in den Ferien endlich mal wieder ausgeschlafen. g) Wir sind mit unserer Klasse nach Österreich gefahren. h) Seine Noten sind besser geworden. i) Die Familie ist in die Schweiz umgezogen und er hat die Schule gewechselt. j) Er war ein fauler Schüler (ist gewesen). Deshalb ist er sitzen geblieben.

S. 55/15 sehr gut – Gesicht 5; gut – Gesicht 2; befriedigend – Gesicht 3; ausreichend/genügend – Gesicht 4; mangelhaft – Gesicht 1; ungenügend – Gesicht 6

S. 56/16 a) (2) Mit so was ...; (3) Tu's weg!; (4) Dafür ...; (5) (Geht weg); (6) Stell' dir ...; (7) Toll was?

S. 56/17 a) (1) Wie du ja weißt ..., seit; (2) ... lerne ich ... kennen; (3) dass; (4) muss; (5) jetzt habe ich; (6) geholfen

S. 57/18 b) verlaufen; c) befasst; d) geraten; e) verschrieben; f) bestanden; g) vergangen; h) versetzt; i) besucht

S. 57/19 Glas – zerbrechen, Musik – verklingen, ein Stück Papier – zerreißen, Nudeln – zerkochen, Pflanzen – vertrocknen, Eis – zerlaufen, Blumen – verblühen, Zeit – vergehen, alte Häuser – verfallen

S. 58/20 trennbar: er fängt an, er ruft an, er sieht an, er ruft auf, er fällt aus, er kauft ein, er lädt ein, er arbeitet mit, er sieht nach, er zieht um, er wirft vor, er geht weg, er macht zu

nicht trennbar: er beginnt, er empfiehlt, er entlässt, er entscheidet, er erklärt, er erzählt, er gefällt, es gelingt, er misstraut, er versetzt, er verspricht, er versteht, er zerstört

S. 58/21 Ein „schlechter" Schüler: a) zugehört; b) verschlafen; c) arbeitet ... mit; d) schreibt ... ab; e) schreibt ... auf; f) bereitet ... vor; g) passt ... auf; Ein „guter" Lehrer: a) begrüßt, betritt; b) gibt ... auf; c) erklärt; d) bespricht; e) fragt ... ab; f) ruft ... auf; g) versteht; h) beginnt; i) verbessert

S. 59/1 schreiben, abschreiben, passen, aufpassen, schauen, anschauen, arbeiten, mitarbeiten, sehen, nachsehen, hören, zuhören, setzen, versetzen, grüßen, begrüßen, reißen, zerreißen, fallen, gefallen, schreiben, unterschreiben, fehlen, empfehlen

S. 59/2 linke Spalte: nicht trennbare Verben, zweite Silbe betont; rechte Spalte: trennbare Verben, erste Silbe betont

S. 59/3 Stift, Bleistift, Buch, Notizbuch, Kurs, Intensivkurs, Tisch, Schreibtisch, Zimmer, Lehrerzimmer, Gummi, Radiergummi, Stunde, Mathematikstunde

S. 59/4 (2) erste, (3) nicht die erste Silbe, (4) die Vorsilbe, (5) *ier*

Lektion 5

S. 62/1 b) Familie Wohlfahrt/D: Bräuhaus zur Brez'n (Besuch in München, Spezialitäten aus der Region); Karla Rettich/E: Vegetarische Spezialitäten (fleischlose Speisen); Daniel und Linda/C: Bodo's Konditorei (frühstücken am liebsten ausführlich, große Auswahl an Brot und Gebäck); Frau Lindiger/B: Niawaran (etwas Exotisches); Jens und Herbert/F: Kulturspelunke Dreigroschenkeller (besondere Kneipe, Kultur); Anne, Daniel und Susi/A: Nachtcafé (vier Uhr morgens, Kleinigkeit essen, Livemusik)

S. 62/1 c) 1/B, Disco, Techno-Musik – Titanic City; 2/D, Kaffee, draußen sitzen – Seehaus; 3/C, Cocktail – Kalibar; 4/D, Biergarten – Seehaus, großzügige Terrasse

S. 63/2 a) ausgiebig, Essen, Frühstücksservice, Joghurt, Obst, Wurst, Kaffee

S. 64/4 Rossini ist das Restaurant, in das der Regisseur am liebsten geht. Im Rossini sind vor allem berühmte Leute wie Schauspieler usw. Bei dem Film handelt es sich um eine Komödie.

S. 64/5 a) 1 – Lage; 2 – Einrichtung/Atmosphäre; 3 – Essen/Trinken

S. 65/6 1 – Um was geht es?; 2 – Warum wurde der Service eingerichtet?; 3 – Wie wird gearbeitet?; 4 – Wie kommt man an die Information?

S. 65/7 a) die Bar, das Bistro, das Buffet, das Café, die Diskothek, das Kabarett, das Kilo, die Kritik, das Restaurant, der Vegetarier

S. 65/7 b) die Perfektion, die Qualität, das Detail, das Produkt, der Ketchup, der Burgerdeckel, interessant, das Originalprodukt, die Modebranche, gestylt, funktionieren, präparieren, die Konkurrenz, der Trick, stylen, Fotografieren, der Fotograf, der Burger, der Food-Stylist, absolut

S. 66/8 neue Esskultur – Gang zur Imbissbude; Ihrer Meinung – Meinung der Ernährungswissenschaftler; die neue Ernährungsformel – das; dieser Regel – ein bis zwei Mal die Woche Fleisch oder Fisch, ansonsten Obst und Gemüse; dort – Asien; mediterrane Kost – Olivenöl, Nudeln ...

S. 67/9 Eva und Nicola – ihnen; Eva und Nicola – sie; Metropolitan – dort; Nicola und Eva – sie;

an der Bar – dort; Die neue Freundin von Brad Pitt – sie; Brad – ihm; Freundin von Brad Pitt – sie

S. 67/10 herausgefunden, berichtet, durchgesetzt, entdeckt, beschrieben, gemacht

S. 67/11 b) wird ... beschrieben; c) werden ... zubereitet; d) werden ... gekocht; e) werden ... erwartet;
f) wirst ... bedient, wird ... gespielt; g) wird ... geschrieben; h) werden ... hergestellt; i) gebracht werden; j) gestört werde

S. 68/12 Einfache Formen: ich: werde bedient, wurde bedient, bin bedient worden, war bedient worden; du: wirst bedient, wurdest bedient, bist bedient worden, warst bedient worden; er/sie/es: wird bedient, wurde bedient, ist bedient worden, war bedient worden; wir: werden bedient, wurden bedient, sind bedient worden, waren bedient worden; ihr: werdet bedient, wurdet bedient, seid bedient worden, wart bedient worden; sie/Sie: werden bedient, wurden bedient, sind bedient worden, waren bedient worden. **Passiv mit Modalverben:** ich: muss bedient werden, musste bedient werden, habe bedient werden müssen, hatte bedient werden müssen; du: musst bedient werden, musstest bedient werden, hast bedient werden müssen, hattest bedient werden müssen; er/sie/es: muss bedient werden, musste bedient werden, hat bedient werden müssen, hatte bedient werden müssen; wir: müssen bedient werden, mussten bedient werden, haben bedient werden müssen, hatten bedient werden müssen; ihr: müsst bedient werden, musstet bedient werden, habt bedient werden müssen, hattet bedient werden müssen; sie/Sie: müssen bedient werden, mussten bedient werden, haben bedient werden müssen, hatten bedient werden müssen

S. 68/13 a) Der Patient wurde untersucht. b) Er wird oft mit Helmut Kohl verwechselt. c) Die Zinsen sind erhöht worden. d) Warum werden Filme mit so viel Gewalt nicht verboten? e) Sie ist sofort operiert worden. f) Ich bin nicht gefragt worden. g) Die Mitglieder wurden gebeten, rechtzeitig zu erscheinen. h) Ist die Tür abgeschlossen worden? i) Ich hoffe, dass das Essen bald serviert wird. j) Letzte Woche wurde Beethovens „Eroica" vom Hamburger Sinfonie-Orchester gespielt.

S. 69/14 a) Der Cocktail muss gut geschüttelt werden. b) Ich bin nicht sicher, ob das Auto bis morgen repariert werden kann. c) Die leeren Flaschen dürfen nicht in den normalen Müll geworfen werden. d) Die Briefe mussten so bald wie möglich zur Post gebracht werden. e) Die Briefe sollen unterschrieben werden. f) Er musste ins Krankenhaus gebracht werden. g) Die Telefonrechnung muss bis morgen bezahlt werden.

S. 69/15 1 – Zuerst wurde die Pizzeria renoviert und die Wände wurden gestrichen. 2 – Dann wurde gründlich sauber gemacht. 3 – Danach wurden Tische und Stühle gebracht und das Restaurant wurde eingerichtet. 4 – Außerdem wurden Bilder aufgehängt und Kerzen auf die Tische gestellt. 5 – Natürlich wurden Getränke und Lebensmittel eingekauft. 6 – Schließlich wurde eine Annonce in der Zeitung aufgegeben und die Eröffnung bekannt gegeben. 7 – Endlich war es geschafft. Die Pizzeria wurde eröffnet und am ersten Abend wurden die Gäste zu einem Glas Sekt eingeladen.

S. 70/16 (1) Das ist eine Fahrkarte. Damit wurde eine U-Bahn-Fahrt bezahlt. (2) Das ist ein Ehering. Der wurde nach der Hochzeit getragen. (3) Das ist eine Waschmaschine. Darin wurde Wäsche gewaschen. (4) Das ist ein Topf. Darin wurde das Essen gekocht. (5) Das ist eine Zeitung. Die wurde gelesen. (6) Das ist ein Staubsauger. Damit wurde die Wohnung sauber gemacht. (7) Das ist eine Zahnbürste mit Zahnpasta. Damit wurden die Zähne geputzt. (8) Das ist ein Brief. Der wurde an einen Freund geschrieben. (9) Das ist ein Kugelschreiber. Damit wurde geschrieben.

S. 71/2 wahr, Bistro, Bissen, Wald, bitter, Wiese, wann, binden, braten, Bier, Wein, Bäcker, Welt, Wild, Berg

S. 71/3 a) ... spricht man *v* wie *w*: Vegetarier, Vanille, Reservierung
... spricht man *v* wie *f*: verspeisen, vierzig, Vater, vielleicht, vorsichtig, Viertel, vielseitig

Lektion 6

S. 74/1 a) (2) Mein Deutsch wird immer besser, **weil** ich mir oft deutsche Filme ansehe. (3) Ich bin zu spät ins Bett gegangen, **denn** ich habe einen spannenden Film im Fernsehen gesehen. (4) Ich bin im Kino eingeschlafen, **weil** der Film so langweilig war. (5) Sie hat in einem berühmten Film mitgespielt, **deshalb** ist sie weltbekannt geworden. (6) Ich liebe Naturfilme, **deshalb** habe ich mir eine Videocassette über den Nationalpark „Bayerischer Wald" ausgeliehen.

b) Satz (1) – Gruppe 2 (Hauptsatz + Hauptsatz mit Inversion); Satz (2) – Gruppe 3 (Hauptsatz + Nebensatz); Satz (3) – Gruppe 1 (Hauptsatz + Hauptsatz); Satz (4) – Gruppe 3; Satz (5) – Gruppe 2; Satz (6) – Gruppe 2

S. 74/2 (Lösungsbeispiele) a) ..., weil ich eine gute Note in Deutsch habe. b) ..., denn es läuft ein spannender Film. c) ... . Deshalb möchte er sie bald heiraten. d) ..., denn ich habe deinen Geburtstag vergessen. e) ..., weil die Sprache so schwierig ist. f) ... . Aus diesem Grund mache ich eine Therapie. g) ..., weil ich meinen Schlüssel verloren habe.

S. 74/3 a) Er spielt in dem neuen Film nur eine kleine Nebenrolle, obwohl er ein sehr bekannter Schauspieler ist. b) Ich hatte hohes Fieber. Trotzdem bin ich ins Kino gegangen. c) Er hat sich einen Krimi angesehen, obwohl er erst fünf Jahre alt ist. d) Mein Deutsch ist eigentlich nicht schlecht. Dennoch habe ich den Film überhaupt nicht verstanden. e) Der Film war langweilig. Trotzdem hat er eine sehr gute Kritik bekommen. f) Ich sehe mir eigentlich nie Krimis an, aber heute habe ich eine Ausnahme gemacht.

S. 75/4 a) (Lösungsbeispiele) 1 ..., obwohl er gar kein Talent hat. 2 .... Trotzdem sind sie sehr glücklich miteinander. 3 .... Dennoch isst sie manchmal Fleisch. 4 ..., aber ich kann ihn nicht empfehlen. 5 ..., obwohl ich eine starke Erkältung habe. 6 .... Trotzdem hat sie keinen Freund. 7 ..., obwohl ein wichtiger Anruf kommen könnte. 8 ..., aber er hat ihn immer noch nicht verstanden.

b) (Lösungsbeispiele) (5) Obwohl ich eine starke Erkältung habe, gehe ich heute ins Kino. (7) Obwohl ein wichtiger Anruf kommen könnte, gehe ich heute Abend nicht ans Telefon.

S. 75/5 b) weil; c) deshalb; d) trotzdem; e) Obwohl; f) deshalb; g) obwohl; h) trotzdem; i) obwohl; j) denn; k) aber

S. 76/7 (2) Da entdeckt sie ...; (3) Die Welt der Musik ...; (4) Mit 18 beschließt ...; (5) Aber Lara ...

S. 76/8 (Lösungsbeispiele) a) „Ach, tut mir Leid, diese Art von Filmen mag ich nicht besonders. Aber lass uns doch „Jenseits der Stille" sehen. Der wird dir bestimmt auch gefallen." b) „Das ist eine gute Idee. Ich wollte schon immer einmal Japanisch essen gehen. In welches Restaurant wollen wir denn gehen?" c) „Ja, von der habe ich viel gehört, aber leider habe ich am kommenden Wochenende schon etwas vor. Aber wir könnten an einem anderen Tag in der Woche dorthin gehen." d) „Wie wär's, wenn wir zu dem Fußballspiel im Fernsehen am Freitagabend ein paar Freunde einladen würden? Das wär doch bestimmt lustig. Was meinst du?" e) „Schade, da habe ich leider keine Zeit. Meine Schwiegereltern kommen zu Besuch. Aber wir könnten uns doch an dem darauf folgenden Wochenende treffen."

S. 77/9 a) (12) Film; (4) Schauspieler; (5) Kamera; b) (11) Maske; (10) schminken; c) (6) Aufnahmen; d) (8) Drehort; e) (15) Stummfilme; f) (9) Regie; g) (1) Regisseure; h) (13) Kino; i) (7) Tragödie; j) (14) Rolle; k) (3) Drehbuch; l) (2) Komödie; Lösungswort (16) Zeichentrickfilme

S. 78/10 a) Regisseur, Trickstudio, Fassung, Zeichentrickfilm, Musik, Sprecher, Kinospaß;
b) 2/D, 3/B, 4/F, 5/C, 6/G, 7/E

S. 79/11 a) 1 Ein Relativsatz spezifiziert ein Nomen. 2 ... Deshalb steht das Verb am Ende. 3 Ein Relativsatz steht meist hinter dem Nomen, das er näher bestimmt.
b) 1 <u>das Buch, es</u> / Er hat das Buch, das ihn interessiert, gekauft. 2 <u>Peter, ihn</u> / Ich bin mit Peter, den ich ganz zufällig getroffen habe, ins Kino gegangen. 3 <u>Herr Müller</u>, <u>seine Frau</u> / Herr Müller, dessen Frau auch bei

uns arbeitet, wartet schon am Eingang. 4 Zettel, darauf / Wo ist der Zettel, auf den ich eine Telefonnummer geschrieben habe? 5 Markus, auf ihn / Markus ist ein Freund, auf den man sich verlassen kann.

S. 80/12 a) (2) die; (3) deren; (4) der; (5) die; (6) die; (7) der; (8) die; (9) der; (10) deren

b) (1) den; (2) der; (3) den; (4) der; (5) den; (6) den; (7) dessen; (8) den; (9) den

c) (1) das; (2) das; (3) das; (4) dessen; (5) das; (6) dem; (7) dem; (8) dessen; (9) das.

S. 80/13 b) denen; c) was; d) den; e) der; f) was; g) dessen; h) den; i) die; j) die; k) den; l) in dem/wo; m) was

S. 81/14 (Lösungsbeispiele) (1) Ein Mondgesicht ist **ein Gesicht, das** wie der Mond aussieht. (2) Ein Notizbuch ist **ein Buch, in das** man Notizen schreibt. (3) Ein Liebesbrief ist **ein Brief, in dem** man jemandem seine Liebe erklärt. (4) Ein Luftballon ist ein **Ballon, der** mit Luft gefüllt ist. (5) Ein Bierbauch ist **ein Bauch, den** Biertrinken dick gemacht hat. (6) Eine Reisetasche ist **eine Tasche, die** man für die Reise braucht. (7) Eine Brieftaube ist **eine Taube, die** Briefe transportiert. (8) Ein Stummfilm ist **ein Film, in dem** nicht gesprochen wird. (9) Eine Giftschlange ist **eine Schlange, die** giftig ist. (10) Ein Seeräuber ist **ein Mann, der** auf See raubt. (11) Eine Flaschenpost ist **eine Post, die** mit der Flasche kommt. (12) Ein Regenwurm ist **ein Wurm, der** bei Regen aus der Erde kommt.

S. 81/16 a) sie /um zu / zuvor / ... sehen möchte / es ihm / in einem / zu erleben / vor dem / überzeugend / obwohl / Zuschauer

S. 82/17 zerstört, Natur, Sinnlosigkeit, Blumen, Leben, Tod, Gräbern

S. 82/18 a) Können Sie mir sagen, welche Schauspieler mitspielen? / Wissen Sie, welche Schauspieler mitspielen? b) Können Sie mir sagen, wie lange der Film dauert? / Wissen Sie, wie lange der Film dauert? c) Können Sie mir sagen, wer in dem Film mitgespielt hat? / Wissen Sie, wer in dem Film mitgespielt hat? d) Können Sie mir sagen, wo der Film gedreht wurde? / Wissen Sie, wo der Film gedreht wurde? e) Können Sie mir sagen, wie viel die Filmproduktion gekostet hat? / Wissen Sie, wie viel die Filmproduktion gekostet hat? f) Können Sie mir sagen, in welchem Kino ich mir den Film ansehen kann? / Wissen Sie, in welchem Kino ich mir den Film ansehen kann?

S. 83/2 Pflug, Flüge, Pflaume, Flamme, Pfote, Koffer, Affe

Lektion 7

S. 86/1 b) um; c) ab; d) entgegen; e) beim; f) zum; g) um; h) in der; i) aus ... heraus; j) über; k) um; l) ins; m) an; n) aus; o) von ... aus

S. 87/2 b) bei; c) aus; d) nach; e) aus; f) bei; g) aus; h) von; i) aus; j) aus; k) von / aus

S. 87/3 a) (1) hinter, neben, über, unter, vor, zwischen; (2) Dativ; (3) Akkusativ

b) 2 einem; 3 der; 4 den; 5 dem; 6 die; 7 der; 8 das; 9 der; 10 den; 11 dem; 12 den; 13 einem; 14 dem

S. 87/4 b) auf einem Campingplatz am Bodensee; c) in einer Pension im Bayerischen Wald; d) in/auf einer Hütte in den Alpen; e) auf einer Insel in der Karibik; f) auf einem Bauernhof in Österreich; g) bei Freunden in Paris; h) auf einem Schiff im Pazifik

S. 88/5 b) bei; c) bei; d) um die; e) über; f) aus der; g) bis; h) nach; i) vom ... aus; j) von; k) nach; l) von

S. 88/6 a) Die Ameisen: in, nach, auf; Er hatte zu viel Geld: um

S. 88/7 b) Kreuzfahrtschiff; c) Jugendherberge; d) Ballon; e) Campingplatz; f) Wohnwagen; g) Fähre; h) Reisebus

S. 89/8 b) Flugplatz; c) buchen; d) landen; e) Zelt; f) Geschäft/Arbeit; g) Wasser; h) abfahren

S. 89/9 a) 2 einreisen, 3 verreisen; b) 1 ausschlafen, 2 verschlafen, 3 einschlafen; c) 1 einsteigen, 2 abzusteigen, 3 aussteigen; d) 1 ablesen, 2 verlesen, 3 durchgelesen

S. 89/10 b) Man konnte selbst viel Sport treiben. c) Man erfährt wenig über die Kultur ...; d) Wir sind ohne bestimmtes ...; e) Ich reise gern allein ...

S. 91/12 (2) Doch es kommt bald ...; (3) 200 km von Las Vegas entfernt ...; (4) Jasmin versteht sich ...; (5) Nach und nach entwickelt sich ...; (6) „Out of Rosenheim" ...

S. 91/14 A/1, B/2, D/3

S. 92/15 (Lösungsbeispiel)

„Exclusivreisen" Peter Mustermann
Kayagasse 2 Zöppritzstraße 20
50676 Frankfurt 33330 Gütersloh
Anfrage

Sehr geehrte Damen und Herren,
in der Frankfurter Allgemeinen las ich Ihre Anzeige über ein Hotel aus Eis und Schnee. Für meine Hochzeitsreise vom 13. Mai bis zum 1. Juni dieses Jahres suche ich für meine Frau und mich eine exklusive Unterkunft. Da wir ein außergewöhnliches, aber auch ruhiges Ambiente suchen, hätte ich gern gewusst, wie viele und was für Zimmer das Hotel hat, wie stark es zu der Jahreszeit besucht ist und welche Küche angeboten wird. Wir sind Vegetarier und deshalb ist es für uns wichtig, dass der Koch auch fleischlose Gerichte schmackhaft zubereiten kann.
Wir hätten zudem gern gewusst, ob Sie noch andere „besondere" Hotels im Angebot haben.
Bitte schicken Sie mir nähere Informationen über das „Eishotel" und seine Umgebung sowie, wenn möglich, Hinweise auf andere Hotels.
Vielen Dank für Ihre Bemühungen.
Mit freundlichen Grüßen

S. 93/17 **anrufen:** ruf an, ruft an, rufen Sie an; **lesen:** lies, lest, lesen Sie; **sich ausruhen:** ruh dich aus, ruht euch aus, ruhen Sie sich aus; **sprechen:** sprich, sprecht, sprechen Sie; **arbeiten:** arbeite, arbeitet, arbeiten Sie; **lächeln:** lächle, lächelt, lächeln Sie

S. 93/18 a) Mach; b) Kommt, macht; c) setzen; d) Iss; e) sei; f) seid; g) Sprich; h) Bring; i) Passt; j) beeil

S. 93/19 b) (1) Mach rechtzeitig eine Checkliste. (2) Bestelle am Abend ein Taxi. (3) Pack wichtige Dinge ins Handgepäck. (4) Gib den Hausschlüssel beim Hausmeister ab. (5) Schalte Licht und Herd aus. (6) Erscheine pünktlich 90 Minuten vor dem Start. (7) Zieh bequeme Kleidung an. (8) Iss nur leichte Kost. (9) Wechsle ein bisschen Geld. (10) Such den Reiseleiter oder bestelle ein Taxi. (11) Ruf die Lieben zu Hause an. (12) Schließ die Wertsachen in den Hotel-Safe ein.

S. 94/20 (2) Erhol dich gut. (3) Schreib mal eine Karte. (4) Komm gesund wieder. (5) Pass gut auf dich auf. (6) Ruf mich mal an.

S. 94/21 (1) ... Dann komm ich hinauf. (2) Kommen Sie doch herüber. ... wie soll ich hinüberschwimmen? (3) Ich muss noch meinen Kulturbeutel hineintun. ... dann musst du eben etwas herausnehmen.

S. 95/2 Reise, Platz, zelten, Kasse, Mützen, Spaß, stolz, besetzen, Seen, Wiese, Warze, Klasse, saß, Sessel, Netze, Tasse

Lektion 8

S. 98/1 b) Gitarre; c) Tuba; d) Metzger; e) Ballett

S. 98/3 b) Cassettenrekorder; c) Radio; d) Verstärker; e) Lautsprecher

S. 99/4 a) nichts; b) irgendwo, nirgendwo/nirgends; c) jemand/jemanden, niemand/niemanden; d) einmal, nie(mals), nie; e) einmal, nichts; f) etwas, nichts; g) jemand, niemand; h) jemandem, niemandem/keinem

S. 99/5 b) nichts; c) keine; d) nichts; e) keine; f) nichts; g) kein; h) keinen; i) nicht; j) nichts; k) nicht; l) nichts

S. 99/6 a) Anton kann nicht Klavier spielen. b) Diana interessiert sich nicht für Opern. c) Nicht ihr Onkel hat sie angerufen, sondern ihr Bruder. d) Ich möchte heute nicht tanzen gehen. e) Ich gehe nicht gerne in klassische Konzerte. f) Meine Mutter kann Ihnen nicht helfen, aber mein Vater. g) Sie erinnert sich nicht an ihren Urlaub vor zehn Jahren, aber an den (Urlaub) im letzten Jahr. h) Ich kenne nicht Herbert Grönemeyer, aber Herbert Kohlmeyer. i) Ich kann dir die CD nicht leihen.

S. 100/7 Präpositionen mit Akkusativ: bitten um, denken an, hinweisen auf, schreiben an/über, sich bedanken für, sich bemühen um, sich entscheiden für, sich erinnern an, sich freuen auf/über, sich konzentrieren auf, sich kümmern um, sich verlassen auf, sich verlieben in, sich verwandeln in, sich vorbereiten auf, sorgen für, verzichten auf, warten auf; **Präpositionen mit Dativ:** ableiten von, einladen zu, gehören zu, gelangen zu, gratulieren zu, passen zu, rechnen mit, sich auseinandersetzen mit, sich beschäftigen mit, sich erkundigen nach/bei, sich fernhalten von, sich treffen mit, sich verabreden mit, stammen aus/von, suchen nach, teilnehmen an, vereinbaren mit, zusammenhängen mit

S. 100/8 b) auf den; c) in die; d) zu der; e) um seine; f) auf die; g) zu einem; h) an dem; i) auf (die); j) mit dem; k) mit ihm; l) an das; m) für das

S. 100/9 b) danach; c) darauf; d) daran; e) darauf; f) daran; g) damit; h) darum; i) damit

S. 101/10 (Lösungsbeispiele) a) Er freut sich so sehr darauf, dass er nächste Woche Urlaub hat. b) Wir haben lange darüber diskutiert, ob wir mit dem Zug oder mit dem Auto in Urlaub fahren sollen. c) Er hat sich darüber beschwert, dass seine Nachbarn so laut Musik hören. d) Ich ärgere mich wirklich darüber, dass du meine neue Brille zerbrochen hast. e) Ich bemühe mich darum, dass Paolo an einem Sprachkurs teilnimmt.

S. 101/11 c) mit wem – mit; d) an wen – an; e) mit wem – mit; f) wozu – zu; g) womit – mit; h) an wen – an; i) worum/worauf – um/auf; j) von wem – von; k) woran – an; l) worauf – auf

S. 102/12 b) oben, Jugendlichen, Ehrlich, die, keine, daran, weiß man, zu dieser, daran, hätte, an einer Veranstaltung

S. 102/13 (Lösungsbeispiel)

Sara Ruggieri · Mainz, 20. 4. 19..
Bergstraße 13
55129 Mainz
An die Redaktion der Mainzer Rundschau
Leserbriefe

Ihr Artikel über die Love Parade

Sehr geehrte Damen und Herren,

Ihr Artikel über die Love Parade hat mir äußerst gut gefallen. Ich war selbst auf der Parade und die Stimmung war einfach phantastisch, die Musik toll und die Leute sympathisch und liebenswert. Es nehmen auch absolut nicht alle Teilnehmer Drogen, wie oft fälschlich behauptet wird! Das Motto „Ohne Gewalt und Frieden in der ganzen Welt" wird hier unter den Leuten wirklich gelebt, denn alle Musikfans sind wie eine große Familie. Es gibt keine Diskriminierung. Endlich mal wieder eine Aktion unter Jugendlichen, die Gemeinsamkeiten schafft und nicht Minderheiten ausgrenzt. Für mich war es ein unvergessliches Ereignis und sicherlich werde ich im nächsten Jahr wieder dabei sein.

Mit freundlichen Grüßen
Sara Ruggieri

S. 102/14 (Lösungsbeispiel) (2) Großartig! Gibt es noch welche in den vorderen Reihen? Und wenn ja, was kosten die? (3) Gut, dann hätte ich gern zwei Karten in der 5. Reihe für die Abendvorstellung. Kann ich die Karten reservieren? (4) Ich hole sie dann eine halbe Stunde vor Vorstellungsbeginn ab.

S. 104/16 1/B; 2/F; 3/C; 4/A

S. 104/17 b) zu; c) –; d) –; e) –; f) zu; g) zu; h) zu; i) zu

S. 104/18 a) Er lässt die /seine Haare ganz kurz schneiden. b) Das Publikum hört nicht auf zu applaudieren. c) Ich höre ihn laut Violoncello spielen. d) Leider hat er nie Lust, in Urlaub zu fahren. e) Gestern sind wir sehr lang tanzen gegangen. f) Er hat sich nicht helfen lassen. g) Du hast vergessen, den Termin abzusagen.

S. 105/4 Noten, knarren, nicken, noch, Knüller, nie, Nacken, Knebel

Lektion 9

S. 108/1 a) 13 – Lust auf Meer; 14 – Der Kilimandscharo ruft; 3 – Costa Rica; 11 – München; 1 – Vietnam; 2 – Malaysia; 5 – Kuba; 8 – Türkei
b) (Lösungsbeispiele) 6 – Boston: Dabei sein beim bekanntesten Mara-

thon der Welt. 7 – Hawaii: Das ultimative Paradies für Surfer und solche, die es werden wollen! 9 – Hamburg, Studio Balance: Das Muss für die schlanke und biegsame Linie. 10 – Die nächste Weltmeisterschaft kommt bestimmt! Aber das dauert noch. Und zwischendrin kommen Sie zu Real Madrid, damit Sie nicht vergessen, was ein Elfmeter ist.

S. 109/2 a) Vielleicht erzähle ich dir erst einmal etwas über mich, denn wir müssen uns in einem gemeinsamen Urlaub ja schließlich verstehen und zusammenpassen. Ich habe fast schon alle Tauchparadiese dieser Welt erforscht, sowohl die Malediven und Australien als auch Jamaika und ... und ... Ich bin ein leidenschaftlicher Taucher und Naturfreak, also wirst du einen erfahrenen Tauchpartner mitnehmen, mit dem du viel Spaß haben wirst. Außerdem kann ich heiße Insidertipps über Kuba geben. Ich bin 26 Jahre alt, sportlich, unternehmungslustig, aktiv. Ich möchte nicht nur tauchen, sondern auch das Land sehen, ein bisschen herumreisen, in Discos gehen, Leute kennen lernen, einfach Spaß haben. Vor allem aber möchte ich die Natur erleben.
Ich hoffe, bald von dir zu hören, denn ich möchte wissen, ob, wann und wo wir uns treffen. Dann können wir Näheres besprechen.

S. 110/3 **dick** – dicker – am dicksten; **klein** – kleiner – am kleinsten; **reich** – reicher – am reichsten; **hübsch** – hübscher – am hübschesten; **frisch** – frischer – am frischesten; **intelligent** – intelligenter – am intelligentesten; **elegant** – eleganter – am elegantesten; **hart** – härter – am härtesten; **kurz** – kürzer – am kürzesten; **teuer** – teurer – am teuersten; **dunkel** – dunkler – am dunkelsten; **heiß** – heißer – am heißesten; **alt** – älter – am ältesten; **groß** – größer – am größten; **jung** – jünger – am jüngsten; **lang** – länger – am längsten; **schwach** – schwächer – am schwächsten; **stark** – stärker – am stärksten; **nah** – näher – am nächsten; **hoch** – höher – am höchsten; **viel** – mehr – am meisten; **gern** – lieber – am liebsten; **gut** – besser – am besten

S. 110/4 b) bessere; c) größeres/eleganteres/besseres/hübscheres; d) interessanteren; e) billigeres; f) schnelleres; g) modernere; h) schönere; i) mehr

S. 111/5 b) höchste; c) meisten; d) längsten; e) meisten; f) niedrigste; g) älteste; h) längsten; i) kleinsten

S. 111/6 b) größer; c) höher; d) älter; e) teurer; f) länger; g) kleiner; h) bekannteste; i) größte

S. 112/7 (Lösungsbeispiele) (1) Größe – Frankreich ist größer als Deutschland. (3) Essen – In Italien schmeckt das Essen besser als in Deutschland. (4) Nationalsport – Der Nationalsport Englands ist weltweit bekannter als der von Chile. (5) Leute – Die Menschen in Frankreich und Schweden werden europaweit am ältesten.

S. 112/8 a) 2 Dürre; 3 Sonnenschein; 4 durstig; 5 Steg; 6 Spiegel
b) **feminin:** die Brise; **maskulin:** der Wind, der Sturm, der Orkan, der Blitz, der Donner, der Regen, der Schnee, der Sonnenschein, der Frost, der Hagel; **neutral:** das Gewitter, das Eis
c) maskulin

S. 113/10 (2) die Tiefe; (3) Die Kälte; (4) die Trockenheit; (5) die Leichtigkeit; (6) die Größe; (7) die Ruhe; (8) die Dürre; (9) die Nässe; (10) die Fläche; (11) die Breite

S. 113/11 a – 5; b – 3; c – 1; d – 4; e – 5

S. 114/12 a) **Akkusativ:** den ersten Sportler / die erste Gruppe / das erste Mal / die ersten Menschen; **Dativ:** dem ersten Sportler / der ersten Gruppe / dem ersten Mal / den ersten Menschen; **Genitiv:** des ersten Sportlers / der ersten Gruppe / des ersten Mals / der ersten Menschen
b) **Nominativ:** -e / -es; **Akkusativ:** -en / -e / -es; **Dativ:** -en / -en / -en; **Genitiv:** -en / -en / -en

S. 114/13 (Lösungsbeispiel): Endung -e für Nom. m, f, n, und Akk. f, n. Die anderen Endungen sind -en.

S. 114/14 dreizehnten; siebenundzwanzigsten; ersten; sechzehnten; ersten

S. 115/15 b) f – als; c) r; d) r; e) f – als; f) r; g) f – höher; h) r; i) f – wie

S. 115/16 a) **Politiker:** John F. Kennedy – Helmut Kohl; **Regisseure:**

Steven Spielberg – Rainer Werner Fassbinder; **Fußballspieler:** Franz Beckenbauer – Jürgen Klinsmann; **Maler:** Pablo Picasso – Rembrandt; **Schriftsteller:** Johann Wolfgang von Goethe – William Shakespeare; **Schauspieler/innen:** Mario Adorf – Marlene Dietrich

S. 115/17 (Lösungsbeispiel)

Zürich, den 1. 4. 19..

Liebe Susanne,

er tut mir wirklich Leid, dass ich mich so lange nicht gemeldet habe. Aber stell dir vor, was passiert ist! Vor vier Wochen war ich mit Karsten in St. Moritz zum Ski fahren. Die Piste war schon ziemlich aufgeweicht und auf einem Buckel bin ich dann gestürzt. Als ich nicht mehr aufstehen konnte, hat Karsten den Rettungsdienst gerufen. Ich hatte mir das linke Bein gebrochen und musste zwei Wochen im Krankenhaus liegen. Jetzt kannst du vielleicht verstehen, warum du in den letzten Wochen nichts von mir gehört hast. Aber Gott sei Dank geht es mir schon wieder besser. Bald kommt der Gips ab und ich kann wieder laufen. Du brauchst dir also keine Sorgen zu machen.

Ich freue mich, wenn du mir bald schreibst.

Deine Carla

S. 116/19 b (Lösungsbeispiel)

München, 18. 8. 19..

Michaela Müller
Oskar von Miller Ring 66
83335 München

An die
Redaktion des Sportjournals
Leserbriefe

Ihr Artikel über „Abenteuer Everest"

Sehr geehrte Damen und Herren,

in Ihrem Artikel „Abenteuer Everest" gehen Sie leider nur wenig auf die doch immensen Gefahren dieser Herausforderung ein. Ich finde es unverantwortlich, dass nur an die Möglichkeit gedacht wird, jeder halbwegs trainierte Mensch könnte diesen außergewöhnlichen Berg bezwingen. Es handelt sich hier nicht um eine harmlose Bergtour in die Alpen, sondern um eine Expedition auf den höchsten Berggipfel der Welt. Durch Artikel wie den Ihren aber können Leser zu der abwegigen Meinung verführt werden, auch sie könnten sich einmal ihren Wunschtraum, vom Dach der Welt herabzublicken, erfüllen.

Und wozu das Ganze: Immer mehr Menschen in immer entlegeneren, extremeren Regionen zu immer extremeren Leistungen herausfordern? Ich persönlich finde es besser, wenn klar ist, dass „der Schuster bei seinen Leisten" bleibt und eine Bergbesteigung dieser Art wenigen Auserwählten vorbehalten ist. Es darf niemals einen Tourismus auf diesen Berg geben.

Mit freundlichen Grüßen
Michaela Müller

S. 117/3 a Studentin, lieben, rennen, liegen, sprecht, mir, Kollegen, dir, betten, springen, Lieder

Lektion 10

S. 120/1 (2) Welches Symbol ... – Etwas, was ...; (3) Wer dürfte ... – Ich kann auch Boss ...; (4) Wohin dürften Ihre Bodyguards ... – Ich hoffe, so

geliebt ...; (5) Was müsste unbedingt ... – Ein Eisschrank ...; (6) In welchem Fortbewegungsmittel ... – BMW ...; (7) An welchem Skandal ... – Bei meinem .... –

S. 120/2 Mode, Modeschöpferin, Qualität, Laden, Kollektion, Boutiquen

S. 120/3 b) weich fallender Stoff; c) ein gut aussehendes Model; d) das passende Outfit; e) ein eng anliegendes Kleid; e) ein hoch stehender Kragen

S. 121/4 b) gebräunte; c) geschnittene; d) geschlossene; e) geschlitzte; f) geschnürten; g) gepuderte; h) geknöpfte; i) aufgesetzten

S. 121/5 b) aufgehende; c) gestohlene; d) gepressten; e) korrigierten; f) gewaschenen; g) passende; h) glühenden; i) unterschriebenen; j) brennende; k) erschienene

S. 121/6 a) (2) schneeweiß; (3) bildhübsch; (4) feuerrot; (5) federleicht; (6) himmelblau; (7) schokoladenbraun; (8) hauchdünn

b) (2) schneeweiße Haut; (3) ein bildhübsches Model; (4) feuerrotes Haar; (5) federleichte Decken; (6) ein himmelblaues Auto; (7) schokoladenbrauner Kuchen; (8) hauchdünne Schokoladentäfelchen

S. 121/7 ca. – circa; vgl. – vergleiche; s. o. – siehe oben; etc. – et cetera (und so weiter); dt. – deutsch; usw. – und so weiter; u. a. – unter anderem; z. B. – zum Beispiel; d. h. – das heißt; evtl. – eventuell

S. 122/8 B – Was gehört noch zur Techno-Mode? C – An den Füßen ...; D – Die Uniform ...; E – Auf dem Kopf ...

S. 122/9 1/A; 2/F; 3/C; 4/D; 5/B; 6/E

S. 123/10 (Lösungsbeispiel) Idee, gut, – findest, – zu teuer, – ist eine, nehmen, – zu eng sein, – probier, – findest, – steht, – Recht, – Frag, – wird, schau, Leid, – nehme

S. 123/11 b) Drohung; c) Vermutung; d) Versprechen; e) Erwartung; f) Versprechen; g) Drohung; h) Erwartung; i) Versprechen; j) Drohung; k) Erwartung, Versprechen

S. 124/12 a) Die Jacke wird nicht ganz billig sein. b) Sicher wird sie meinem Freund gefallen./Sie wird meinem Freund sicher(lich) gefallen. c) Er wird mal wieder zu viel getrunken haben. d) Das Flugzeug wird Verspätung haben. e) Er wird keine Lust haben. f) Sie wird in einen Stau gekommen sein. g) Er wird krank geworden sein. h) Er wird beim Frisör sein.

S. 124/13 b) 2 r; 3 f; 4 r; 5 f; 6 f

S. 125/14 b) 2 Sehr geehrte; 3 beiliegend; 4 bestellt; 5 feststellen; 6 außerdem; 7 sondern; 8 zurückzunehmen; 9 erstatten

S. 125/15 a) (1) ... meinst du denn, Gehen wir doch mal ...; (2) schon lange mal ..., Wie findest du denn ..., Probier ihn doch einfach ...

b) Diese Wörter sind in der gesprochenen Sprache wichtig. Doch/mal drückt eine Bitte/Aufforderung aus.

S. 126/16 b) 3; c) 1; d) 2; e) 3; f) 2

S. 126/17 b) 2; c) 1; d) 1; e) 1; f) 1; g) 2

S. 126/18 a) denn; b) doch mal; c) denn; d) doch mal; e) doch; f) mal; g) mal; h) mal; i) doch mal; j) denn; k) mal

S. 127/4 Vokal und Doppelkonsonant: Ohrläppchen, Kette, Lippen, Wolle, Verschluss, dünn, Kamm, Schall, Watte, wusste, Hütte, füllen, stumm, still, wissen, Riss, Schiff, Motte, soll, hoffen, Spott; **Vokal mit zwei oder mehr Konsonanten:** Kontrast, lächeln, Hemd, Ring, Hochzeit, möchte, kurz; **Vokal und ck:** Jacke, dick, Röcke, Lack; **ie:** Stiefel, Wiese, Riese, schief, Liebe; **Vokal und h:** Sohle, Söhne, Schuh, fühlen, wohl; **Vokal + Konsonant + Vokal:** Nase, Leder, Regen, Stil, Hose, Kostüm, kam, jagen, lag, Wüste, Hüte, Mode; **Vokal und r:** Ärger, Warte, Sturm, Sport; **Vokal und Konsonant am Wortende:** kam, Schal, lag, Stil, Hof

Test Lektion 1

Name: _____

Arbeitszeit: 45 Minuten

1 Höfliche Bitten – *Grammatik*

Ergänzen Sie die folgenden Sätze mit passenden Verben oder Verbteilen im Konjunktiv II.

Beispiel: __Würdest__ du mich heute Abend nach dem Kino nach Hause fahren?

a) _____ es Ihnen wirklich nichts ausmachen, mich zu Hause abzuholen?

b) _____ Sie mir vielleicht helfen, meine Brille zu suchen?

c) _____ Sie so nett, ein Foto von uns zu machen?

d) _____ du mir vielleicht bis morgen etwas Geld leihen?

e) _____ ich mir mal deinen Stift ausleihen?

/5

2 Irreales – *Grammatik*

Beispiel: Gestern bin ich nicht mit ins Kino gegangen. Ich war müde.

__Wenn ich nicht müde gewesen wäre, wäre ich mit ins Kino gegangen.__

a) Er ist nicht sportlich. Er hat auf der Skitour nicht bis zum Ende durchgehalten.

_____

b) Sie hat leider wenig Freizeit. Sie hat kaum Zeit für ihre Hobbys.

_____

c) Herr Kreutzer arbeitet sehr viel. Er ist sehr nervös.

_____

d) Frau Weber macht keine Überstunden. Sie ist zu träge.

_____

e) Sie verdient nicht genug. Sie kann sich keinen BMW leisten.

_____

/5

3 *um zu* **oder** *damit* – *Grammatik*

Ergänzen Sie die folgenden Sätze. Fügen Sie das Wort *zu* an den Stellen ein, wo es nötig ist.

Beispiel: Ich mache einem Deutschkurs, _um_ meine Berufschancen ^{zu}√ verbessern.
Oder: Ich mache einen Deutschkurs, _damit_ ich meine Berufschancen verbessere.

a) Ich lerne Deutsch, _____ ich mehr Chancen auf dem Arbeitsmarkt habe.

b) Ich nehme mir nächste Woche Zeit, _____ den Dachboden ausbauen.

c) Bitte treten Sie einen Schritt zurück, _____ ich Sie fotografieren kann.

d) Ich lade alle meine Freunde ein, _____ sie mir beim Umzug helfen.

e) Ich bin leider zu unpraktisch, _____ stricken oder häkeln lernen.

f) Peter fährt noch kurz bei Eva vorbei, _____ ihr ein Regal bringen.

/6

4 Was passt nicht? – *Wortschatz*

Beispiel: basteln – fotografieren – malen – ~~Musik hören~~ – zeichnen

a) Computerspiele machen – eine Bergtour machen – Federball spielen – joggen - Ruderboot fahren
b) fernsehen – im Internet surfen – ins Kino gehen – schwimmen – lesen
c) entspannt – faul – gemütlich – tatendurstig – träge
d) Autogramme – Bierdeckel – Briefmarken – Freundinnen – Münzen

/4

5 Berufstätigkeit – *Schreiben*

Schreiben Sie fünf Sätze über sich selbst, einen Freund oder ein Familienmitglied (z. B. Ihren Vater).
Sagen Sie etwas über

- Beruf/Tätigkeit,
- Einstellung zur Arbeit,
- Arbeitszeit,
- Freizeit,
- Was würde ich bzw. er/sie gerne ändern.

Beginnen Sie so: *Ich bin …* bzw. *Er / Sie ist …*

_____

_____

_____

_____

_____

_____

_____

_____

/10

Insgesamt: /30

richtige Lösungen	Note
30 – 27	sehr gut
26 – 23	gut
22 – 19	befriedigend
18 – 15	ausreichend
14 – 0	nicht mehr ausreichend

1 Bedeutung der Modalverben – *Grammatik*

Welche der folgenden Bedeutungen ist gemeint?

| Fähigkeit – Möglichkeit – Erlaubnis – Empfehlung – Wunsch/Absicht – Gefallen |

Beispiel: Ich *kann* schwimmen. **Fähigkeit**

a) Sie *sollten* sich mehr um Ihre Familie kümmern. _____

b) Nicht jeder *darf* ein Kind adoptieren. _____

c) Meine Tochter *mag* ihre Tagesmutter nicht besonders. _____

d) Auch der Vater *kann* Erziehungsurlaub nehmen. _____

e) Sie *will* ein Kind adoptieren. _____

/5

2 Dativ oder Akkusativ? – *Grammatik*

Ergänzen Sie die folgenden Sätze.

Beispiel: Ich wünsche **mir** später mal eine sehr große Familie.

a) Ich habe _____ für das Single-Leben entschieden.

b) Ich wundere _____ über den Lebensstil vieler Frauen.

c) Ich teile _____ die Kindererziehung mit meinem Mann.

d) Habt ihr _____ im Urlaub gut erholt?

e) Kannst du _____ vorstellen, fünf Kinder zu haben?

f) Die beiden kennen _____ schon seit vielen Jahren.

g) Warum kümmert ihr _____ so wenig um eure Kinder?

h) Nach der Arbeit muss sie _____ oft beeilen, die Kinder rechtzeitig abzuholen.

i) Natürlich wasche ich _____ täglich, wieso fragst du?

j) Kämm _____ bitte die Haare, bevor du in die Schule gehst.

/10

3 Welches Wort passt nicht? – *Wortschatz*

Beispiel: Beruf – Chef – Arbeitszeit – ~~Fernsehen~~ – Ausbildung

a) jemanden gern haben – jemanden nicht ausstehen können – jemanden nicht leiden können – jemandem die kalte Schulter zeigen – jemanden hassen

b) abgekühlt – eisig – frostig – gleichgültig – leidenschaftlich

c) die Bewunderung – die Liebe – das Misstrauen – der Respekt – die Rücksicht

d) Autorität – Muttergefühl – Solidarität – Neid – Vertrauen

e) Hort – Kindergarten – Krippe – Tagesmutter – Wohngemeinschaft

/5

Name: _____

4 Meine Familie – *Schreiben*

Schreiben Sie fünf Sätze über Ihre Familie. Sagen Sie etwas über die
- Mitglieder der Familie,
- Aufgaben der Familienmitglieder,
- Wohnung.

Beginnen Sie so: _Zu meiner engeren Familie gehören ..._

_____

_____

_____

_____

_____

_____

_____

_____

_____

/10

Insgesamt: /30

richtige Lösungen	Note
30 – 27	sehr gut
26 – 23	gut
22 – 19	befriedigend
18 – 15	ausreichend
14 – 0	nicht mehr ausreichend

Test Lektion 3

Arbeitszeit: 45 Minuten

1 *als* oder *wenn* – *Grammatik*

Ergänzen Sie die folgenden Sätze mit *als* oder *wenn*.

Beispiel: __Als__ ich auf dem Fest ankam, war es schon fast zu Ende.

a) _____ ich mein Examen geschafft habe, mache ich eine Fete.

b) _____ es morgen regnet, können wir wieder kein Gartenfest machen.

c) _____ er das erste Mal auf dem Oktoberfest war, konnte er nicht glauben, wie voll es dort ist.

d) _____ er sagte, dass er nicht zu meinem Geburtstagsfest kommt, habe ich geweint.

e) Henry spielt uns ein Weihnachtslied vor, _____ die Kerzen am Weihnachtsbaum brennen.

/5

2 Temporale Konnektoren und Präpositionen – *Grammatik*

Ergänzen Sie die folgenden Sätze mit einem der folgenden Wörter.

als – bevor – bis – nachdem – seitdem – sobald – während – wenn

Beispiel: __Nachdem__ wir den Weihnachtsbaum geschmückt haben, bereiten wir das Festessen vor.

a) Es sind nur noch wenige Wochen _____ zum Fest.

b) _____ wir letztes Jahr die Geschenke kaufen wollten, war in den Geschäften furchtbar viel los.

c) Dieses Jahr beginnen wir mit den Einkäufen, _____ der Sturm auf die Geschäfte beginnt.

d) _____ die Gans im Ofen brät, ziehen wir uns festliche Kleidung an.

e) Gleich _____ der Esstisch abgeräumt war, haben wir angefangen, die Geschenke auszupacken.

f) Wir fangen mit dem Auspacken der Geschenke an, _____ wir das obligatorische Weihnachtslied gesungen haben.

g) _____ die Kinder aus dem Haus sind, feiern wir Weihnachten immer auf einer sonnigen Insel.

h) _____ wir dann unter Palmen sitzen, vermissen wir den Weihnachtszirkus überhaupt nicht.

/8

3 Temporale Präpositionen – *Grammatik*

Ergänzen Sie die passenden Präpositionen und die fehlenden Artikelwörter.

~~aus~~ – gegen – von – in – seit – nach – ab – zu

a) Die Idee des Adventskalenders stammt __aus__ __dem__ 19. Jahrhundert.

b) Die Party dauerte _____ _____ frühen Abendstunden bis in die späte Nacht.

c) Etwa _____ _____ dritten Geburtstag finden Kinder Geburtstagsfeste richtig gut.

d) _____ _____ Festessen freuen sich alle auf die Geschenke.

e) Schon _____ _____ 25. Lebensjahr feiere ich meine Geburtstage nicht mehr.

f) Die Party beginnt so _____ acht Uhr.

g) _____ _____ letzten Tagen vor einem großen Fest bin ich immer gestresst.

h) _____ dieser Zeit gehe ich nicht mehr aus dem Haus.

/7

Name: _____

_____

4 Deutsche Feste und was dazu gehört – *Wortschatz*

Ordnen Sie die folgenden Wörter in den Raster ein. Nicht alle Wörter passen.

> Baum – Eier – Gans – Geschenke – Karneval – ~~Knecht Ruprecht~~ – Kostüm – Maske –
> ~~Nikolaus~~ – Ostern – Raketen – Sekt – Silvester – Strohpuppe – Truthahn – Weihnachten

Fest:	Nikolaus				
dazu gehört	Knecht Ruprecht				

/4

5 Ein Fest bei uns zu Hause – *Schreiben*

Schreiben Sie sechs Sätze über ein Fest, das in Ihrer Familie bzw. Ihrem Heimatland gefeiert wird. Sagen Sie etwas über

- die Vorbereitung,   • den Verlauf / das Programm,   • was man isst und trinkt,
- die Gäste,   • die Geschenke,   • Kleidung und/oder Dekoration des Raumes.

Beginnen Sie so: _Bei uns feiert man ein Fest, das heißt ..._

_____

_____

_____

_____

_____

_____

_____

/6

Insgesamt: /30

richtige Lösungen	Note
30 – 27	sehr gut
26 – 23	gut
22 – 19	befriedigend
18 – 15	ausreichend
14 – 0	nicht mehr ausreichend

1 Verben mit trennbaren oder nicht trennbaren Vorsilben – *Grammatik*

Ordnen Sie die Verben in den Raster ein.

gefallen – ablenken – ansehen – aufpassen – missverstehen – ausbrechen – ~~durchfallen~~ – empfinden – entschuldigen – ~~erwarten~~ – mitteilen – verstehen – vorwerfen – zerbrechen – beenden – einkaufen

trennbar	durchfallen						
nicht trennbar	erwarten						

/7

2 Vergangenheitsformen – *Grammatik*

Ergänzen Sie in dem Interview (Kursbuch S. 52) die Verben bzw. Verbteile in der richtigen Vergangenheitsform.

Interviewerin: Du bist also Schüler. Und was für eine Schule besuchst du denn?

Christopher: Ich besuche ein Gymnasium.

Interviewerin: Wer hat denn für dich _____ _____ (1) (entscheiden), dass du in diese Schule, in dieses Gymnasium gehst?

Christopher: Meine Mutter. Am Ende der Grundschule, also in der vierten Klasse, weil ich so ein gutes Zeugnis _____ (2) (haben), dass ich auf ein Gymnasium komme.

Interviewerin: Und wie alt _____ (3) (sein) du da?

Christopher: Da _____ (4) (sein) ich genau zehn Jahre alt.

Interviewerin: Und, findest du, dass das Gymnasium die richtige Schule für dich ist? Du bist ja jetzt schon ein paar Jahre dort.

Christopher: Am Anfang, in der fünften Klasse, _____ (5) (haben) ich schon gedacht, dass es die richtige Schule für mich ist. Aber jetzt, nachdem ich sitzen geblieben _____ (6) (sein), wäre ich lieber auf eine Realschule gegangen.

Interviewerin: Ist es dir jetzt zu schwer auf dem Gymnasium?

Christopher: Ja, ja schon. Die Lehrer stellen viel zu viele Ansprüche auf dem Gymnasium. Und auf der Realschule haben die nicht so viele Ansprüche _____ (7) (stellen) und nicht so viel von den Schülern _____ (verlangen) (8).

/8

3 Welches Wort passt nicht? – *Wortschatz*

Beispiel: gut – befriedigend – ~~großartig~~ – ausreichend

a) die Grundschule – das Gymnasium – die Realschule – die Schauspielschule

b) sitzen bleiben – durchfallen – nicht versetzt werden – Platz nehmen

c) die Religionslehre – die Umgangssprache – die Ethik – die Geschichte

d) das Zeugnis – die Urkunde – die Note – der Zettel

e) das Lehrerzimmer – der Musiksaal – der Schulhof – die Sporthalle – das Wartezimmer

/5

Name: _____

4 Was kann ein Lehrer tun, wenn die Schüler nicht aufpassen? – *Schreiben*

Ordnen Sie die Verben den Nomen zu. Welche dieser Maßnahmen halten Sie für sinnvoll?
Formulieren Sie fünf Begründungen.

Nomen	Verben	Begründung
das Thema seines Unterrichts den Direktor zu Hilfe den Unterricht die Eltern die Schüler eine Pause einen Test in Gruppen mit den Schülern Strafen um Aufmerksamkeit	anrufen arbeiten lassen beenden bitten ermahnen holen machen schimpfen schreiben verteilen wechseln	Vielleicht interessieren sich die Schüler für ein anderes Thema mehr.

_____

_____

_____

_____

_____

_____

_____

_____

/10

Insgesamt: /30

richtige Lösungen	Note
30 – 27	sehr gut
26 – 23	gut
22 – 19	befriedigend
18 – 15	ausreichend
14 – 0	nicht mehr ausreichend

1 Passiv – *Grammatik*

Bilden Sie Sätze im Passiv.

Beispiel: Im Café Ruffini serviert man nicht nur Kaffee und Kuchen.
<u>**Im Café Ruffini** *wird nicht nur Kaffee und Kuchen* *serviert.*</u>

a) Mittags und am Abend bestellen manche Gäste auch Schweinebraten und Ähnliches.

_____

b) Man trinkt auch sehr viel Wein.

_____

c) Besonders jüngere Leute besuchen das Lokal.

_____

d) Man schätzt besonders die Atmosphäre.

_____

e) Ein Team leitet das Café.

_____

f) Alle wichtigen Entscheidungen trifft man gemeinsam.

_____

/6

2 Buchkritik – *Wortschatz*

Ergänzen Sie die Wörter aus dem Kasten.

> aß – ausgewählt – ausprobiert – Bistro – Feinschmecker – Geld – wissen – Küche – Lokale – Rezepte – ~~Trinken~~ – wünschen

Vorwärts zu neuen Kneipen

Bücher, die das Speisen und Reisen schmackhaft machen

Jeder sollte mal eine Reise machen, bei der das Essen und <u>Trinken</u> das Wichtigste ist.
Ideen dafür findet man in den zahlreichen neu erschienenen Reise-_____-Büchern.
Zum Beispiel in dem gerade erschienenen Deutschland-Führer *Die besten Restaurants und Hotels in Deutschland*. Das Buch bietet über 1200 Adressen, vom Spitzenrestaurant bis zum _____, vom Grandhotel bis zum Landgasthof. Die Autoren werfen auch einen Blick ins übrige Europa: Sie geben 50 Tipps zu Restaurants nahe den Grenzen, für alle, die noch mehr _____ wollen. Aktualisiert wurde *Die Weinstuben des Elsass?* von Wolfram Siebeck. Der Autor _____ und trank sich durch 45 typische Elsässer _____. 40 _____ ergänzen diesen Elsass-Führer, der nichts zu _____ übrig lässt. Wer sich das neue, fünf Zentimeter dicke Werk *Das Kochbuch* kauft, der wird mit internationaler _____ versorgt, ohne dass er auf Reisen gehen muss. Das Team Martina Meuth und Bernd Neuner-Duttenhofer hat über 1000 Rezepte aus aller Welt gelesen und _____. 700 davon haben sie _____. Diese Auswahl zu treffen kann nicht leicht gewesen sein. Dafür ist der Führer sein _____ wert.

/12

3 Welches Wort passt nicht? – *Wortschatz*

Beispiel: die Suppe – der Salat – ~~der Tee~~ – die Nudeln – die Wurst

a) das Gramm – das Pfund – der Teelöffel – der Teller – die Prise
b) das Café – der Nachtisch – die Hauptspeise – die Suppe – die Vorspeise
c) die Bar – das Bistro – das Kabarett – die Kneipe – das Lokal
d) anbieten – backen – braten – kochen – zubereiten
e) bitter – sauer – scharf – schwer – süß
f) gießen – rühren – schlagen – schütteln – servieren

/6

4 Mein Lieblingslokal – *Schreiben*

Schreiben Sie sechs Sätze über ein Lokal, das Sie besonders mögen. Sagen Sie etwas über
- den Ort, wo es sich befindet,
- die Speisen und Getränke dort,
- die Gäste,
- die Atmosphäre.

Vergleichen Sie es mit dem Café Ruffini.

Beginnen Sie so: _Mein Lieblingslokal heißt ..._

_____

_____

_____

_____

_____

_____

_____

/6

richtige Lösungen	Note
30 – 27	sehr gut
26 – 23	gut
22 – 19	befriedigend
18 – 15	ausreichend
14 – 0	nicht mehr ausreichend

Insgesamt: /30

1 Relativpronomen – *Grammatik*

Ergänzen Sie das fehlende Pronomen und wenn nötig die fehlende Präposition.

Beispiel: Ich wünsche mir Partner, _____ *denen* _____ ich vertrauen kann.

a) Ich wünsche mir einen Partner, _____ mich nicht im Stich lässt.

b) Ich wünsche mir eine Partnerin, _____ ich etwas lernen kann.

c) Ich wünsche mir einen Partner, _____ man sich verlieben kann.

d) Ich wünsche mir einen Partner, _____ ich mich verlassen kann.

e) Ich wünsche mir eine Partnerin, _____ mit mir regelmäßig ins Kino geht.

/5

2 Gründe – *Grammatik*

Bilden Sie je einen Satz mit *deshalb, aus diesem Grund, weil, obwohl, trotzdem.*

a) Jetzt bin ich müde, _____ .

b) Ich habe meine Kinokarte verloren, _____ .

c) Dieses neue Kino ist mir zu teuer, _____ .

d) Morgen habe ich Prüfung, _____ .

e) Ich habe nicht mehr viel Geld auf dem Konto, _____ .

/5

3 Kausale Konnektoren – *Grammatik*

Ergänzen Sie die Konnektoren *deshalb, darum, obwohl, trotzdem, aber.*

a) Seine Schüler besuchen ein Nachtlokal. _____ geht der Professor auch dorthin.

b) Lola ist für den Professor keine passende Partnerin. _____ verliebt er sich in sie.

c) Lola wird ihr neuer Liebhaber langweilig. _____ geht es mit dem Professor bergab.

d) _____ der Professor für Lola alles aufgegeben hat, verliebt sie sich in einen anderen.

e) Lola spielt nur mit dem Professor, _____ das merkt dieser zu spät.

/5

4 Indirekte Fragen – *Grammatik*

Beispiel: Wissen Sie, _____ *was* _____ an Marlene Dietrich so besonders war?

a) Kannst du mir sagen, _____ ich weitere Informationen über Marlene Dietrich finden kann?

b) Erzähl mal, _____ dir der Film gefallen hat.

c) Kannst du uns erklären, _____ du damit meinst?

d) Verrate mir doch, _____ du die alte Schallplatte mit Dietrich-Chansons gekauft hast.

e) Erklär mir bitte, _____ ich diese Aufgabe lösen soll.

/5

Name: _____

5 Komposita – *Wortschatz*

Erklären Sie die Bedeutung folgender zusammengesetzter Nomen.

Wort	zusammengesetzt aus	Bedeutung
die Probeaufnahmen	*die Probe +* *die Aufnahmen (Pl.)*	*Filmaufnahmen, die nur zur Probe, zum* *Ausprobieren gemacht wurden*
der Kameramann		
der Kostümdesigner		
der Drehbuchautor		
die Hauptdarstellerin		
der Zeichentrickfilm		

/10

Insgesamt: /30

richtige Lösungen	Note
30 – 27	sehr gut
26 – 23	gut
22 – 19	befriedigend
18 – 15	ausreichend
14 – 0	nicht mehr ausreichend

Arbeitszeit: 45 Minuten

Name: _____

1 Textpuzzle – *Lesen*

Setzen Sie die folgenden Sätze zu einem Text zusammen. Achten Sie dabei auf die fett gedruckten Wörter.

Clubreisen

- [1] Wir haben uns in diesem Jahr zum ersten Mal für eine Clubreise entschieden.
- [ ] Aber als wir es **dann tatsächlich** ausprobiert haben, waren wir positiv überrascht.
- [ ] Wir waren vorher gegenüber **solchen** Clubreisen sehr skeptisch.
- [ ] **Besonders** die Animationsprogramme, mit denen alle Clubs werben, wollten wir nicht.
- [ ] **Das Beste aber** war: Alles war im Preis inklusiv.
- [ ] Das Sportangebot war **zum Beispiel** ausgezeichnet.
- [ ] Man konnte viele verschiedene Sportarten lernen, **zum Beispiel** Windsurfen, Segeln, Golf oder Bogenschießen.
- [ ] Man musste **also** weder für die Trainerstunden noch für das Ausleihen der Sportgeräte etwas bezahlen.
- [ ] **Und dann** gab's natürlich auch die ganz normalen Sachen, vor allem Gymnastik.
- [ ] **Und zwar** waren wir mit der ganzen Familie in Griechenland, auf der Insel Kos.

/9

2 Imperativ – *Grammatik*

Ergänzen Sie die Verben in der Du-Form, in der Ihr-Form oder in der Sie-Form:

besuchen – ~~feiern~~ – gewinnen – lassen – nehmen – sehen – tanzen

Beispiel: _Feiern Sie_ das Jahresende im Luxushotel *Österreichischer Hof* in Salzburg. (Sie-Form)

a) _____ ein Silvesterkonzert. (Sie-Form)

b) _____ mit uns an einem exklusiven Galadiner teil. (Du-Form)

c) _____ mit mir von den Türmen der Stadt aus das Feuerwerk an. (Du-Form)

d) Kommt doch zu uns und _____ einen Walzer ins neue Jahr. (Ihr-Form)

e) _____ euch von dieser außergewöhnlichen Stadt faszinieren. (Ihr-Form)

f) _____ schöne Preise. (Sie-Form)

/6

3 Präpositionen – *Grammatik*

Ergänzen Sie die fehlenden lokalen Präpositionen.

a) Von dem Campingplatz _aus_ fuhren sie _____ der nahen Jugendherberge.

b) Sie radelten die Straße von Adelaide nach Sydney _____ .

c) Das Wohnmobil stand direkt _____ der Kirche.

d) Nächstes Jahr möchte ich _._____ Italien fahren.

e) Sie fuhren mit ihren Rädern bis _____ die Grenze.

/5

Name: _____

4 Anfrage an ein Fremdenverkehrsamt – *Schreiben*

Sie wollen eine einwöchige Klassenfahrt nach Berchtesgaden machen und schreiben an das dortige Fremdenverkehrsamt.

- Sagen Sie, was Sie planen.
- Erkundigen Sie sich nach Unterbringungsmöglichkeiten.
- Bitten Sie um eine Preisliste der Unterkünfte.
- Erfragen Sie Eintrittspreise und Ermäßigungen für Gruppen bei Sehenswürdigkeiten, an Skiliften etc.
- Fordern Sie weiteres Informationsmaterial an.

Vergessen Sie nicht die Anrede und den Gruß.

_____

_____

_____

_____

_____

_____

_____

_____

_____

_____

/10

Insgesamt: /30

richtige Lösungen	Note
30 – 27	sehr gut
26 – 23	gut
22 – 19	befriedigend
18 – 15	ausreichend
14 – 0	nicht mehr ausreichend

1 Werbebrief – *Wortschatz*

Wählen Sie aus dem Kasten rechts die passenden Wörter für die Lücken im Werbebrief aus.
Es gibt mehr Auswahlantworten als benötigt werden.

Sehr geehrte **(0)** _Feinschmecker_ der Musik, wenn Sie zu den Menschen gehören, die sich an **(1)** _____ erfreuen können wie an einem herrlichen Essen, lesen Sie weiter. Denn die hier vorgestellte **(2)** _____ ist ein **(3)** _____ Menü. Für jeden **(4)** _____ ist etwas dabei. Je nach Lust und Laune genießen Sie modernen **(5)** _____, bekannte **(6)** _____ oder beliebte Lieder der **(7)** _____. Dank der wunderbaren Interpretationen von Elisabeth Zirkelbach wird jede **(8)** _____ zu einem Genuss. Das ist das Geschenk, nach dem Sie seit langem **(9)** _____ haben. Wir bieten Ihnen dieses besondere Angebot als CD oder als **(10)** _____, jeweils zum Preis von DM 30,–.
Wir hoffen Ihr Interesse geweckt zu haben und verbleiben für heute
mit den allerbesten Grüßen

Ulrich dany
ACCORD GmbH

Aufnahme CD
~~Feinschmecker~~
Geschmack
gesucht geübt
Instrument Jazz
klingendes
Kopfhörer
Musik
Musikkassette
populäre
Opern
vertraut
Volksmusik

/10

2 Infinitiv + *zu – Grammatik*

Formen Sie die Sätze um. Verwenden Sie dabei die Verben in Klammern.

Beispiel: Ich will mehr üben. (sich vornehmen) _Ich nehme mir vor, mehr zu üben._

a) Sie möchten den idealen Popsong komponieren. (versuchen)

_____

b) Mozart spielte schon als Kind Geige. (anfangen)

_____

c) Daniel will eine Ausbildung als Musiker machen. (planen)

_____

d) Ich möchte Karriere als Musikerin machen. Hilfst du mir? (planen)

_____

e) Du sollst nicht so viel Hip-Hop hören. (aufhören)

_____

/5

3 Fehlersuche – *Grammatik*

Unterstreichen Sie die Fehler und schreiben Sie die Sätze richtig.

Beispiel: Das ist <u>keins</u> gutes Gedicht. – <u>**Das ist kein gutes Gedicht.**</u>

a) Von diesem Schriftsteller habe ich nicht gelesen.

_____

b) Eins, zwei, drei, alt ist nichts neu, neu ist nicht alt ...

_____

c) Mäuse sind keine Ratten, Ratten sind kein Mäuse, ...

_____

d) Hase ist keins Fuchs, Fuchs ist kein Hase ...

_____

e) Ich werde dieses Gedicht nirgends verstehen.

_____

f) Es ist noch zu spät.

_____

/6

4 Welches Wort passt nicht? – *Wortschatz*

Beispiel: das Saxophon – die Trompete – die Querflöte – die Klarinette – ~~das Klavier~~

a) der Kassettenrekorder – der CD-Spieler – der Kopfhörer – die Rechenmaschine – das Radio
b) der Jazz – die Melodie – die Oper – der Pop – die Volksmusik
c) geigen – komponieren – teilnehmen – vorspielen – üben
d) aufnehmen – einschalten – einlegen – fördern – zurückspulen

/4

5 Verben mit Präpositionen – *Grammatik*

Wählen Sie die passenden Präpositionen aus: *an – auf – für – mit – nach – von – zu*

Beispiel: Denk dar- <u>an</u> , dass du heute noch Flöte üben musst.

a) Ich kann leider morgen nicht _____ Musikunterricht teilnehmen.
b) Ich gratuliere dir _____ dem großartigen Erfolg.
c) Ich suche _____ der CD, die du mir geliehen hast.
d) Ich erinnere mich nicht mehr dar-_____, wo ich sie hingelegt habe.
e) Habe ich mich eigentlich schon _____ das schöne Geschenk bedankt?

/5

richtige Lösungen	Note
30 – 27	sehr gut
26 – 23	gut
22 – 19	befriedigend
18 – 15	ausreichend
14 – 0	nicht mehr ausreichend

Insgesamt: /30

Name: _____

1 Was ist passiert? – *Lesen*

Lesen Sie den Text und bringen Sie die folgenden fünf Sätze in die richtige Reihenfolge.

- ☐ Messner und sein Bruder Günther nahmen an einer Expedition am Nanga Parbat teil.
- ☐ Messner ging voraus, um den Weg zu finden – da wurde sein Bruder von einer Lawine getötet.
- ☐ Messners Bruder kam hinter ihm hergeklettert.
- ☐ Messner wollte allein auf den Gipfel steigen.
- ☐ Die Brüder konnten nicht dieselbe Route zurückgehen, die sie gekommen waren.

Am Nanga Parbat

1970 wurde ich zu meiner ersten Himalaja-Expedition eingeladen. Ziel war die mit 4500 Metern höchste Eis- und Felswand der Erde. Im letzten Moment erhielt auch mein Bruder Günther die Einladung mitzukommen. Selig zogen wir in dieses Abenteuer, das zur größten Tragödie in unserer beider Leben werden sollte. Auf Grund der unsicheren Wetterverhältnisse bot ich dem Expeditionsleiter an, bei schlechtem Wetter einen Alleingang zum Gipfel zu versuchen. Ich machte mich am nächsten Morgen allein und ohne Seil auf den Weg. Plötzlich sah ich völlig unerwartet unter mir meinen Bruder auftauchen. Gemeinsam erreichten wir den Gipfel, unseren ersten Achttausender, und fielen einander bewegt in die Arme. Doch Günther war am Ende seiner Kräfte. Da wir beide kein Seil dabei hatten, war ein Abstieg über die extrem schwierige Rupalflanke* undenkbar. Wir konnten denselben Weg nicht mehr zurück und entschlossen uns, einen Abstieg über die uns leichter erscheinende Diamirflanke auf der Gegenseite zu versuchen. Unendliche Strapazen, Rast ohne Schlafsack in tödlichen Höhen. Ich ging voraus, um uns einen Weg zu finden, als hinter mir eine Eislawine herabdonnerte. Günther war verschwunden, begraben unter tonnenschweren Eisblöcken. Halb wahnsinnig vor Schmerz und Erschöpfung kroch ich mit schweren Erfrierungen talwärts. Hirten aus dem Tal fanden mich und trugen mich zurück ins Leben.

* schwierigste Wand an dem Berg Nanga Parbat

/10

2 Welches Wort passt nicht? – *Wortschatz*

Beispiel: Basketball – Tennis – Golf – ~~Karate~~ – Handball

a) der Wind – der Sturm – die leichte Brise – der Orkan – der Atem
b) der Blitz – der Donner – das Gewitter – der Regen – die Dürre
c) das Eis – der Schnee – der Sonnenschein – der Frost – der Hagel
d) sonnig – neblig – regnerisch – mild – kühl – durstig
e) der Berg – das Gebirge – der Gipfel – die Felswand – der Steg

/5

3 **Vergleichssätze –** *Grammatik*

Vergleichen Sie die fünf längsten Skiabfahrten der Alpen.

Start	Ziel	Land	Länge
Aiguille du Midi	Chamonix	Frankreich	24 km
Kleines Matterhorn	Breuil-Cervinia	Italien	21 km
Kleines Matterhorn	Zermatt	Schweiz	14 km
Palatin	Ischgl	Österreich	14 km
Zweikofel	Troepolach	Österreich	13 km

a) Frankreich hat die **längste** Skiabfahrt der Alpen.

b) Die Abfahrt vom Kleinen Matterhorn ist aber nur drei Kilometer _____ .

c) Die Abfahrten nach Zermatt und Ischgl sind _____ .

d) Die Abfahrt vom Palatin ist etwas _____ als die vom Zweikofel.

e) Die _____ der fünf Abfahrten der Liste ist 13 Kilometer lang.

/5

4 **Bergsteigen –** *Wortschatz*

Ergänzen Sie die fehlenden Wörter in dem Hörtext (Kursbuch S. 113).
Kein Wort darf mehrmals verwendet werden.

Ein Münchner Geschäft für **(0)** **Bergsteiger** . Geschäftsinhaber Sigi Ludwig hilft einer Kundin zu finden, was sie braucht fürs **(1)** _____ . Sigi Ludwig ist staatlich geprüfter Berg- und Ski- **(2)** _____ . In Garmisch ist er aufgewachsen. Sein Großvater nahm ihn schon als Kind mit in die **(3)** _____ . Kein anderer Beruf kam für ihn in Frage. Sigis Laden ist vollgestopft mit **(4)** _____ , **(5)** _____ und allen möglichen Utensilien, die man zum Ersteigen **(6)** _____ Berge braucht. Große Farbfotos an den Wänden zeigen jene **(7)** _____ , die Sigi Ludwig schon bestiegen hat: Zuletzt, vor wenigen Wochen erst, kam er aus Lateinamerika zurück. Dort war er auf den Mors Karan in Peru **(8)** _____ , in der Cordeliera Blanca, 6768 Meter **(9)** _____ . Sigi ist 43 Jahre alt und damit liegt er ganz gut in der Alterskala, denn auf Berge **(10)** _____ , das tun ältere Leute genauso gut wie junge.

/10

Insgesamt: /30

richtige Lösungen	Note
30 – 27	sehr gut
26 – 23	gut
22 – 19	befriedigend
18 – 15	ausreichend
14 – 0	nicht mehr ausreichend

Arbeitszeit: 45 Minuten

Name: _____

1 Partizip II – *Grammatik*

Beispiel: Sind **geknöpfte** Stiefel jetzt wieder Mode? (knöpfen)

a) Ich habe dir doch alle _____ Zeitschriften auf den Tisch gelegt. (neu erscheinen)

b) Das ist ja ein wirklich gut _____ Outfit. (kombinieren)

c) Der _____ Stoff liegt da hinten. (auswählen)

d) Leider sind die _____ Knöpfe nicht mehr auf Lager. (wünschen)

e) Alle _____ Themen stehen im Protokoll. (besprechen)

/5

2 Partizip I oder II? – *Grammatik*

Beispiel: Er ist bei **eingeschaltetem** Fernseher eingeschlafen.

a) Es handelt sich um mehrere _____ (zusammenhängen) Probleme.

b) Die _____ (feststellen) Probleme lassen sich leicht lösen.

c) Der Chef fand _____ (loben) Worte für seine Mitarbeiter.

d) Ich habe eigentlich nichts gegen _____ (tragen) Kleidung, solange sie mir gefällt.

e) Das Komitee bittet alle _____ (vortragen) Konferenzteilnehmer, 10 Minuten früher da zu sein.

/5

3 Partizip II als Adjektiv – *Wortschatz*

Bilden Sie aus den Nomen Adjektive.

Beispiel: die Schnur – **geschnürt**

a) der Knopf – _____

b) eine Farbe – _____

c) der Streifen – _____

d) das Muster – _____

e) das Karo – _____

/5

Name: _____

4 Mode – *Wortschatz*

Ergänzen Sie die fehlenden Verben in der richtigen Form:

beschließen – erinnern – finden – gehen – haben – halten – leisten – machen – sein – tragen

In diesem Winter werden die Damen wohl wieder Faltenröcke (1) _____. Das haben bekannte Modedesigner aus Italien und Frankreich (2) _____. Sie sollen an den Schulmädchen-Look (3) _____, sind meisten aus kräftigem Stoff, (4) _____ bis tief unters Knie und sind unten sehr weit. Und genau das wird das Problem beim Verkauf der Röcke (5) _____: Weite Falten (6) _____ dick. Wer sich die teuren Stücke (7) _____ kann, wird aber wahrscheinlich meistens nicht mehr die nötige schmale Idealfigur (8) _____. Deshalb wird sich die Freude der Boutiquenbesitzer in Grenzen (9) _____. Vielleicht wird der Faltenrock aber im Winterschlussverkauf seine wahre Zielgruppe (10) _____: schlanke Schulmädchen.

/10

5 Mein Verhältnis zur Mode – *Schreiben*

Schreiben Sie vier Sätze über sich selbst. Sagen Sie etwas darüber,
- welche Kleidung Sie persönlich gerne mögen,
- wie viel Geld Sie für Mode ausgeben,

- was Sie an Mode gut finden,
- was Ihnen an der Mode nicht gefällt.

Beginnen Sie so: *Ich trage am liebsten …*

_____

_____

_____

_____

_____

_____

_____

/5

richtige Lösungen	Note
30 – 27	sehr gut
26 – 23	gut
22 – 19	befriedigend
18 – 15	ausreichend
14 – 0	nicht mehr ausreichend

Insgesamt: /30

Lösungen zu den Tests

Lektion 1

1 a) Würde, b) Würden/Könnten, c) Wären, d) Würdest/Könntest, e) Könnte

2 a) Wenn er sportlich wäre, hätte er die Skitour bis zum Ende durchgehalten. b) Wenn sie mehr Freizeit hätte, hätte sie auch Zeit für ihre Hobbys. c) Wenn Herr Kreutzer nicht so viel arbeiten würde, wäre er nicht so nervös. d) Wenn Frau Weber nicht so träge wäre, würde sie Überstunden machen. e) Wenn sie mehr verdienen würde, könnte sie sich einen BMW leisten.

3 a) damit, b) ..., <u>um</u> den Dachboden aus<u>zu</u>bauen. c) damit, d) damit, e) ..., <u>um</u> stricken oder häkeln <u>zu</u> lernen. f) ..., <u>um</u> ihr ein Regal <u>zu</u> bringen.

4 a) Computerspiele machen, b) schwimmen, c) tatendurstig, d) Freundinnen

Lektion 2

1 a) Empfehlung, b) Erlaubnis, c) Gefallen, d) Möglichkeit, e) Wunsch/Absicht

2 a) mich, b) mich, c) mir, d) euch, e) dir, f) sich, g) euch, h) sich, i) mich, j) dir

3 a) jemanden gern haben, b) leidenschaftlich, c) das Misstrauen, d) Neid, e) Wohngemeinschaft

Lektion 3

1 a) Wenn, b) Wenn, c) Als, d) Als, e) wenn

2 a) bis, b) Als, c) bevor, d) Während, e) nachdem, f) sobald, g) Seitdem, h) Wenn

3 b) von den, c) ab dem, d) Nach dem, e) seit dem, f) gegen, g) In den, h) Zu

4 Karneval: Kostüm, Maske, Sekt; Ostern: Eier; Weihnachten: Baum, Geschenke, Gans; Silvester: Raketen, Sekt

Lektion 4

1 Verben mit trennbarer Vorsilbe: ablenken, ansehen, aufpassen, ausbrechen, mitteilen, vorwerfen, einkaufen;
Verben mit nicht trennbarer Vorsilbe: gefallen, missverstehen, empfinden, entschuldigen, verstehen, zerbrechen, beenden

2 (1) entschieden, (2) hatte, (3) warst, (4) war, (5) hatte, (6) bin, (7) gestellt, (8) verlangt

3 a) die Schauspielschule, b) Platz nehmen, c) die Umgangssprache, d) der Zettel, e) das Wartezimmer

4 den Direktor zu Hilfe holen • den Unterricht beenden • die Eltern anrufen • die Schüler ermahnen • eine Pause machen • einen Test schreiben • in Gruppen arbeiten lassen • mit den Schülern schimpfen • Strafen verteilen • um Aufmerksamkeit bitten

Lektion 5

1 a) ... wird auch Schweinebraten und Ähnliches von den Gästen bestellt. b) Es wird auch sehr viel Wein getrunken. c) Das Lokal wird besonders von jüngeren Leuten besucht. / Besonders von jüngeren Leuten wird das Lokal besucht. d) Die Atmosphäre wird besonders geschätzt. / Besonders geschätzt wird die Atmosphäre. e) Das Café wird von einem Team geleitet. f) Alle wichtigen Entscheidungen werden gemeinsam getroffen.

2 Feinschmecker • Bistro • wissen • aß • Lokale • Rezepte • wünschen • Küche • ausprobiert • ausgewählt • Geld

3 a) der Teller, b) das Café, c) das Kabarett, d) anbieten, e) schwer, f) servieren

Lektion 6

1 a) der, b) von der, c) in den, d) auf den, e) die

3 a) Deshalb, b) Trotzdem, c) Darum, d) Obwohl, e) aber

4 a) wo, b) wie, c) was, d) wo, e) wie

5 der Kameramann: die Kamera + der Mann; der Mann, der mit einer Kamera die Filmaufnahmen macht. • der Kostümdesigner: das Kostüm + der Designer; Person, die die Kleider/Kostüme für den Film entwirft. • der Drehbuchautor: drehen + das Buch + der Autor; Verfasser des Textbuches eines Films, das genaue Anweisungen enthält, wie der Film gestaltet/gedreht werden soll. • die Hauptdarstellerin: das Haupt + die Darstellerin; Schauspielerin mit der wichtigsten Rolle in einem Film / in einem Theaterstück • der Zeichentrickfilm: zeichnen + der Trick + der Film; Film, der aus einer Reihe gefilmter Zeichnungen besteht.

Lektion 7

1 1 - 5 - 3 - 4 - 9 - 6 - 7 - 10 - 8 - 2

2 a) Besuchen Sie ..., b) Nimm ..., c) Sieh ..., d) tanzt ..., e) Lasst ..., f) Gewinnen Sie ...

3 a) zu, b) entlang, c) hinter/vor/neben, d) nach, e) an/zur

Lektion 8

1 (1) Musik, (2) CD, (3) klingendes, (4) Geschmack, (5) Jazz, (6) Opern, (7) Volksmusik, (8) Aufnahme, (9) gesucht, (10) Musikkassette

2 a) Sie versuchen, den idealen Popsong zu komponieren. b) Mozart fing schon als Kind an, Geige zu spielen. c) Daniel plant, eine Ausbildung als Musiker zu machen. d) Hilfst du mir, meine Karriere als Musikerin zu planen? e) Du sollst aufhören, so viel Hip-Hop zu hören.

3 a) Von diesem Schriftsteller habe ich nichts gelesen. b) ... alt ist nicht neu, ... c) ..., Ratten sind keine Mäuse, ... d) Hase ist kein Fuchs, ... e) Ich werde dieses Gedicht niemals verstehen. f) Es ist schon zu spät.

4 a) die Rechenmaschine, b) die Melodie, c) teilnehmen, d) fördern

5 a) am, b) zu, c) nach, d) an, e) für

Lektion 9

1 1 - 5 - 3 - 2 - 4

2 a) der Atem, b) die Dürre, c) der Sonnenschein, d) durstig, e) der Steg

3 a) kürzer, c) gleich lang, d) länger, e) kürzeste

4 (1) Bergsteigen, (2) Führer, (3) Berge, (4) Jacken/Schlafsäcken, (5) Schuhen/Treckingzelten, (6) hoher, (7) Gipfel, (8) gestiegen, (9) hoch, (10) klettern

Lektion 10

1 a) neu erschienenen, b) kombiniertes, c) ausgewählte, d) gewünschten, e) besprochenen

2 a) zusammenhängende, b) festgestellten, c) lobende, d) getragene, e) vortragenden

3 a) geknöpft, b) gefärbt, c) gestreift, d) gemustert, e) kariert

4 (1) tragen, (2) beschlossen, (3) erinnern, (4) gehen, (5) sein, (6) machen, (7) leisten, (8) haben, (9) halten, (10) finden

Notizen